歩く・知る・対話する

琉球学

歴史・社会・文化を体験しよう

松島泰勝 編著

明石書店

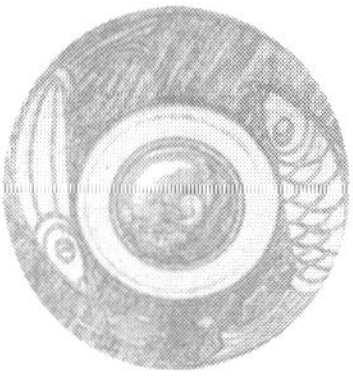

まえがき

フィールドワークを通して琉球（沖縄）を「自分事」として考えてみよう

〔松島泰勝〕

本書を手にとって、琉球（沖縄）の島々を歩き、住民の声を聴いて、島々の歴史、文化、社会の各事象を自分の心と頭で感じ、考えてみませんか。さまざまな体験を通して島の魅力を体感し、住民と喜怒哀楽を共有するうえで必要な多くのヒントが、本書に分かりやすく書かれています。本書を読めば、琉球の人びとの心に触れ、島や人から多くのことを学ぶことができるでしょう。

まずはじめに、修学旅行の事前・現地・事後学習に実践的に役立つことを期待して、本書は作成されました。事前学習をしっかり行うことで、現地での学びをより効果的にすることができます。どこを訪問するのか、誰の話を聞くのか、何をするのかなどを考えるときにも、モデルコースなどを具体的に提案している本書は、役立つでしょう。事後学習として、修学旅行で学んだことをグループ発表する機会を設けると、生徒のプレゼン能力を高めることができます。

もちろん、高校生だけでなく、琉球を訪問するその他の観光客も、本書を通じて、琉球の歴史や文化の基本的知識や情報、最新の社会的動き、推奨される観光地などを知ることができます。

琉球にかんする情報がWEBサイト、雑誌、本に溢れています。今や「琉球情報」がスマホで手軽に入手できますが、そのなかには根拠のない、偏見に基づく「誤った情報」も少なくありません。ネット情報すべてが問題なのではなく、どのように「正しい情報」を入手し、修学旅行に活用するのかが重要なのです。本書では、琉球の歴史、文化、社会などにかんする、信頼できるウェブサイト、you tube 番組なども紹介しています。

琉球史の歴史区分は次のようになります。旧石器時代（約3万2000年前〜紀元前約6400年）、貝塚時代（約1万年前〜紀元後11世紀頃）、グスク時代（三山時代含む、12世紀〜1429年）、第一尚氏時代（1429年〜1470年）、第二尚氏時代前期（1470年〜1609年）、第二尚氏時代後期（1609年〜1879年）、近代琉球時代（1879年〜1945年）、米軍統治時代（1945年〜1972年）、「復帰」後時代（1972年〜現在）。

琉球の歴史は日本史の一部ではありません。1879年の琉球併合まで琉球は琉球国という、日本とは別の国でした。日本とは異なる国の、異なる民族の歴史が琉球史なのです。1879年の琉球併合や1972年の日本「復帰」は民族の統一ではなく、それぞれ日本国による琉球国の併合であり、「復帰」という名の再併合なのです。亜熱帯気候の、珊瑚礁に囲まれた島嶼であり、人間の

本書では、主要な博物館・施設の情報を得るためのQRコードを掲載した。

https://okimu.jp/

沖縄県立博物館・美術館

相互扶助関係が強い琉球は、独自な歴史、生態系、社会構造を有し、アジア太平洋諸国とも長い歴史的関係をもつ地域です。

高校生が琉球での修学旅行から学ぶことができるのは、平和や戦争、米軍基地だけでなく、人間関係、豊かな自然、芸能や工芸等の多彩な文化活動など、数多くあり、それらを本書では紹介しています。

日本に歴史上の「偉人」がいるように、琉球にも「偉人」がいます。琉球は、日本とともに、中国大陸、朝鮮半島、東南アジア、太平洋諸島、南北アメリカ大陸等と歴史的に深い関係をもち、多様な文化が島々にもたらされ、人の交流や移動がありました。それが琉球の歴史や文化の独自性を作りあげました。日本政府が多くの住民が住む地域で地上戦を行うことを決め、日本兵によって住民が虐殺され、集団死が強制されたのは、日本のなかでは琉球しかありません。太平洋戦争後、長期にわたって米軍が占領し、現在も広大な基地が押しつけられているのも、日本のなかでは琉球しかありません。

琉球は、本書の読者とは関係のない、「日本の南にある小さな島々の観光地」ではありません。私は、石垣島で生まれ、南大東島、与那国島、沖縄島那覇で育ち、東京都にある大学で学び、グアムやパフオ共和国にある日本の総領事館や大使館で働き、その後、東京都、沖縄県、静岡県に住み、今は滋賀県で生活しています。琉球以外のそれぞれの地域と琉球とを比較し、その関係性を考え、自らのアイデンティティを確認しながら生きてきました。

私が滋賀県の高校で修学旅行の事前学習として講演したときに、滋賀県と沖縄県とを結ぶ次の二人の人物を紹介しました。最初は井伊文子《いいふみこ》（1917〜2004年）です。井伊は、琉球国の最後の国王・尚泰《しょうたい》の曾孫です。歌人、随筆家としても活躍し、聞得大君《きこえおおきみ》（琉球国時代における最高位の祭司）に就任しました。１９３７年に井伊直愛（後の彦根市長）と結婚し、長いあいだ、彦根市で生活しました。井伊は滋賀県でも社会福祉活動に力を入れるとともに、72年に沖縄県の青少年育成を目的とした「佛桑花の会」を設立し、琉球の社会教育にも心を砕きました。井伊は２００４年11月に亡くなり、その遺骨の一部が尚家の墳墓である、伊是名島の玉御殿《たまうどぅん》に葬られました。

次に紹介する松田道之《まつだみちゆき》（１８３９〜82年）は、琉球併合において中心的な役割を果たしました。松田は明治維新後に内務官僚となり、１８６９年に京都府大参事、71年に大津県令、72年に滋賀県令に就任しました。松田は75年に内務大丞になり、「琉球処分官」として首里城に行き、琉球国と清朝との朝貢冊封関係の廃止を命じました。１８７９年、松田は、軍隊３００名余、警官１６０名余を率いて首里城に入り、城の明け渡しを強制しました。その後、日本政府によって国王・尚泰は東京に連行され、琉球国は滅亡し、沖縄県が設立されました。滋賀県の初代知事であった人が、琉球国を滅亡させる過程で大きな役割を果たしたのです。

私は高校生に、在沖米軍基地の形成過程と滋賀県との関係についても話をしました。太平洋戦争後、琉球は日本から切り離され、アメリカ合州国の軍事植民地になりました。憲法が適用されず、米軍基地関連の事件・事故が多発しました。１９５０年代、在日米軍基地の機能強化にともない、砂川闘争、内灘闘争等のように在日米軍基地に反対する運動が激しくなりました。それに手を焼いた両国政府は、山梨、滋賀、岐阜、神奈川、奈良、大阪、兵庫等に駐留していた米海兵隊部隊を琉球に移動させ、日本の大手建設会社が在沖米軍基地を建設しました。67年、マクナマラ米国防長官が松岡政保・琉球政府主席に対して、在沖米軍基地は軍事的に重要ではないと述べました。基地縮小の期待が生まれましたが、日本政府は琉球に米軍基地を置き続けることを米政府に強く求めました。その後、同様なことが何回かありました。琉球に米軍基地が集中しているのは、地政学的な理由ではなく、基地被害を琉球に押しつけたいとする日本政府の差別政策の結果でしかありません。

戦後、大津市内に米軍住宅地の「皇子山ハイツ」、キャンプA地区、キャンプB地区が建設され、米軍の飛行場もありました。１９５７年から58年にかけて米軍が琉球に移駐した後、軍用跡地が大津市に払い下げられ、大津市役所、大津市歴史博物館、皇子山総合運動公園、滋賀県立大津商業高校、陸上自衛隊大津駐屯地等が建設されました。

本書の最大の目的は、フィールドワークを通して、琉球を「他人事」としてではなく、「自分事」として考えてほしいということです。当事者性をもって琉球のことを調べてほしいのです。

読者の皆さんが住んでいる地域にも、琉球と関係する、人物がおり、歴史的、文化的、社会的なつながりや関係があると思います。琉球をより身近に感じ、琉球の人たちの気持ちに寄りそいながら、島の歴史、文化、社会を学べば、その学びは皆さんのこれからの生き方にも役立つのではないでしょうか。新たな琉球と日本との関係を築けるかもしれません。

地域を深く学ぶために「沖縄学」と呼ばれる研究がありました。しかし、これでは琉球を「日本」の一部とする考え方から抜けだすことはできません。「日本」とは異なる「琉球」を深く知るための「琉球学」が求められています。「琉球学」は、島々の土地を歩き、住民との対話というフィールドワークを通じて歴史、社会、文化を知り、国際的な比較を行い、様々な問題の解決を目指し、未来への展望を構想するなかでつくられてきました。その学問の担い手は、研究者だけではなく、琉球に関心をよせる市民や学生自身であり、社会に開かれた、実践的な学問であるといえます。

本書の執筆者は、新聞記者、放送局制作プロデューサー、ユーチューバー、大学教員、写真家、公文書専門員、沖縄近代史家、地域文化センター学芸員、郷土史家・伝統芸能伝承者、県議会議員、ケアワーカー、持続的発展研究所所長等、さまざまな職業に携わりながら、琉球の歴史、文化、社会の現場、課題、未来のあり方にこだわり続けてきた方々です。修学旅行の事前・現地・事後学習において、執筆者の方々から直接、お話を聴いて、質疑応答する場が設けられたら、本書に基づく学びはさらに深いものになるでしょう。修学旅行が双方向型の学習になります。

本書を手にとってフィールドワークの旅に出て、さまざまな体験を通じて、自分と琉球との関係、命の大切さ、人権の重さ、人や動植物の多様性、歴史や文化とアイデンティティとの関係等について「自分事」として考えてみてください。多くの新たな発見や人との出会いの喜びを手にすることができるように、皆さんが本書を十分活用してくださいましたら、大変うれしいです。

目次

ひと

QA歴史

琉球人の祖先について

〔松島泰勝〕

琉球人の祖先は、日本人の祖先と同じでしょうか。「人種」と「民族」はどうちがいますか。

那覇市山下で発掘された山下洞人の人骨（8歳ほどの少女）は、約3万2000年前の人のものであり、八重瀬町で発見された港川人の人骨は、約1万7000年前の人のものとされています。港川人の人骨は、港川フィッシャー遺跡から1960年代末〜70年代半ばに発見されました。石灰岩中にできた裂け目（フィッシャー）から発掘されたのは、4体（成人男性1体、成人女性3体）の保存のよい骨と、他の部分的な骨でした。港川人の骨は積み重なった形で発見されており、同遺跡は旧石器時代の墓地であったと認識されています。港川人4号女性の上腕骨が関節の直上で折り取られ、尺骨肘頭が抉りとられています。これは葬送儀礼として骨が傷つけられた結果であるとされています。つまり港川人は葬送儀礼を行う、琉球（沖縄）の共同体社会のなかで生活をしていたといえます。

港川人は、エネルギー消費量を抑えるために胴体や四肢（特に肩と上肢）が細く短く、身体が小さいという特徴があります。狭く起伏の大きい土地に住み、栄養の乏しい食物を摂るという、琉球の島嶼的環境に適応しながら、港川人は生きていたのです。

1879年の琉球併合まで琉球は独自な国であり、もしも琉球が国のままであり続け、その地から港川人が発見され、琉球人によって研究されていたら、当然、港川人は琉球人の祖先として博物館などで位置づけられていたでしょう。しかし現在、国立科学博物館では港川人が日本人の祖先であると説明されています。それは、琉球併合により琉球が日本の領土に組みこまれ、港川人が日本人研究者によって研究され、保存状態の良い港川人1号、2号を東京大学が保管しているからにほかなりません。「港川人が日本人の祖先である」という仮説は、琉球が日本の植民地であることを象徴しているのです。

日本史にはない、琉球独自の歴史編年名称として「貝塚時代」があります。貝塚時代は、1万年前ころから11世紀ごろまで続いた、狩猟採取を中心とした時代です。貝塚時代後期から、九州と奄美諸島・沖縄諸島とのあいだで、貝の交易が行われました。奄美諸島や沖縄諸島で採集されたゴホウラやイモガイが装身具として九州に運ばれ、主に土器と交換されました。貝塚時代末期からは、螺鈿の材料としてヤコウガイが交易品となり、土器、唐代の開元通宝、鉄器などと交換されました。また長崎県の西彼杵《にしそのぎ》半島で作られた滑石製石鍋、徳之島で作られたカムィヤキ、中国産の陶磁器が琉球列島内で流通しました。

貝塚時代の琉球で作られた爪形文土器は、九州で発見された爪形文土器とは異なる、独自の土器です。この土器と一緒に発見された石器も刃先を磨いた大型のものであり、当時の日本列島には存在していません。縄文文化の特徴的遺物として、石鏃、土偶、石棒、石匙がありますが、琉球から土偶は発見されず、石匙もほとんど出土せず、石鏃は極端に少ないのです。また蝶形骨製品は琉球にしかなく、日本列島では見つかっていません。

貝塚時代の宮古・八重山諸島は、中国大陸南部やフィリピン諸島と多くの文化的共通性を有し、縄文・弥生文化の影響を受けていません。* 宮古・八重山諸島では、焼いた石で蒸して料理をする石蒸しの調理が行われていました。トンガやフィジーなどの太平洋諸島でも石蒸し調理が見られます。

＊2八重山諸島の先史時代参照。

波照間島の大泊浜貝塚から出土した貝塚時代後期の女性人骨は、フィリピン諸島の人骨と近いとされています。また同時代後期において、貝製の錘を使った網漁、イモガイの貝符が使用されました。シャコ貝の蝶番の部分で作られた貝斧は、フィリピンの貝斧と類似しており、カヌーを作るときに使われたようです。

宮古・八重山諸島には縄文文化はおよばず、沖縄諸島の縄文文化も日本列島のそれとは大きく異なります。琉球人が縄文人の子孫であるとはいえません。また日本の国王である天皇の影響は、島津藩が琉球国を侵略した1609年以降もなく、1879年の琉球併合後、皇民化教育を通じて島々におよぶようになりました。14世紀の終りごろから中国福建省出身の人びとが琉球に政策的に移住し、*琉球王国の外交、交易活動において大きな役割を果たしました。このように、政策的に日本人がまとまった形で琉球に移住したことはありません。

近年、人骨のミトコンドリアDNA分析、形態計測研究によって人類の拡散、「日本人の起源」を分析する研究が注目を集めています。しかし、これらの自然人類学的な研究の結果、特定の集団が「日本人」に近いとされても、それによって「日本人アイデンティティ」が決定、形成されるわけではありません。人のアイデンティティつまり民族的属性を、研究者が他律的に決めることはできません。アイデンティティは、一人ひとりの「自己決定」に従って形成されるのです。

「民族」と「人種」とはどうちがうのでしょうか。ある「民族」への帰属は個人が自分で決めるのであり、変更可能ですが、「人種」は他者（主に研究者）が一定の基準をもって決めます。つまり、「民族」は「自己決定」、「人種」は「他者決定」によって分類される集団属性であり、性質をまったく異にします。「人種」は、体格、顔立ち、皮膚の色、毛髪の性状等の身体的特徴、血液型の割合、気候に対する身体的順応性などを共有する人びとの集合体といわれています。*他方、言語、慣習、信仰等の文化的特徴で他集団と区別されるのが「民族」です。「日本人」とは、「人種」概念ではなく、「民族」概念です。

ホモ・サピエンスつまり、私たち人間は、通常、人の形質において一人ひとりの差異のほうが、

＊1392年に明の洪武帝より琉球王国に送られたとされる閩人（現・福建省の中国人）の職能集団とその後300年間にわたり閩から渡来した者や首里・那覇士族から迎え入れた人びとが「久米三十六姓」と呼ばれている。船舶の運航、外交などをになったとされる。

＊「人種」にかんする研究は、帝国主義・人種差別を正当化したり、人種間の優劣を求めたりすることに使

集団間の平均値のちがいよりも大きいと認識されています。また「人種」は類型学の傾向があり、小さな共通項で人びとを囲いこみ、根拠もなく、他者を「区別し、差別する」ことにつながりうる概念です。

類似の鼻形、頭形、皮膚色、体毛、同じ血液型や遺伝子型をもっていたとしても、ある「民族」のアイデンティティが生まれるとは限りません。たとえ、琉球人の顔が「日本人」と似ていても、自分を「琉球人、沖縄人、ウチナーンチュ」として意識してもおかしくありません。

ある特定の集団に属すのかどうかを決めるのは、あくまで個人です。私も石垣島で生まれ、沖縄島で生活していたときに同化教育を受け、「日本人」であると自己認識していました。しかし、大学進学とともに東京で生活し、他の「日本人」から「人種的ちがい」を指摘され、差別されるなかで、琉球人アイデンティティに目覚め、それはグアムやパラオでの生活で強固になりました。

戦前、欧米諸国や日本などの研究者が、自民族の「優秀性」を示し、植民地支配の正当化を目的とする研究を行うために、墓から先住民族の遺骨を盗掘しました。戦後、世界的な脱植民地化運動が活発になるなかで、民族のアイデンティティが覚醒され、奪われた遺骨を元の墓に返そうとする社会運動が広く展開されるようになりました。アメリカ合州国では、１９９０年にアメリカ先住民族墓地保存・返還法が施行され、先住民族の遺骨の返還が大きく進みました。

現在、日本の先住民族であるアイヌ民族と琉球民族によって、人種差別的な研究のために大学の研究者によって墓から盗掘された、先祖の遺骨を返還させるための運動が広く展開されています。＊

われることが多かった。ユネスコは1951年に「人種の本質と人種の違いに関する声明」を作成し、人種の生物学的差異は存在せず、人種とは「社会的神話」であるとしている。

＊31遺骨盗掘問題参照。

皆さんも、自分の先祖の遺骨が墓から奪われて今でも返してもらえないとしたらと想像して、「自分事」として考えてみてください。

参考文献
松島泰勝『琉球　奪われた骨――遺骨に刻まれた植民地主義』岩波書店、２０１８年
松島泰勝『帝国の島――琉球・尖閣に対する植民地主義と闘う』明石書店、２０２０年

八重山諸島の先史時代

〔松島泰勝〕

航海術が発達する以前、琉球は二つの文化圏に別れていたと聞きました。台湾などに近い八重山の文化はどのような特徴をもっていましたか。

先史時代の琉球列島は、奄美・沖縄諸島の「北琉球文化圏」と宮古・八重山諸島の「南琉球文化圏」*に分けることができます。「南琉球文化圏」には縄文文化、弥生文化が波及せず、東南アジアや太平洋諸島からの文化的影響が確認できます。１９５４年、日本最南端の有人島である波照間島において下田原《しもたばる》貝塚の発掘調査が行われ、先史時代の石器、貝器等が発見されました。同貝塚における調査により、約３８００年前から始まる、宮古・八重山諸島の「下田原期」の文化的諸相が明らかになりました。貝塚からは、網の錘に利用された貝器、イノシシの骨も発見されました。イノシシは波照間島では

＊二つの文化圏は、琉球の歴史区分によるグスク時代以前には交流がなかったと考えられている。

生息しておらず、対岸の西表島からもたらされたと考えられています。また石器に加工された石材のなかには西表島産のものがありました。

下田原期の貝塚から出土するモノを通じて、当時の島人の生活を想像してみましょう。人びとは地面に穴を掘り、柱を据えた住宅である「穴屋」で生活しました。下田原貝塚から、サメ歯製品、クジラ骨製品、巻貝製のビーズなど、貝、動物の骨や牙を加工した、多くの道具や装飾品が出土しています。島の人たちは、道具を使った生産活動を行い、オシャレを楽しんでいたのかもしれません。

八重山諸島で最も古い土器は、波照間島の下田原貝塚から出土した、今から約3600年前の下田原式土器です。同土器は八重山諸島と、宮古諸島のなかの多良間島から発見されています。それは赤褐色で厚手の平底土器であり、牛角状の把手がついています。多くの土器には文様がないのですが、なかには爪形文、沈線文、刺突文などの文様のある土器も発見されています。土器の原料である胎土の成分をみると、波照間島には存在しない石英粒が含まれており、これらの土壌成分を有する石垣島や西表島から粘土や土器そのものをもちこんだと考えられます。西表島の仲間第2貝塚からも下田原式土器が発見されています。波照間島と西表島とのあいだで交易、人との交流が行われていたといえます。ノミ状の片刃石斧も遺跡から発見されており、それを使って舟を製造して、島嶼間航海を行っていた可能性があります。

シャコガイのような大型な貝殻を使った、焼き石料理法が行われた跡が発見されています。焼き石料理法とは、地面に穴を掘り、木の葉で穴を覆い、魚や植物などを入れ、焼いた石を詰めて蒸すという料理法です。ハワイなどの太平洋諸島でも行われていました。

石器、貝器、貝斧なども生活の道具として利用されていました。石器は刃の部分だけが磨かれた型のものであり、同様な石器は奄美諸島や沖縄諸島から発見されておらず、東南アジアに由来するものだとされています。シャコ貝製の貝斧は、奄美諸島、沖縄諸島、九州でも確認されておらず、これも東南アジアなどからもたらされたものだと考えられています。

シャコガイ類やチョウセンサザエ、サラサバテイ、ヤコウガイ、ホラガイ、クモガイ、スイジガイ、リュウキュウサルボウ、シレナシジミなどの貝がほとんどの遺跡で出土しています。マングローブ域、内湾の砂地、イノー（サンゴ礁の浅瀬）などで八重山諸島の人びとは貝を捕っていたようです。魚類としては、今も島の市場で見ることのできるフダイ科の骨が多くの遺跡で出土しています。イノーやリーフの外縁などに生息する魚が多いというのが特徴です。太平洋戦争中に石垣島では陸地の食糧が不足した際、イノーで採取された海産物で島人は命を長らえることができました。先史時代の島人の生存にとってもイノーが大変大切な生活の場所であったのです。

カメやジュゴンの骨なども出土しています。陸の動物では、リュウキュウイノシシの骨の出土数が多いという特徴が見られます。イノシシが生息していない波照間島、与那国島の遺跡からもそれが出土しています。リュウキュウイノシシは肉を食するだけではなく、その骨は道具の材料にもなっています。

八重山諸島ではその後、3世紀から12世紀頃まで土器を伴わない文化期（無土器期）が続きました。次に、再び土器を用いる時代である新里村期が始まりました。12世紀末ごろから島々で稲作、畑作が行われ、中国との交易によりさまざまな物が島にもたらされました。鉄製農具や、「外耳土器」と呼ばれる八重山式土器が利用されました。

2007年に石垣島の新石垣空港建設敷地内において、旧石器時代から16世紀までの複合遺跡が発見されました。白保《しらほ》竿根《さおね》田原《たばる》洞穴《どうけつ》遺跡《いせき》と呼ばれています。旧石器時代の人骨が約1100点、19人分が発掘されました。旧石器時代の人骨発掘数としては世界的に見ても最大級でした。そのなかでも、日本列島で最古となる、約2万7000年前の全身骨格も発掘されました。また日本列島で初めて、洞穴を利用した、旧石器時代の墓域が確認されました。ある人骨は、膝を胸の前で折られ、両手も頭の近くになるように肘が曲げられた、仰向けの姿勢で、岩のあいだから発見されました。琉球の葬制である風葬の最も早い発見事例でした。

その他、約9000年前の土器や石器、石器で解体した際の傷が残ったイノシシの骨、約4000年前の土器や石器、牙製品、崖葬墓、約500年前の炉の跡、中国・タイ産陶磁器なども確認されました。2018年には発見された人骨の頭蓋骨から当時の人の顔もデジタル復元されました。それは「復元された国内最古の顔」といわれています。

八重山式土器

3 グスク時代、三山時代

〔松島泰勝〕

琉球史の時代区分のグスク時代、三山時代はどんな時代ですか。グスクは城が建てられた時代、三山は三国時代のように3つの山が争った時代ということでしょうか。

グスク時代

琉球史のなかで12世紀頃から1429年までの期間が、グスク時代と呼ばれています。それ以前には、奄美・沖縄諸島の「貝塚文化圏」と宮古・八重山諸島の「先島先史文化圏」の時代がありました。グスク時代になると、奄美・沖縄諸島、宮古・八重山諸島から構成される「琉球文化圏」が成立し、「琉球人」と呼べる集団が形成されました。また琉球列島全域に、石を積み重ねた構築物であるグスク*が建造され、按司（アジ。ティダ、世の主とも呼ばれる）と称する支配者が各地域を統治しました。

浦添市ホームページ
https://www.city.urasoe.lg.jp/home

＊フィールドワーク1 琉球のグスク参照。

グスクには次のような3つの起源説があります。①「聖域説」琉球独自の信仰の聖地として御嶽《ウタキ》＊があり、そこからグスクが発生しました。②「集落説」御嶽を中心とした集落として成立しました。③「城館説」防衛的な要素も含む、領主の居城として作られました。日本の城は、戦いの拠点という性格が濃いのですが、琉球のグスクは、聖域、集落、城館という3つの性格を有するものでした。2000年にグスク跡は世界文化遺産に指定されましたが、現在でもグスク内に御嶽が存在し、琉球人によって祭祀が行われています。首里城、中城城、今帰仁城＊などの大型のグスクの形状を見ると、城壁に曲線が多いことに気づきます。それは、敵兵からグスクを守るための防御上の役割があったとされています。

グスク時代の特徴は、城塞としてのグスクや按司の登場、農耕社会の展開、交易によるさまざまな物産の来島、奄美諸島から宮古・八重山諸島までを包括する文化圏の形成等を挙げることができます。グスク時代の遺跡から、炭化した米・麦や牛の骨が出土しはじめます。農耕文化が確立するとともに島々の人口数、集落遺跡数も増加するようになりました。

グスク時代には、東シナ海においてヒトやモノの交流が活発に行われました。『元史』（1369年）所収の『温州府誌』は、1371年に「密牙古（宮古）人」が交易の途中で元朝の温州に漂着し、二艘の船に60人が乗船していたことを伝えています。13～15世紀の中国大陸で作られた陶磁器や、14世紀の東南アジアの陶器が発見されるグスクもありました。英祖王と尚寧王の墓所である「浦添ようどれ＊」の造営には、朝鮮半島の高麗人も参加し、墓室内の建物に高麗瓦を葺きました。

＊41世界遺産、43宗教など、参照。

世界遺産今帰仁城跡
https://www.nakijinjoseki-osi.jp/

＊現在の浦添市にある琉球王国の陵墓。13世紀の英祖王、17世紀の尚寧王の一族が葬られているとされる。沖縄戦で大きな被害を受けたが、発掘調査が進み、現在は戦前の姿に修復されている。

朝鮮楽浪の土器が沖縄諸島から発見されており、朝鮮半島の人びととも交流があったことが分かります。

また開元通宝や漢時代の五銖銭が沖縄諸島から出土され、八重山諸島からも多くの中国貨幣が見つかりました。他方、中国大陸、朝鮮半島では琉球産のゴホウラやイモガイが発見されました。徳之島で製陶されたカムィヤキは、11世紀後半から14世紀前半にかけて琉球列島各地で交易されました。甕、壺、鉢、椀等のカムィヤキの窯跡が100か所以上確認されています。私は徳之島においてカムィヤキの窯跡を見たことがありますが、自然の土地の傾斜を利用した窯跡は、今でも土が黒染んでいました。残された土器の破片を手で触りながら当時の島人の生活に思いを馳せました。

グスク時代の島々では、麦・粟畑作と稲作、牛の飼育が行われ、高度な窯業生産や鉄器生産がみられ、それらの生産物が琉球列島の広域で流通していたのです。島は海によって閉ざされていたのではなく、人びとは舟に乗って「海上の道」* を行き来し、さまざまな物産を交換して、生活や文化を豊にしていたのです。

*元々は、日本人は、南方から潮流にのって渡来したという学説。柳田国男の同名書籍による。

三山時代

14世紀半ば、中東では疫病で人口の約3分の1が死亡し、中国では明朝が成立する過程で人口が約1億2000万人から約6000万人に半減し、日本では南北朝の乱がはじまりました。13世紀半ば頃から、沖縄島の北部・中部・南部地域それぞれにおいて、山北国、中山国、山南国*の三つの王国が形成されはじめました。この時代を三山時代といいます。奄美諸島のなかにある沖永良部島では、山北王の次男・真松千代王が、与論島でも山北王の次男・王舅が「世の主」としてそれぞれの島を統治し、その墓所も残っています。私が与論島に行ったとき、沖縄島の北部地域を肉眼ではっきりと見ることができましたが、それほど、島と島との距離は近く、互いに交流がありました。

*それぞれ北山国、南山国ともいう。

明朝皇帝の求めに応じて、1372年に中山国が明朝と朝貢関係を結びました。1380年には山南王、1383年には山北王が明朝に朝貢しました。外交・交易関係をはじめた三山時代から、琉球に「国」が成立したといえます。三山の「山北《さんほく》」「中山《ちゅうざん》」「山南《さんなん》」の国名も明朝から与えられました。三山のなかで最も活発に貿易活動をした中山国が、1429年に琉球王国を統一しました。

明朝と琉球の3か国は「朝貢冊封関係」と呼ばれる外交・交易関係を結びました。1404年の中山王・武寧から1866年の琉球国王・尚泰まで、明朝、清朝に対して冊封《さっぽう》が行われました。冊封とは、明朝や清朝の皇帝から派遣された冊封使が、朝貢関係を結んだ周辺諸国の国王に対して王号を授与する外交儀礼関係をいいます。

中国という中核国を中心にしてさまざまな諸国家がシステム的に序列化され、決められた通商路、貿易港を通じて朝廷に対する外交、儀礼や、経済活動が行われました。このような国際関係は

「中国型華夷秩序」と呼ばれています。それは中国を中心とした縦の関係だけでなく、朝貢国相互の儀礼的、外交的、経済的関係も形成されました。いわば、アジア域内の分業と利益の蓄積を可能にした地域システムであったと評価されています。琉球国と東アジア、東南アジア諸国との外交文書が『歴代宝案』にまとめられており、現在も読むことができます。

「中華思想」は、中国の春秋時代の歴史書である『春秋』に起源をもちます。「夷狄《いてき》」とは「中華（または華夏、中国）」の対立概念であり、人倫を知らない存在をさします。華夷秩序観は、中華がもたらす徳化によって夷狄は中華の恩恵を受けることができるという儒教倫理に基づいた世界観です。原則的に中国は朝貢国の内政に干渉せず、各国の政治経済的自立性に寛容でした。三山時代の国々や琉球国も明朝、清朝による内政干渉、植民地支配などはありませんでした。むしろ「朝貢冊封関係」は琉球側にとって経済的メリットが多く、アジアの国々との交易を可能にし、海洋国家として琉球国が存続、発展することができました。

明朝の洪武帝は、琉球に自らへの朝貢を勧めるとともに、福建地域に住む「閩人三十六姓」と呼ばれる人びとを琉球に移住させ、両国の政治経済的、文化的関係を強化しました。これらの人びとは沖縄島の久米村で生活したことから、久米村人《クニンダー》と称せられました。久米村人は外交文書の作成者、通訳、進貢船の船員、外交使節団の一員等となって外交、対外交易で大きな役割を果たしました。

１４０５年、佐敷按司であった尚巴志《しょうはし》は、中山王の武寧《ぶねい》を追放し、父の尚思紹《しょうししょう》を中山王としたうえで、王都を浦添から首里に移しました。１４１６年に尚巴志は、今帰仁城を拠点としていた山北国王の攀安知《ハンアンチ》を滅ぼし、１４２９年には山南国を併合して、琉球国を統一しました。今帰仁村の百按司墓（本書のフィールドワーク1参照）には、第一尚氏の貴族とともに、山北王統の人びとも葬られたと伝えられています。攻め滅ぼされた者の歴史や記憶をも心にとめて、琉球の歴史や文化を考えてみましょう。

参考文献

松島泰勝『沖縄島嶼経済史――12世紀から現在まで』藤原書店、２００１年
松島泰勝『琉球の「自治」』藤原書店、２００６年

4 琉球王国

〔伊佐眞一〕

琉球王国はいつできたのですか。もともと日本国の天皇や将軍とは深い関係だったのでしょうか。いつから日本になったのですか、また琉球文化と日本文化はちがうのですか。

琉球は宮古や八重山、久米島など、多くの島々から成っています。その島嶼のほぼ全域を支配した王国が登場したのは、15世紀初頭です。それを成しとげたのは、佐敷出身の尚巴《しょうは》志《し》（1372〜1439）で、彼は1406年に武寧《ぶねい》を倒して中山《ちゅうざん》王となり、その後、北山《ほくざん》王と南山《なんざん》王を滅ぼして統一国家を打ち樹てました。以後、尚忠《ちゅう》、尚思達《したつ》、尚金福《きんぷく》、尚泰久《たいきゅう》、尚徳《とく》へと王位が引き継がれていきます。この1406年から1469年までの60年余を第一尚氏《しょうし》王統と呼んでいます。1458年に起きた阿麻和利《あまわり》による反

琉球国王之印
（伊波普猷『古琉球』郷土研究社、1922年）

乱などがあって、王統の政治基盤は不安定でしたが、首里が王国の中心となっていくのは、この時代といっていいでしょう。

尚徳王の死後、王位継承が紛糾しているなかで、権力を奪いとったのが旧家臣の金丸《かなまる》でした。１４７０年、彼は前王統を継いで尚円《えん》王と名乗り統治を始めます。第2代の尚宣威《せんい》からあとは尚真《しん》、尚清《せい》、尚元《げん》、尚永《えい》、尚寧《ねい》、尚豊《ほう》、尚賢《けん》、尚質《しつ》、尚貞《てい》、尚益《えき》、尚敬《けい》、尚穆《ぼく》、尚温《おん》、尚成《せい》、尚灝《こう》、尚育《いく》、尚泰《たい》の第19代までです。この第二尚氏王統が１８７９年、明治の琉球武力併合（または琉球併呑、いわゆる「琉球処分」）まで続いていくことになります。

小さいながらも、独立した王国として長い年月存在していたのには、それなりの理由があります。第一は、当時の東アジア世界で圧倒的な影響力をもっていた明（今の中国）との関係がよかったことです。広大な地域を支配していた明でしたが、大陸の本国を除いた朝鮮や安南（いまのベトナム）、東南アジア諸国に対しては臣下の礼を示す朝貢を求める代わりに、儀礼的にそれぞれを臣下としての冊封＊をして、それらの国家としての独立性を認めるという関係を維持しました。

そして第二は、明とそれに続く清との冊封体制が琉球に大きな経済上の恩恵を与えたことでした。中国の陶磁器や絹製品などを、日本やルソン（今のフィリピン）、シャム（現在のタイ）、マラッカ（今のマレーシア）といった東南アジアから仕入れた物産と相互に交換する中継の役割を果たすことで、琉球の経済が拡大発展していく基盤となったのです。

この中華世界秩序のなかで、琉球王国は中国を中心に、北方の日本、北西の朝鮮、それから南方

＊さくほう。天子（中国皇帝）が、近隣の諸国・諸民族の長と名目的な君臣関係を結ぶ外交関係の一種。近代以前の東アジア地域の国際関係を律していた。

諸国との中間にあって、独自の歴史と文化を創造していくことになります。以上のような諸国間にあって、琉球王国が海を発展の回路にして乗りだす勇躍した姿を、１４８５年に鋳造された「萬国津梁《しんりょう》の鐘」が刻みこんでいます。——「琉球国は南海の勝地にして、三韓の秀を鍾《あつ》め、大明を以て輔車《ほしゃ》と為し、日域を以て唇歯《しんし》と為す。此の二つの中間に在りて湧出《ゆうしゅつ》せる蓬莱島なり」。（琉球は南海にある仏法の栄える島である。朝鮮のすぐれたところを集め、明とは顎の上下のように、日本とは唇と歯のように調和して助けあっている。ちょうどこの二国のあいだにあって湧きいずる天国のごとき島である）。いまの沖縄県庁の知事応接室に立てかけられている大屏風の文字が、それです。——まさに琉球王国ここにありと自信満々の宣言を謳いあげた独立王国の証明にほかなりません。

では、４００年におよぶ琉球王国の文化的な特徴は何でしょうか。ひとつ目は、日本からも中国からも明確に離れた遠隔地に立地した、いくつもの小さな島々が集まってできた島嶼国家だった点です。人間の生活は世界のどこであっても、近くにいる人間どうしが集合し集団になって活動するのが理にかなったものです。はるか海の彼方に住む人間は、仮に人種が同じであっても、気候・風土、地理に制約されて別民族として歴史を営むのが普通です。南北４００キロ以上におよぶ広大な海域の交通と交流を想像するだけでも、よくぞひとつの統一体を成して発展してきたものだと驚かずにはおれません。

よってふたつ目の特徴は、地理的位置の特性をうまく生かして、風俗や慣習が中国や東南アジアなど、周辺国や地域の影響を色濃く受けた文化がつくられることになります。とてもよく似た文化特質をもった日本からの影響も当然ありはするものの、時代によって影響には濃淡があるといえましょう。そうした周辺諸国とのつよい文化接触と交流にもかかわらず、しかし琉球が中国でないのはむろんのこと、かといってまるごと日本というわけでもない。世界にただひとつの花として、琉球独自の個性が創造されたといってもかまいません。とりわけ、日本のなかではほとんど通じない言葉をしゃべる人間の集まりだということは、まっ先に強調してよい特徴でしょう。それもただひとつではなく、奄美語、国頭《くにがみ》語、沖縄語、宮古語、八重山語、与那国語という6つの言語がつらなっているわけです。

三つ目の特徴は、日本の天皇と文化的共通性をもつ根がまったくないという点です。アマテラスとか、神武とか、聖武とか、後醍醐とか、沖縄が近代になるまでは無縁の存在でしかありませんでした。ましてや琉球王国を侵略した日本帝国の総大将、明治天皇は琉球・沖縄の異族か、敵でこそあれ、その王統と血筋は琉球・沖縄とは何のかかわり

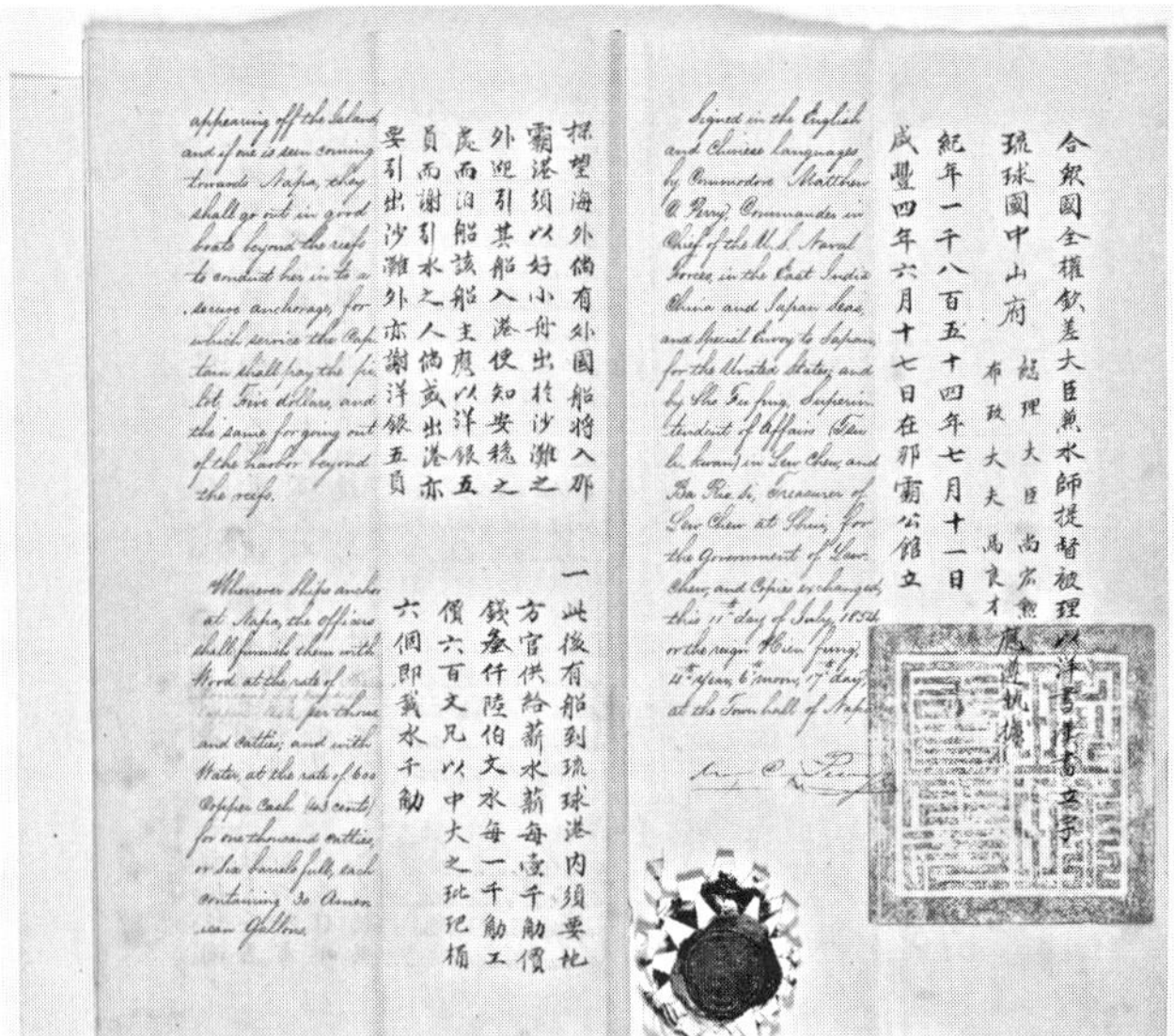
合衆國全權欽差大臣兼水師提督被理以洋書立字
琉球國中山府 總理大臣尚宏勲 布政大夫馬良才
紀年一千八百五十四年七月十一日
咸豐四年六月十七日在那霸公館立

Signed in the English and Chinese languages by Commodore Matthew C. Perry, Commander in Chief of the U.S. Naval Forces in the East India, China and Japan Seas, and Special Envoy to Japan for the United States; and by Sho Fu-fing, Superintendent of Affairs (Tsu-li-kwan) in Lew Chew, and Ba Rio-si, Treasurer of Lew Chew at Shui, for the Government of Lew Chew; and Copies exchanged, this 11th day of July, 1854, or the reign Hien-fung, 4th year, 6th moon, 17th day, at the Town hall of Napa.

探望海外倘有外國船將入那霸港須以好小舟出於沙灘之外迎引其船入港使知安穩之處而泊船該船主應以洋銀五員而謝引水之人倘或出港亦要引出沙灘外亦謝洋銀五員

appearing off the Islands and if one is seen coming towards Napa, they shall go out in good boats beyond the reefs to conduct her in to a secure anchorage, for which service the Captain shall pay the Pilot Five dollars, and the same for going out of the harbor beyond the reefs.

一 此後有船到琉球港内須要地方官供給薪水薪每壹千觔價錢叁仟陸伯文水每一千觔工價六百文兄以中大之玭玘桶六個即貳水千觔

Whenever Ships anchor at Napa, the officers shall furnish them with Wood at the rate of … for three … catties; and with Water, at the rate of 600 copper cash (43 cents) for one thousand catties, or six barrels full, each containing 30 American gallons.

琉米修好条約（外交史料館所蔵）

もありません。明治以後に琉球・沖縄人を「皇民化」しようと日本政府もヤマトの在野も躍起になりますが、それはそうでもしないと琉球・沖縄人には天皇がちっとも身近にならなかったからです。沖縄以外の都道府県にかくも激しい「皇民化」がなされなかったのは、そうする必要がないくらいに十分天皇が生活の隅々にまで浸透していたからにほかなりません。つまり、皇民化以前に最初から完全な「皇民」だったということで、それは「大日本帝国憲法」と「日本国憲法」の「第一章」が、いずれも「天皇」であることが何よりも雄弁に物語っているはずです。

四つ目の特徴は、日本の琉球併合、明治維新以前の１８５４年に、琉球王国がアメリカ合衆国と琉米修好条約を、１８５５年にはフランスと同様の琉仏修好条約を、１８５９年にはオランダと琉蘭修好条約を結んでいる事実です。いずれも欧米諸国が琉球王国を極東の独立国家だと承認していた歴史上の証明です。その独立の証明を、明治政府は武力併合する前準備として没収した事実があります。その条約正本は、現在、東京の外交史料館に所蔵されています。

5 薩摩の侵略と日支両属について

〔伊佐眞一〕

琉球王国を侵略した一番の目的は何ですか。なぜ、これまで「侵略」という言葉を使わなかったのでしょうか。中国と日本の両方に属したのはなぜですか。

17世紀のはじめ、東アジアの隣国である琉球と日本の国家関係が劇的に変化します。それが薩摩の琉球王国侵略です。その兆候は徳川幕府が登場する前の豊臣秀吉の時代にあらわれていました。１５９０年に秀吉が関東を平定したのをうけて、薩摩藩主・島津義久は琉球王としても秀吉に祝言を言上するよう命じたのですが、それ以前から秀吉は琉球国が朝貢に来るよう伝えていました。そして１５９１年、秀吉の朝鮮侵略*（文禄の役）に対して、義久は琉球から兵隊７０００人と兵糧10か月分を出すよう要求します。しかし、琉球ではそれがとても不可能な

＊日本国内の統一を果たした豊臣秀吉が大明帝国の征服をもくろみ、明の冊封国である

ことを薩摩に申し出ていたのですが、その後1604年、仙台に漂着した琉球船を送還したことに関連して、義久は尚寧《しょうねい》王が徳川家康に挨拶に出向くよう書を送って問責します。家康の側には、明に朝貢している琉球が斡旋役となって、幕府が対明貿易を再開したいという意図がありました。そうしたことが暗礁に乗りあげたことによって、琉球王国と徳川幕府、そして薩摩間の関係は一気に緊張した政治問題となっていったのです。

それともうひとつ、当時の島津は深刻な財政危機をかかえていました。それがあって、琉球王国を支配することで財源を獲得し問題を解決しようとの意見がつよくなっていきます。そして1606年、島津家久は琉球王国の領土である奄美大島への出兵許可を家康から得ると、2年後の1608年にはついに琉球出兵の許可を手にします。徳川幕府は琉球国の来聘問題にこだわっていたのですが、島津は琉球王国への侵略による領土拡張を明確に意図していたといえるでしょう。

では、島津軍の琉球王国侵略はどんなだったか、以下簡単に説明します。1609年2月6日、樺山久高らに率いられた軍勢3000名が鹿児島を出発します。そして、3月4日に山川港を出港し、5日に口永良部に着き、6日出発、7日に奄美大島に着くと翌日には島を簡単に制圧します。奄美は琉球王国が支配する北端の大きな島だったのです。そして20日に徳之島へ渡って22日に制圧。2日後の24日には沖永良部島へ向かい、25日には沖縄島に接した古宇利《こうり》島を経由して、いよいよ今帰仁《なきじん》の運天港に侵入します。その後は海路で読谷《よみたん》の大湾をめざし、4月1日には首里を攻め落としています。沖縄島に着いて、わずか1週間足らずのうちに琉球王国をいともやすやすと屈服さ

朝鮮に服属を強要したが断られたために、遠征軍を送った(1592~93年)。この後、98年に再度出兵(慶長の役)したが、秀吉の死によって撤退した。主として西国大名から多数の兵力を動員したが、その被害を回復するために多数の職人や奴婢(朝鮮の奴隷身分)を連行した。江戸時代の朝鮮通信使は、当初、連行された朝鮮の人びとを連れもどすことを目的とする「刷還使」の名称だった。

せたのですが、琉球の軍隊組織とその戦闘技術や訓練などを考えれば、力の差は歴然としていました。

ときの琉球国王は1589年に即位した尚寧でした。島津軍は国王以下三司官といった首里王府の首脳を捕虜にして、5月25日には鹿児島に帰還します。そして2年後に尚寧王は屈辱的な誓約書を書かされて帰国するのですが、三司官の鄭迵《ていどう》*は連判を拒否して打ち首になりました。このとき以後、琉球王国は与論島から北の奄美などを島津領としてとられ、琉球王国内の土地を測量・調査されて島津に租税を納めるよう強いられます。

なお、この薩摩の琉球王国侵略は、これまでいろいろな呼び名がなされてきました。沖縄で著名な歴史家を例にとると、伊波普猷《いはふゆう》は『沖縄歴史物語（日本の縮図）』（1946年）で「島津氏の琉球征伐」「島津氏の琉球入り」と書き、東恩納《ひがしおんな》寛惇《かんじゅん》は大学の卒業論文（1908年）で「慶長の役」「薩摩入《いり》」と記し、仲原善忠《なかはらぜんちゅう》は『琉球の歴史』（1952年）で「島津の進入」と書いています。「征伐」とは善が悪を懲らしめて懲罰を与えるとの意味で、「〜の役」だとどちらに正義があるのか不明で、「進入」だとただ隣の領地に入っただけだといわんばかりの名づけです。こうした歴史用語には、琉球は日本国内の封建領主間の関係であって、琉球王国を日本（島津や徳川幕府）の支配がおよばない外国とはみなさないという意味が暗にこめられています。しかし、琉球王国の成立と日本との歴史上の接触、両文化の異質性からして、最近よく使われている「侵攻」でもなく、当然に「薩摩の侵略」と明確にいうべきだと思います。つまり、「征伐」などの用語は、日本人からすれば

＊謝名親方利山の中国名。ひと④参照。

琉球を日本固有の領土だとする、いかにも政治的な意図を含んだ歴史観が反映された表現です。また琉球・沖縄人からすれば、明治以来の皇民化教育が身にしみこんだ結果として、日本の侵略を打ち消して、国内問題とする「同化」が影響しているでしょう。また公の場所では、長いものには巻かれろ、そのほうが琉球あるいは琉球人には安全だとして、本心を明かさない面従腹背の心性も大いに関係しています。

かくして、琉球王国は侵略されたわけですが、しかしその後も琉球王国は存在しつづけました。なぜかというと、琉球王国をつぶして日本の完全なる領地にしてしまえば、琉球はもう中国との貿易をすることはできず、そこから生じる莫大な利潤を手にすることはできなくなるからです。ですから、琉球王国は中国に対しては従来どおりの国家だとみせる必要がありました。そうした日本の実質支配を知られないために、中国からの冊封使が琉球に来るとなると、薩摩の役人は首里・那覇から一斉に姿を消して、浦添間切に身を隠してしまうのでした。そして琉球王府も薩摩の支配をうけていることはおくびにも出さず、あくまで独立国として中国との関係を継続していったのです。

東アジア世界において、当時の明は朝鮮やジャワ、シャム、パレンバン、マラッカ、安南など周辺諸国と君臣関係にありました。明がそれらの諸国を冊封するといっても実際にそれらの国々を直接統治するのではなくて、儀礼的な宗主権にすぎませんでした。臣下としてのありようが形式的に認められれば、明へ留学生を送ったりできる以外に、明との貿易が許されることが最大の魅力でした。

明とのこうした冊封と朝貢関係*が一方にありながら、琉球王国の場合は薩摩（つまり日本）によって、政治も経済もその他すべてが実質的なコントロールをうけていたことになります。こうした状態を270年間つづけたことを、日本と中国（支那）への「日支両属」と呼んでいるわけです。いずれにしても、薩摩藩（島津家）の軍事侵略は琉球・沖縄の歴史に最初の大激変をもたらしたわけで、それを根拠にして1879年に日本帝国が琉球王国を武力で併合したということもできます。

この琉球と薩摩の関係は、明治政府の琉球併合で清算されたわけではありません。琉球と薩摩の人間関係は、その後長く両者に影響をおよぼしています。沖縄戦が始まる前、沖縄から九州に児童生徒などが多数疎開をしました。熊本などには多かったのに、一番近い鹿児島をことさらに避けたという事実は、薩摩の侵略と長い圧政が沖縄の人びとに拭いきれない影を落としていたといえるような気がします。その意味で歴史の学習は、対立していた両者がキチンと正面から向きあい、それぞれの先人が歩んだ過去を知る営為がとても大事になります。過去の傷は過去だけに責任を押しつけることはできません。それはまさに中国や朝鮮に対する日本の今日的態度に通ずるものともいえないでしょうか。

*「天子」と近隣諸国・諸民族の長が取りむすぶ名目的な君臣関係が「冊封」。冊封関係にある近隣の長が、天子に使節を派遣し、さまざまな物資を献上し、臣下としての礼をとることが「朝貢」。主に中国を中心とする東アジアの国際関係を司るもので19世紀後半までつづいたが、万国公法体制がこれに代わった。

ひと①
華岡青洲よりも115年早く全身麻酔による手術を成功させた高嶺徳明

〔与那嶺功〕

世界で初めて全身麻酔を用いた手術を施したのは、1804年の華岡青洲《はなおかせいしゅう》（紀州＝和歌山出身）だとされていますが、それよりも115年早く、琉球の高嶺徳明《たかみねとくめい》という人物が成しとげていたという記録があります。

高嶺徳明は那覇の久米村（琉球王府に仕える中国系の人びとの居住地）の出身で、11歳のときに中国と行き来する使者の一員に選ばれ、滞在した3年間のあいだに中国語をマスターしたという秀才でした。

そのころ琉球王の孫に、生まれつき口唇裂（唇の変形）があり、当時それは不吉な病とみなされていたので、王様の世継ぎの正統性に絡む大問題となりました。麻酔なしで手術する事例は日本本土でもありましたが、まだ幼かった王の孫には耐えられないだろうとして、処置に躊躇していました。

1688年、進貢使の通訳として中国に渡った高嶺は、福建にある「琉球館（琉球の出先機関）」に滞在中、口唇裂を秘法で治す名医がいることを聞きつけました。歴史が古く、文明の進んでいた中国は、さまざまな薬草を組みあわせた医学が発達しており、麻酔薬についても豊富な知識と経験が蓄積されていました。

　進貢使らは相談の上、琉球王の孫の治療にあたらせようと、高嶺に秘法を学んでくるよう命じます。医療に携わったことのない高嶺が適材として選ばれたということは、いかに彼が優れていたかをうかがわせます。

　「一生一代の大役」を引き受けた高嶺は、その名医に懇願し、教えを受けることを許されました。秘伝とされる技術だけに、さすがに最初は核心的な部分はなかなか教えてくれなかったといいます。賢かった高嶺は、重要部分の欠落に気づきます。大金を積み、神前で「一世一伝」の誓約を行い、ようやく奥義を伝授されました。秘伝書一巻も譲り受けました。ただ一番重要な技術は、文字に残すことを許されずに口頭のみで伝えられました。

　手術の処置がむずかしく微妙になるほど、文字や口頭での説明だけでは他者に伝えることがむずかしくなります。微妙な手業は、実際に治療に立ち会って目で見なければ覚えられません。それだけに高嶺が習得した知識と技術はかなり貴重なものだったはずです。それゆえに、安易に第三者へ技術を漏らさないよう神前で誓約させられたのです。修行の末、師匠の面前で、13歳の子どもの口唇裂の手術に成功しました。

　帰国した高嶺は、まず同様な口唇裂のある5人に全身麻酔で手術を施しました。当時世界最先端だった技術といえども、さすがに、すぐには王族の体に刃物を当てることは躊躇されたのです。そのテストケースを経て王の孫への手術を成しとげました。

　琉球大学の研究グループによると、この麻酔薬は植物の「トリカブト」*を主薬にしていたと推測されています。

　高嶺の行った手術のことを薩摩藩が聞きつけ、薩

＊ドクウツギ・ドクセリと並ぶ日本三大有毒植物の一つ。塊根を乾燥させ、漢方薬、毒として用いられる。服用すると嘔吐・呼吸困難・臓器不全を起こす。漢方では弱毒化して血液循環の改善などに用いる。

摩藩の藩医にも教えるよう命令しました。高嶺から教えを受けた藩医は、のちに京都へ医学修行に出ており、各地の医学者との交流を通じて高嶺の技法が広まり、やがて同じく京都で修行した華岡青洲にも影響を与えたと推測されています。華岡が用いたのもトリカブトの麻酔薬でした。

さて、琉球での全身麻酔手術のことは、高嶺家に残る家譜、薩摩藩の藩医が残した文献で概略が確かめられていますが、いまだ学問上確定した功績とはなっていません。

理由として、技術が秘匿されたことによって、時代が下がるにつれ、核心部分がおぼろげになったことが挙げられます。また当時は手術自体、高い身分の人だけに施される限られたものだったことも理由の一つです。口唇裂が非常に忌まわしい病とされていたので、実際に手術を受けても、家名を重んじるために第三者に口外されなかったのです。その上、沖縄戦で貴重な古文書が焼失したことが検証を困難にしています。

高嶺の手術の成功は、琉球と中国の貿易が盛んだったという歴史的な事情もプラスに働いています。当時、中国からの輸入で、薬品は二番目に多い品目でした。通訳だった高嶺は、貿易品である薬品にかんする知識をもち、中国人医師との意思疎通もスムーズだったはずです。琉球は友好国だったので、医薬品の入手に便宜を図ってもらったこともあるでしょう。

琉球と中国との医薬品交易は、「昆布ロード」として

華岡青洲よりも早く全身麻酔の手術に成功した高嶺徳明を称える碑（社団法人沖縄県医師会が建立）。西原町の琉球大学医学部構内に建っている。

も知られています。北海道の昆布を琉球を経由して中国に運び、薬種と交換する交易のことです。高嶺の快挙は、琉球という交易国家の個性的な歴史の上に咲いた華ともいえるでしょう。

参考文献

琉球大学医学部附属地域医療研究センター編『沖縄の歴史と医療史』(九州大学出版会)

ひと②
伝統の歌や踊りを総合した歌劇を創始した玉城朝薫

〔宮城隆尋〕

琉球独特の伝統芸能「組踊《くみおどり》」を生み出したのが玉城《たまぐすく》 朝薫《ちょうくん》（1684年〜1734年）です。

朝薫は首里（現在の那覇市）の儀保に生まれました。王家の血筋を引く名門の生まれでしたが、生後まもなく母と生き別れ、4歳で父を亡くしました。勉学に励み、王府の役人になると芸能の分野で才能を発揮しました。王府の使者として薩摩へ派遣され「江戸上り」も二度、経験しています。薩摩藩主・島津吉貴の前で仕舞「軒端の梅」を舞うなど、日本の芸能にも精通していました。

1718年、朝薫は34歳で二度目の踊奉行に任命されました。尚敬王を任命するために琉球を訪れる中国の使者をもてなすため、創作劇を演じることになりました。朝薫は琉球に古くから伝わる物語に、大和芸能の能や狂言、歌舞伎の要素を取り入れ、琉球独特の音楽と舞踊で構成することで琉球のミュージカルともいわれる「組踊」を誕生させました。

翌年、重陽の宴で「二童敵討」「執心鐘入」*を上

*美少年・若松を慕う女は若松にいい寄るが、若松に拒絶される。寺に逃げた若松を追ってきた女は一時若松をかくまった鐘にまとわりついて鬼になる。やがて法力によって鬼女は鎮められる。能にも毒蛇になった女が鐘に隠れた男を恨みの炎で焼き殺す「道成寺」がある。

演しました。中国からの使者「冊封使」が著した「中山伝信録」（1721年）に、冊封使を歓待するための宮廷芸能「御冠船踊」として初めて演じられたことが記録されています。

朝薫はさらに「孝行の巻」「女物狂」「銘苅子」を創り（朝薫の五番）、御冠船で上演しました。その後も朝薫に続いて「手水の縁」を作ったとされる平敷屋朝敏（1700〜34年）、「万歳敵討」の作者田里朝直（1703〜73年）、「花売の縁」の作者高宮城親雲上（生没年不詳）らが現れ、組踊は隆盛期を迎えました。

1879年の廃藩置県で王府の支援を失い伝承の危機を迎えますが、逆にそれをきっかけに県内各地へと伝わりました。その後は芝居小屋での上演などを通じて受けつがれながら沖縄戦を乗りこえ、戦後は文芸復興の機運の高まりとともに再度注目されました。

1967年に当時の琉球政府文化財保護委員会が「玉城朝薫作の組踊五番」を重要無形文化財に指定し、組踊の技能保持者を認定しました。同年、技能保持者による伝統組踊保存会が発足し、継承者育成のための研修が始まります。72年には沖縄の日本復帰にともない、組踊は国の重要無形文化財に指定されました。2010年には、国連教育科学文化機関（ユネスコ）無形文化遺産の一覧にも記載されています。

組踊・執心鐘入（沖縄県公文書館）

ひと③
情熱的な恋愛詩人 恩納ナビ

〔宮城隆尋〕

「恩納岳あがた　里が生まれ島　もりもおしのけて　こがたなさな（うんなだきあがた　さとぅがんまりじま　むぃんうしぬきてぃ　くがたなさな）」。18世紀半ばに活躍した女流歌人、恩納ナビの琉歌です。「恩納岳の向こうが恋人の生まれた村だ。山さえ押しのけてこちらに引き寄せたい」という意味です。

恩納ナビは情熱的で大胆な琉歌を詠んだことで知られ、さまざまな琉歌を残しています。琉歌は、俳句や短歌のように「8・8・8・6」のリズムで自分の気持ちや風景などについて詠む琉球独特の歌です。

恋愛だけでなく、王府の政策を皮肉ったり、国王をたたえたりする琉歌も詠みました。ナビが生きていた頃は「マッコウ屋ぬナビー」と呼ばれていましたが、死後に彼女の琉歌が高く評価されてからは「恩納ナビ」と呼ばれるようになりました。

ナビが活躍した時代は琉球文化の黄金時代とも呼ばれています。首里や那覇などの都会だけでなく、

https://www.vill.onna.okinawa.jp/

恩納村ホームページ

農村地域でも三線音楽や琉歌に親しむようになっていました。17世紀半ばには吉屋チルーも活躍しました。8歳で仲島（現在の那覇市内）の遊郭に売られ、厳しい仕事に耐えながら人生の悲しみ、苦しみを琉歌に詠み、若くして亡くなっています。

恩納ナビや吉屋チルーの住んでいた恩納村は現在、「琉歌の里」として有名です。万座毛の近くにはナビーの歌を刻んだ石碑も設置されています。1991年からは「琉歌大賞」をもうけ、全国から作品を公募しています。

琉歌の里の恩納の碑

ひと④
1609年の薩摩藩による琉球侵略に抵抗した王府幹部 謝名親方利山

〔宮城隆尋〕

江戸幕府の後ろ盾を得た薩摩藩（現在の鹿児島県）が1609年、琉球に侵攻しました。明（現在の中国）と朝貢関係にあった琉球を窓口にして、幕府が明との交易を再開することが目的だったといわれています。その際に薩摩にとらえられ、起請文への連判を拒否して処刑されたのが当時の琉球王府の三司官の一人、謝名親方利山《じゃなうぇーかたりざん》（1549年〜1611年）です。

利山は中国出身者が住んでいた久米村（現在の那覇市内）に生まれました。中国への留学を経て琉球で通訳や外交官として活躍しました。浦添間切謝名村（現在の宜野湾市大謝名）の総地頭（村長）になり、謝名親方と呼ばれるようになりました。

1606年に三司官になりましたが、3年後に薩摩藩が3000人の兵を率いて侵攻してきました。琉球は抵抗したものの、わずか10日で琉球国王の尚寧は降伏に追いこまれました。そして利山は薩摩へ連行されました。

薩摩藩が尚寧や三司官らに押しつけた「起請文」は、琉球はもともと島津（薩摩藩主）の領土であることや、侵攻の原因は薩摩の要求に応じなかった琉球の側にある、などといったものでした。尚寧は起請文に応じましたが、利山は抵抗を続け、署名しなかったため1611年に処刑されてしまいました。手*（てぃー＝空手）の達人であったともいわれています。

利山の墓は識名霊園のなかにあり、那覇市若狭の旭ケ丘公園に顕彰碑があります。

＊空手は琉球王国時代に琉球で発祥した。琉球固有の拳法「手（てぃー）」に中国武道をとりいれ、日本武術を吸収しながら発展した。

謝名親方利山顕彰碑

6 明治政府と琉球国の滅亡

〔波平恒男〕

日本に編入するために、どうして「琉球処分」は行われたのでしょうか。「琉球処分」ではなく、なぜ「琉球併呑」とよぶべきなのですか。

１８７９（明治12）年のいわゆる「琉球処分」がどうして起きたのかを理解するためには、近世以前の「琉球王国」にまでさかのぼって考えるのが、分かりやすいでしょう。

琉球列島の中心をなす沖縄島では、日本本土とは別個に国家形成史が展開し、１４２９年に琉球王国が成立、日本に併合されるまで４５０年も続きました。それ以前の三山分立の時代から、琉球は隣の中国大陸と密接な交流がありました。１３６８年に成立したばかりの明王朝の呼びかけに応じて72年に中山が入貢、南山、北山の二山も続いて朝貢関係に入り、１４０２年には明朝から冊封使の一行が派遣され、中山王武寧の冊封（王位認証）の儀礼が行われました。このように中国（明・清の王朝）との関係は約500年にもおよぶものでした。

琉球王国は、中国との「朝貢貿易」の関係を基軸に、15、16世紀には日本や朝鮮、東南アジアの国々との中継貿易で栄えました。しかし、1609年に九州の島津氏が琉球に侵攻し、武力に乏しかった琉球王国はその侵略戦争に敗北します。その結果、琉球王国は冊封・朝貢体制の下で中華帝国（明・清）に「藩属」するとともに、江戸時代以降は幕藩体制の下にあった日本とも従属的な関係を余儀なくされます。

しかし、島津氏（および徳川政権）は琉球王国と中国（明・清）との伝統的な冊封・朝貢関係を妨害することはせず、むしろその維持に努めました。中国との冊封・朝貢関係にともなう交易（朝貢貿易）が琉球に多大な利益をもたらすものだったので、薩摩島津氏もその利益の一部を入手ないし収奪することができたからです。

そのような関係が大きく変動したのが1872年でした。この年の9月、天皇を戴く明治新政府の発足を祝うために琉球王府が東京に使節を派遣すると、明治天皇による「（琉球の尚泰王を）藩王とし、華族に加える」という詔書が渡されました。天皇による「琉球藩王」の「冊封」という出来事で、これによって琉球国王は中国皇帝に従属してきたのと同様、天皇とも一種の主従関係を結んだものと解されました。

この段階の琉球の地位は、どのようなものであったと考えられるでしょうか。もともと琉球は日本や中国とは別個に、独自の国家形成を遂げました。この国家は、中華皇帝から「琉球国王」に冊封された首長を戴く独自の国家であると広く認知されていました。前述のように、この国は1609年に薩摩島津氏の侵攻をうけますが、その敗戦と屈辱的な講和によっても、中華秩序下の王国という構図に基本的な変化はありませんでした。

日本の中央政権たる徳川幕府からは、琉球は朝鮮王国と同様に「通信の国」と見なされていました。「通信」とは、「信《よしみ》を通わす」という意味で、いわば「外交関係のある異国」というのが、江戸期の日本から見た琉球王国（や朝鮮王国）の位置づけでした。

「王政復古」や「御一新」を掲げて成立した明治新政府は、徳川体制下での伝統的な対外関係を新たに設定（再編）する必要がありました。江戸時代には、長崎での交易はオランダと中国の民間商船に限定*されていましたが、いわゆる幕末の「安政の諸条約」によって部分的「開国」へと転換、新政府もそれらの諸条約を承継し、欧米との「開国和親」の政策を進めます。

しかし、明治維新が「王政復古」を掲げて実現したこともあって、問題はむしろ旧来の「通信の国」との関係、朝鮮*と琉球とのあいだで生じたのでした。

琉球は、江戸時代を通じて天皇という存在、すなわち「京都の朝廷」とは何の関係もなく、縁もゆかりもありませんでした。だが、王政復古で日本の主権者が徳川将軍から天皇に代わったことで、日本の新政府と琉球王府、というよりそれら二つの政府の頂点に立つ天皇と琉球王との関係が問題となります。こうして二国間の関係再編、新たな関係設定として最初に着手されたのが、明治

＊4つの口。江戸時代の対外関係はかつては「鎖国」体制とよばれたが、長崎出島による清国、オランダとの交易、松前藩によるアイヌ（蝦夷地）、薩摩藩による琉球の4つの口があった。

＊江戸時代の日朝関係は、江戸の将軍と朝鮮国王が対等な関係で信を通わす関係で（ただし、両者を仲介した対馬藩が国書の改変などの工作を行って関係を維持した）、その象徴といえるのが、12回におよんだ朝鮮通信使だった。復古をかかげた明治維新は、古代に

天皇による琉球の首長たる尚泰王の「琉球藩王」への「冊封」だったのです。
日本では琉球藩王冊封の前年（1871年7月）に全国的な「廃藩置県」が実施され、中央集権体制の体裁が整えられていましたが、琉球については天皇による「藩王」の冊封という形で君臣関係が設定されました。しかし、この段階ではまだ、琉球は日本とは別個の国家という形でした。そもそも「冊封」という発想や行為自体が、中華皇帝と周辺国の国王との伝統的な儀礼行為の模倣でしたし、琉球がそうした中華世界秩序の下での自主の国家であることは自他ともに認めるところでした。また、藩王冊封を主導した当時の外務卿・副島種臣も、今後とも「琉球の政体国体は永久に変わらず、中国との関係も従来通り」と約束していたのです。

しかしその約3年後（1875年）の段階になると、明治政府は琉球と中国（清朝）との伝統的関係を公認してきた従来の政策を転換し、琉球王府に対して中国との関係断絶を迫るようになります。琉球はその要求を最後まで拒み続けますが、結論的に言えば、明治政府はその要求拒絶を「処分」理由として、1879年に五百数十人の軍隊・警察を動員した武力威嚇の下に琉球王国の廃滅（琉球王府の解体）と沖縄県の設置を強行したのでした。

1875年の明治政府の政策転換の背景には、藩王冊封後に生じた二つの事件、73年の「征韓論政変（明治6年政変）」と翌74年の「台湾出兵」が

明治政府が軍隊・警察官を引きつれて行った琉球併呑

は朝鮮は日本に服属していたというファンタジーによって江戸時代の両国関係を否定する行動にでた。

ありました。「征韓」論の発想も王政復古と深く関連していて、古代には朝鮮半島は日本に服属していたとの伝承に基づき、王政復古が実現した今や、日本はかつてのごとく朝鮮を力ずくでも「藩属」(従属)させるべきであるとの思想でした。明治政府内の論争の末、「征韓」派の有力政治家は、国内統治の整備優先を主張する「内治優先」派に敗れて政府を去ります(征韓論政変)。しかし、この政変は「征韓」の軍事行動に活路を期待した不平士族層の不満を昂じさせることになり、この対策として企てられたのが翌74年の「台湾出兵」でした。

台湾出兵は近代日本初の海外派兵で、領土的野心を秘めた軍事行動でしたが、明治政府はその主な大義名分として、約2年半も前に台湾東南部に漂着した琉球人54人が現地の先住民に殺害された事件をあげました。この出兵には清国はもちろん、英米などの外国も清国の主権を侵す大義なき侵略行為であると抗議しました。清国とは戦争の恐れさえ危惧されましたが、英国大使の仲介もあってどうにか和議が成立し、日本は台湾から撤兵しました。

台湾出兵の結果、琉球と日清の二つの大国との関係が内外から注目されるようになったことで、明治政府は従来の対琉球政策を転換し、琉球のために出兵し報復を行ったのだと恩を着せつつ、清国との伝統的関係の断絶を執拗に求めるようになったのでした。琉球王府としては、「清国との関係を断たれれば、国家の存続が危ぶまれる」との日本への警戒感からその要求を拒みつづけますが、ついに小国の意思が尊重されることはなく、日本の一部とされたのでした。

「琉球処分」というのは明治政府が一方的に命名したもので、一国が廃滅され他国の一部となるという事件の本質を見誤らせる表現だということで、近年では「琉球併合」が一般化しているほか、併呑（呑みこむこと）などの表現が使われることもあります。併呑は古くからある言葉ですが、併合は1910年の「韓国併合」以降に一般化した日本語表現です。

参考文献

波平恒男『近代東アジア史のなかの琉球併合——中華世界秩序から植民地帝国日本へ』岩波書店、2014年

7

日本同化と沖縄差別

〔照屋信治〕

日本語と琉球諸語（しまくとぅば）との関係は？なぜ方言札で同化が強制されたのでしょうか。「皇民化教育」とは何ですか。学術人類館事件とは何ですか。

「土人発言」と人類館事件

2016年10月、東村の米軍北部訓練場ヘリコプター着地帯（ヘリパッド）建設現場で*、大阪府警から派遣され警備にあたっていた機動隊員が「どこつかんどんじゃ、ぼけ。土人が」と発言しました。この「土人」発言は新聞で報道され、市民が撮影した動画がテレビやSNSで拡散され、全国的にも衝撃を与えました。別の隊員は市民に対して「シナ人」という差別用語を投げつけていました。そのとき沖縄県知事だった翁長雄志はその発言を強く批判しましたが、

＊ヘリコプターランディングパッド、ヘリコプターが離着陸するプラットフォームのこと。アメリカ海兵隊の北部訓練場（ジャングル戦闘訓練センター）の返還の条件として6か所のヘリパッドが建設されようとしている。2021年7月には世界自然遺産に登録される豊かな森林が伐採され、近隣住民にも多大な悪影響をおよぼすものであり、地域住民も反対の意思を示している。

大阪府知事の松井一郎は隊員を擁護し、沖縄担当大臣の鶴保庸介は「土人」という言葉は差別と断定できないと述べました。

新聞やテレビはおおむね、この「土人」発言を根深い沖縄差別の表れとして批判しました。在日米軍専用施設の多くが沖縄に集中する現状を「構造的沖縄差別」と呼びますが、基地機能強化のためのヘリパット建設工事に反対する人びとに「土人」という侮蔑的・差別的言葉を投げつけたのです。まさに「構造的沖縄差別」を印象づけるものでした。

この映像を目にし、「土人」発言を耳にしたとき、沖縄の歴史を学んだことのある人びとは100年ほど前の人類館事件を思い浮かべたことでしょう。

人類館事件とは、1903年、大阪で開催された第5回内国勧業博覧会における「学術人類館」という施設でアイヌ民族、台湾先住民族、朝鮮人、中国人、インド人、アフリカ人などとともに琉球人女性2名が「展示」されるというものでした。各民族が一定の区画内で民族衣装に身を包み生活の様子を来場者に参観させるのです。

「人間動物園」といえる展示に、清国、韓国の留学生から抗議の声があがり、沖縄でも『琉球新報』がこれを強く批判し、琉球人女性の展示はとりやめとなりました。日本に併呑後、琉球人は日本への同化を強いられ、琉球の指導者たちも、日本への同化に近代的な琉球・沖縄の姿を思い描い

学術人類館で見世物にされた人びと（前列左端2人が琉球人女性）

ていました。そのさなか冷や水を浴びせられる事件でした。

　この事件では、まず何よりも差別的な行為を学術の名の下で正当化する日本の人類学や日本人の姿勢が批判されるべきです。しかし、差別された琉球の側のメンタリティにも同化による歪みが確認できます。『琉球新報』は人類館の展示を批判して次のように論じます。「他府県における異様な風俗を展示せず、特に台湾の先住民族、北海道のアイヌとともに本県人を選んだのは、我々を台湾原住民やアイヌと同一視しているからである。我々に対する侮辱としてこれ以上のものがあろうか」。

　日本人として認められたい思いが、日本人からの差別的な視線で打ち砕かれ、台湾先住民族やアイヌ民族と同一視されることを「侮辱」と受けとるのです。日本人の差別意識が琉球人自らの内にもとりこまれています。同化が保証する未来は、そのようなものにすぎないのですが、琉球人がこの意識を克服するのにはもっと長い時間が必要となります。

　人類館のような展示は、当時の帝国主義国家[*]内でしばしば催されたもので、自国周辺や植民地の「未開で」「野蛮な」人びとを紹介することで、自らの植民地支配の正当性を主張する意図がありました。人類館は民間の施設でしたが、日本の人類学を確立した坪井正五郎もかかわるものであり、学術的なものでした。人類学は、沖縄人とは何か、日本人とは何かといったアイデンティティの形成に不可欠な学知を提供しますが、その人類学自体が当時の差別感を前提とし、差別意識を増幅させるような認識を流布していったのです。今現在の私たちにもそのような差別意識が刷りこまれて

＊自国の利益・領土・勢力を拡大しようと、政治的・経済的・軍事的に他国（他民族）を侵略・支配・抑圧し、強大な国家をつくろうとする政策をおこなう国家。

いないか気をつけなくてはなりません。

同化教育と「方言札」、琉球諸語

「琉球処分」以降、沖縄県では何よりもまず教育施策が重視されました。１８９１年には小学校の就学率は14・９％に過ぎないのですが、１９０６年には90・１％に達します。その教育では、琉球人を帝国臣民とすることが眼目とされました。それは「同化教育」であり、１９３０年代以降、「皇民化教育」とよばれます。植民地台湾や朝鮮における教育を示す言葉ですが、近代沖縄の教育も「同化教育」「皇民化教育」という用語で説明されます。具体的には、帝国日本で活動するための標準語が励行され、一部例外はあるものの琉球の文化や歴史は貶められました。その同化教育の象徴的な存在が「方言札」です。

「方言札」とは、標準語励行のための罰札であり、学校内で「方言」（琉球諸語）を用いると手渡されるもので、多くの罰札をもらい進級できなかった事例もありました。自身がもっている「方言札」から逃れるためには、ほかに「方言」を用いている生徒を見つけ出し、手渡さなくてはなりませんので、生徒間での相互監視的な雰囲気ができあがります。それに反発した事例もあり、詩人の山之口貘*は「もって生まれた自分たちのことばを無視して、詩など生まれるはずがないと、（中略）意識的に方言を使い、わざわざ罰札を引き受けたりするようにな」ったと述べています。また戦前の教育の現場でもその是非が議論されていました。このような「方言札」は、１９０３年頃に使用

＊ひと⑭参照。

が開始され、戦前のみならず、1960年代、復帰以降もその使用が確認されています。

では、なぜ「方言札」はそれほど長く生きのびたのでしょうか。それは、琉球諸語が日本語のひとつの『方言』として認識されてきたことが主な要因といえます。戦前において、また戦後もしばらくのあいだは、「方言」は教育の場においては矯正されるべきものとして扱われました。将来の「標準語」の完成のための材料として、その意義は認められながらも、滅びるものと捉えられました。沖縄学の祖とされる言語学者の伊波普猷*も1940年の「方言論争」において、「小さな民族の言語は一般化せず自然に消滅するから人為的の阻止などは無用である」と消極的な擁護にとどまっていました。

*いはふゆう「30 琉球・沖縄学の先駆者たち」参照。

戦前に基礎が確立した人類学、言語学をはじめとした諸学問やそれを前提とした教育は、沖縄の人びとを、差別の視線に悩まされながら同化を求める方向に駆り立てていきました。

ユネスコ（国際連合教育科学文化機関）は2009年2月に6つの琉球諸語を絶滅の危機に瀕した危機言語であると発表しました。6つの言語とは、奄美語、国頭語、沖縄語、宮古語、八重山語、与那国語です。それらの言葉は、日本語の「方言」ではなく、独立した言語であるとの認識を表明したことになります。これらの言語は、話者が減少し世代間の継承も危ぶまれる状況でしたが、ユネスコの発表以降、少しずつ言語復興運動が活性化しています。教育や新聞、ラジオ、テレビといった公的な場で見聞きする機会が増えており、生活のなかで琉球諸語を活用し、継承しようとする努力が始まっています。

人類館事件や「方言札」、同化教育といった過去の事象を踏まえ、また米軍基地という構造的沖縄差別に対峙しながら、新たなアイデンティティが模索されています。

8 貧困と移民の時代

〔波平恒男〕

20世紀前半のソテツ地獄とはなんでしょうか。その時代に海外に移民する人も多かったのでしょうか。

沖縄の経済は第一次世界大戦後の1920年代、国際的な砂糖価格（糖価）の暴落と低迷で厳しい不況に見舞われました。そのため貧困にあえぐ人びとのなかには、米はおろかイモさえも口にできず、毒抜きの調理法を誤れば死にさえ至りかねないソテツの実や幹を食べなければならないほど、飢餓に苦しむ者が少なくありませんでした。「ソテツ地獄」とは、そのような大正後期から昭和初期にかけての沖縄の極度に困窮した状況をいい表すために、当時の新聞・雑誌などのジャーナリズムによって流布された表現です。

ソテツ地獄にはさまざまな原因を指摘できま

https://www.aloha-program.com/curriculum/lecture/detail/28

ハワイ州観光局・日系移民の歴史

すが、その最大の背景要因となったのは、当時の沖縄が置かれていた「植民地」的状況にあったといえるでしょう。

周知のように、1879年の琉球併合とともに、琉球王府の統治機構は廃止され、沖縄県が設置されました。それとともに、県の長官である県令（のち県知事）をはじめ沖縄の政治的支配層は、地元の人士（沖縄人）から本土出身者（大和人・内地人）に入れ替わりました。しかし、沖縄の場合は、たんに政治権力だけでなく、教育や商業などの各界の主だったところも本土出身者によって占められた点に特質がありました。のちに沖縄の代表的言論人となる太田朝敷*は、このように「社会的勢力」までも他府県人に奪われ、郷土の主人ではなくなった沖縄の人びとの置かれた状況を「食客」の地位にたとえ、「かかる地域は植民地のほかにはあるまい」と慨嘆しました。

政府・県当局は、言語や習俗慣習などの文化を大きく異にし、天皇への忠誠心もなかった沖縄の人びとの「同化・皇民化」を押し進めるために、児童の学校教育にだけは力を注ぎました。しかし、その他のほとんどの分野では、維新後に日本本土で行ったような近代的諸改革を実施することはなく、琉球王国以来の旧来の諸制度（旧慣諸制度）をそのまま存続させることにしたのでした。

一般に近代の植民地帝国においては、本国と植民地とでは概して法域を異にしました。その点で、沖縄と北海道には多くの類似点があり、両地域とも近代の前半期には「内地」とは異なった特別の法制度が適用されていました（沖縄の場合は旧慣がそれでした）。そのため、近代（特にその前半）の沖縄と北海道を「国内（内国）植民地」として特徴づける議論も古くからあります。ただし、北

＊おおたちょうふ（1865～1938）、沖縄の新聞人、政治家。琉球新報（戦前）の設立に参画し、のちに社長となった。

海道には開発のための多額の国費が投入されたのに対して、沖縄は国税徴収の総額に比べて国費支出が極端に少ない「収奪型」の地域でした。

ところで、前述の旧慣諸制度の柱をなしたのが、①村落共同体の農民のあいだで一定の年限毎に、家族数や耕耘力を勘案して農地の割り替えを行うという琉球特有の土地制度（地割制度）でした。また、②地方（間切・村）における役人制度、③米や上布や砂糖（黒糖）などの現物で納税する（現物納）制度などがあり、これらに加えて、厳密な意味では旧慣とはいいがたいのですが、④最上層の士族（約370家）には、本土の秩禄処分にならって金禄が給付されたことをあげる論者もいます。

しかし、日清戦争前後の頃から、旧慣諸制度の改革が政治日程に上るようになり、1899年～1903年に前記①の地割制度の改革（「土地整理」と呼ばれた）が行われました。その結果、個々の耕作農民には現在の配当地か、必要に応じて最後の地割を行った村にあってはその新たに配分を受けた土地が私的所有地として認められ、それまでは現物納であった租税も、以後は毎年地価の2・5％を貨幣で支払うこと（金納）になりました。

この土地整理と呼ばれた改革によって、それまで土地に縛られていた沖縄の農民は形式上、どのような農作物を作るかを自由に決めたり、住む場所や職業を変更したりする自由を手にするとともに、市場経済に一段と緊密に組みこまれることになります。その結果、政府・県当局の推奨政策もあって、琉球王国以来のサトウキビやその加工品である砂糖（主に黒糖）のモノカルチャー化が大きく進展しました。生活物資の入手や納税などの貨幣経済化とともに、換金作物としての砂糖生産への誘因が強まることになったからです。こうして、20世紀に入ると、県の移出・移入額とも年々急増するとともに、移出額の常に7割から8割を砂糖が占めることになりました。

1914年～18年の第一次世界大戦中には、その砂糖の国際価格が高騰し、沖縄経済もその余慶で空前の好況を呈しました。欧州を中心とした大戦の混乱で、砂糖の供給がひっ迫し、糖価が戦争前の3、4倍にもはね上がり、大阪市場や那覇市場の黒糖価格も同様の上昇を示したからです。

しかし、1918年に世界大戦が終り、欧州その他での甜菜糖生産や流通網が回復すると、1920～21年に砂糖の国際価格は一挙に戦争前の水準に暴落し、国内の黒糖価格もそれに連動したため、沖縄経済は奈落の底に突き落とされたのでした。当時の就業人口の7割を占めた零細な農民への直撃に始まった不況は、税の滞納率の上昇、吏員や教員の給料の遅配や欠配、移出入の大幅な不均衡（赤字）、県内の三銀行の破綻などへと連鎖し、地域経済を一大恐慌に陥れたのでした。

こうした沖縄経済の窮状のなか、県民のなかには移民や出稼ぎに活路を見出そうとする人びとも増えていきました。沖縄からの海外移民は1899年に「移民の父」と呼ばれた當山久三によってハワイに送り出されたのが最初で、その後、移民先はハワイをはじめペルー、ブラジル、アルゼンチンなどの南米諸国、フィリピン、シンガポール、南洋諸島などへと拡大していきました。

日本本土からの海外移民*は早くも1868（明治元）年のハワイ移民（「元年組」と呼ばれた）に始まっていました。戦前の沖縄は「移民県」と称され、人口比では全国で最も移民率の高い県でした。

＊日本からの海外移住は、1866年海外渡航禁止令が解かれたあとのハワイサトウキビ・プランテーションへの就労にはじまり、アメリカ・カナダの北米移住、1899年からのペルー移住、1908年のブラジル移住が開始された。24年にはアメリカ入国が禁止され、移住先は南米に移った。第二次世界大戦前に、約77万人、大戦後に26万人が移住した。

が、移民の開始はむしろ遅かったといえます。しかし、20世紀に入ると、ソテツ地獄の厳しかった1920年代前半期を中心に、多数の沖縄人が仕事と稼ぎを求めて海外に出かけました。

一方、沖縄からは日本本土へも多くの若者が「出稼ぎ」に出ていきました。京阪神地方で工場労働に就くのがほとんどでしたが、当時の日本では民族差別意識が強く、求職に際してや下宿先を探すにあたって「朝鮮人・琉球人お断り」などと拒絶されることが少なくなかったといいます。

今日の私たちや歴史家は、外国への「移民」と本土（内地）への「出稼ぎ」を区別して論じたりしますが、当時を生きた人びとにとっては、両者のちがいはあまりなかったようです。移民の場合も「モーキティクーヨー（儲けて帰ってこいよ）」の言葉で送り出された場合が多かったように、当時の日本帝国の領域外への出移民も、一時的な出稼ぎの感覚で出かけたのがほとんどだったとされます。しかし、移民は砂糖プランテーションでの肉体労働、出稼ぎは紡績工場での女工などの事例のように、底辺の未熟練労働に就くのがほとんどで、思うような稼ぎが得られずに滞在が長期化し、そのうち戦争その他の要因もあって、結果的に外国に残留せざるをえなくなった人びとが「移民」の大部分を占めていたといえるでしょう。

ソテツ地獄の時期を中心に、これらの移民や出稼ぎ者からの郷里への送金は沖縄の窮乏を和らげるのに大きく貢献しましたが、しかし郷里の窮乏を解決するにはほど遠く、沖縄は不況と窮乏を引きずったまま戦時体制、沖縄戦への道を強いられたのでした。

なぜ、沖縄戦は起きたか

〔多嘉山侑三〕

犠牲者は総勢20万人をこえるという住民をまきこんだ地上戦は、なぜ起きたのでしょうか。

現在の沖縄に対する一般的なイメージは「青い空と海に白い砂浜、三線の音色に癒される、ゆったりとした空気が流れる南の島」というものかも知れません。そんな沖縄の地で今から約76年前の１９４５年に、住民をまきこんだ激しい地上戦が行われたことを知っていますか？　それを沖縄戦と呼びます。その結果、沖縄県民12万人を含む総勢20万人以上の方が命を落としました。この戦争で当時の県民の４人に１人が亡くなった計算になります。また、鉄の暴風と呼ばれた無差別な大量の砲撃により、赤瓦の民家が立ち並ぶのどかな風景は焼け野原と化し、当時の首里城を含む琉球時代の貴重な文化遺産もことごとく焼失してしまいました。

なぜそのような沖縄戦が起きてしまったのか、そしてなぜ多くの住民が犠牲になってしまったのか。ここでしっかりとその歴史をふり返ってみましょう。なぜならそこから「二度とくり返さないために」という未来への行動が生まれるからです。

まず結論からお伝えすると、戦前の日本は武力で他国を侵略し支配下に置くという、いわゆる帝国主義の価値観のもとで戦争をくり返していました。そしてアメリカとの太平洋戦争の敗色が濃くなるなかで、沖縄を本土の国体護持*のための捨て石とし、戦争継続のための時間稼ぎに利用したのです。これが、沖縄戦が起きた最も大きな要因でした。そのためにできるだけ沖縄の地で戦闘を長引かせることが目的とされ、軍人だけでなく住民も戦闘に駆りだされました。そのうえ日本軍は、住民をスパイ扱いして虐殺をしたり、集団自決を強制したりしたといわれています。そういった背景もあり住民の犠牲が多かったのです。

ではなぜ沖縄が本土の捨て石とされ、日本軍が住民を守るどころかその命を奪っていったのか。それらを検証していくためには、まずはいったん１８７９年の琉球併合（琉球処分）まで遡る必要があります。そこから１９４５年の沖縄戦までの66年間の歴史の流れと時代背景を押さえることが重要だからです。

当時は日本だけでなく、世界中に帝国主義の価値観が蔓延していた時代でした。18世紀後半からはじまるイギリスの産業革命によって大量生産、大量輸送が可能となり、イギリスやフランスなどの西欧の列強は、そうやって生産された大量の製品を売りさばく必要が出てきました。そのための

＊万世一系の天皇を頂点に天皇の徳が四海をおおい、忠孝一致によって臣民は天皇と親子のような関係を結んで天皇の事業に協賛するという日本独自の国家の状態＝くにがらを指す。

市場をアフリカやアジアなどに求めて、次々と他国を武力侵略して支配下に置くという植民地獲得の競争をしていったのです。

そのようななかで日本にも黒船来航などで西欧列強からの圧力が強まります。それがきっかけとなって、やがて江戸幕府が倒れ、明治維新を遂げます。そして天皇を権力の頂点とする天皇中心の国民国家となり、経済を発展させて軍事力の強化を目指す富国強兵のスローガンを掲げました。そして西欧列強に追いつき追い越せといわんばかりに、武力をもってアジアへの領土拡大を狙っていきます。そういった日本の領土的野心の渦に最初に飲みこまれたのが当時の琉球でした。こうして1879年に琉球という国家が明治政府に武力侵略され、滅亡し、そこに沖縄県が強制設置されます。その後日本は日清・日露戦争などを通して朝鮮、台湾、中国東北部などを次々と侵略し、その支配下に置いていきます。そういった状況のなかで琉球の人びとは「沖縄県民」すなわち「日本人」として生きることを強制され、そしてまた自らその選択をしていくのです。「6明治政府と琉球国の滅亡」「7日本同化と沖縄差別」でも触れたとおりです。

そして沖縄戦に至るまで実は15年ものあいだ、日本は戦争状態が続いていたのですが、ここからはその流れを少しだけ詳しく見ていきます。

まずその口火となったのが1931年の満州事変でした。それは、中国東北部で日本の関東軍が武力で満州を中国の主権から切り離し、その支配下に置こうとした一連

沖縄戦にまきこまれた少女

の出来事です。当時の日本は天皇中心の下とはいえ、政党政治が行われていました。しかし、この満州事変から日本軍が暴走するようになり、軍国主義*が台頭していったのです。

そして満州からさらに中国華北部への勢力拡大をうかがっていた日本軍は、北京付近の盧溝橋付近で中国軍と衝突します。これが1937年の日中戦争勃発のきっかけであり、日本の中国に対する全面的な侵略戦争となりました。

同じ頃ヨーロッパではドイツが侵略政策を拡大し、1939年に第二次世界大戦が勃発しました。そこで日本は、ドイツに降伏したオランダ・フランスなどの南方領土（主にインドシナ半島から南の地域）に進出し、日中戦争の長期化によって不足してきた戦略物資を獲得することを主な目的として、ドイツと手を結びます。

また日本国内では、国家総動員法や国民徴用令が発布され、一般国民を軍事産業などへ動員できるようになりました。戦争の進行とともに物資が不足してくると、精神面での統制はさらに強くなり、小学校を国民学校と改称して軍事教育が行われました。沖縄では、天皇への忠誠を誓ういわゆる皇国臣民であることを証明する政策の一つとして、うちなーぐち（沖縄語）の撲滅および標準語の励行がすすめられました。

やがて日中戦争が行き詰まりを見せ、戦略物資が不足しだすと、日本は物資獲得のために本格的に南方進出を企てるようになります。しかし、アメリカもそういった日本の動きを牽制し、中国やフランス領から全面撤退するよう要求します。

＊政治・経済・教育・文化などの諸領域に軍事が強い影響力をおよぼし、政治・行政では軍事が最優先される政治社会体制。とくに戦前の日本では天皇制・国体論と結びついて展開された。

こうして日米の対立が本格的となっていき、１９４１年に日本がハワイの真珠湾を奇襲攻撃したことをきっかけに太平洋戦争が勃発します。序盤は日本の優勢が続きますが、１９４２年のミッドウェー海戦でアメリカ軍に大敗したことが転機となり、南太平洋の日本軍は次々と敗退していきました。

そのようななかで、日本は本土防衛および戦争継続のために絶対に確保しなければならない区域として、絶対国防圏を決定します。その範囲は、千島列島、マリアナ諸島、トラック島、西部ニューギニア、スンダ列島、ビルマを結ぶ長大な防衛線で、目的は戦争を行うための戦略資源と補給線を絶対確保することにありました。これにより琉球列島の防衛強化のために、日本軍の第32軍が創設され、沖縄諸島や宮古・八重山諸島へ、実戦部隊が次々と送りこまれました。さらに制空権を奪い返すための日本軍の航空基地が沖縄をはじめとした琉球列島各地に次々と建設されたのでした。

一方アメリカも、太平洋戦争よりもずっと前から日本に対する国防戦略を作成していました。これは「オレンジ・プラン」と呼ばれるもので、そのなかで沖縄は日本本土を攻略するための前進基地として位置づけられていました。

こうして日米の戦略上の思惑が重なり、１９４５年、ついに沖縄戦が起きてしまいます。その結果は本項冒頭で述べたとおりですが、より詳しい実情については、沖縄戦を専門的に扱う他の著書や文献などからもぜひ学んでいただきたいです。

さて、以上のように沖縄戦が起きた歴史的背景や経緯についてお話ししてまいりましたが、皆さんはここから何を学び、どのようなことを後世に伝えていきたいですか？　たとえば「命どぅ宝」も沖縄戦を生き残った方々の大変重い言葉であり、「軍隊は住民を守らない」も大きな教訓の一つです。ぜひこれからも、「沖縄戦のような悲劇を二度とくり返さないためにどうすればいいか？」という視点で、沖縄、日本、そして世界の人びとの平和のために一人ひとりが考えていただきたいです。

ひと⑤
琉球救国運動のリーダー　林世功

〔照屋信治〕

林世功《りんせいこう》（名城里之子親雲上、１８４１〜80）は、いわゆる「琉球処分」に抵抗し、国家の廃滅に抗った琉球救国運動で最も著名な人物の一人です。日本と清国間で、琉球を分割するという案に反対し、清国で抗議の自死をとげ、交渉の行方に影響をおよぼしました。琉球国の存続は果たせませんでしたが、彼の行動は琉球（沖縄、宮古、八重山）の一体性を守ることにつながりました。

林世功は、１８４１年に那覇久米村生まれ、首里の国学で学び、北京の国子監に官生（官費留学生）として留学し、帰国後、世子（次期王位継承者）の尚典の教育係に抜擢された秀才でした。明治政府から王府への圧力が強まるなか、１８７６年に王府の密命を受け、幸地朝常（向徳宏）らとともに清国にわたり、琉球国の窮状を訴え、救助を要請しました。しかし、そのかいもなく79年に明治政府は琉球処分官の松田道之と約６００人の警官・兵士を琉球に派遣し、首里城は明け渡され、琉球藩は廃され、沖縄県が置かれました。

それに対して、清国は即座に日本への抗議を行い、琉球帰属問題が議論されることになります。その際に、前米国大統領のグラントの調停を受けて日清間で議論されたのが、分島・改約案です。それは、1871年の日清修好条規*を日本側に有利なものにし、それと同時に、沖縄島以北を日本領とし、宮古・八重山を中国領土とするというものでした。日本側からの提案でした。清国側でも、宮古・八重山に琉球国を復国させればよいとの判断もあり、合意に至ってしまいました。それに対して、清国内の亡命琉球人から再三にわたる反対の請願がなされ、そのなかで林世功は、命を懸けた請願を行うことになりました。

彼の残した詩には、「一死猶期存社稷」とあります。「この身は死んでも国（社稷）が存続することを望む」という意味です。林世功の死を知らされた清国政府はその死と彼の訴えに感じ入ったところがあったのでしょう。遺族への見舞金と葬儀費用を与えました。

現在、林世功らの亡命琉球人たちの行動を、琉球救国運動と評価しておりますが、長らく不当に貶められていました。彼らは「脱清人」と呼ばれ、国法を犯して清国に亡命したもの、時代の流れにとり残されたもの、士族としての自己の特権を維持することのみを考え琉球内部の矛盾に目を閉ざしたもの、といった批判がなされてきました。しかし彼らの行動は、国際世論に訴えたもので国際的感覚を有したものでした。また上流士族から平民まで参加した運動を一部特権階級の利権確保のためだけのものとはいえません。彼らが残した文書を読めば、「大義」「忠孝」「憂国」といった言葉が見受けられ、当時の道徳性が伝わります。

日本に生きる私たちにとって、日本への併呑を拒否した人びとの客観的な評価はむずかしいことです。しかし、琉球・沖縄の未来を考える際には、彼

＊1871年、天津で、日本と清のあいだで結ばれた。日本が結んだ初めての対等な条約。これまでの欧米との条約は日本側に関税自主権がなく、相手国側のみに領事裁判権、最恵国待遇を与える片務的なものであった。

らの行動を見つめ返し、当時の状況を再考することは必須のことといえます。

ひと⑥
近代沖縄に輝く北斗星
謝花昇

〔伊佐眞一〕

謝花昇《じゃはなのぼる》は、琉球の尚泰18年、西暦1865年に沖縄島の南部、東風平《こちんだ》に農民の子として生まれました。琉球がまだ日本に武力併合されていない時代です。琉球王国時代の琉球は、彼のような身分、境遇ではどんなに才能があろうと世に出て活躍することなど、可能性はほとんどゼロにちかい社会でした。ところが、琉球・沖縄が政治だけでなく、経済などすべてがひっくり返っていく激動の時代――「世替り」に遭遇したために、謝花の運命は劇的にちがったコースに導かれます。

ウチナー世《ゆー》からヤマト世《ゆー》へ、力ずくで世の中を変えられたといったほうがいいのですが、明治政府が沖縄の支配をスムーズにするためにとった政策が、謝花の頭上に降りかかってきたというわけです。教育をつうじて沖縄を日本化する日本の長期的な視野からでした。王国の滅亡からわずか3年後、1882年に第1回の県費留学生に選ばれて東京に向かいます。5人のうち謝花をのぞく4名は、太田朝敷《ちょうふ》、高嶺朝教《ちょうきょう》、岸本賀昌《がしょう》、山口全述《ぜんじゅつ》で、いずれも首里と那覇の士族ですから、謝花の聡明さは沖縄県庁にまでよく知られていたのでしょう。

琉球の片田舎からいきなり帝都へ出て、学習院をへて帝国大学（現在の東京大学）農科大学へとすすんだ謝花。そこには、いかにも明治政府の思惑がみえるのですが、しかしそれは彼自身の選択でもあって、目的意識がとても明確だったことを示す証拠です。1891年に提出した「讃岐国糖業之実況及ヒ其改良策」が卒業論文で、当時の沖縄経済をささえた第一次産業の糖業をテーマにしたのは、沖縄に戻ってあとの仕事を考えていたにちがいありません。実際、彼は沖縄県庁に職をえて、毎日のように沖縄の各地を歩いて、帝大で修得した農業にかんする知識や技術を、惜しげもなく農民にわかち与え、その自立を指導していったのでした。

ところが、琉球・沖縄の土地は基本的に共有制だったことから、この土地を誰の所有にするかの問題が起こると、目ざとい政治家や商人たちが広大な土地を開墾借地しようと押し寄せます。こうした沖縄県の方針に対して、謝花は上司の沖縄県知事*を批判して、在野の民権運動を起こします。当時としては非常に尖鋭的な「沖縄倶楽部」を結成し、メンバーが互いに学習をしながら、機関誌『沖縄時論』を刊行するなど、じつに思いきった行動にうって出た。

＊奈良原繁（1834〜1918、薩摩藩出身）官選知事として異例の16年にわたって沖縄県知事を務め、「琉球王」の異名をとっ

謝花昇

ます。生活費を確保するために会社をつくり、それを基盤にして帝国議会に陳情し、有力政治家と共闘を組む等々、可能なかぎりの行動に集中したのでした。今日なら何の不思議もありませんが、いまから120年も前の沖縄にあっては途方もない企てでした。

謝花の人となり――自己卑下の多い当時としては稀に見る直言型のウチナーンチュであり、不正や差別を見て見ぬふりできない性格は、自分だけの利得に安住させないのでした。農学が専門なのに、近代社会においては法律や社会科学の知識がどうしても必要との考えから、農学関係を中心にいろんな雑誌を東京からとり寄せて勉強する努力家でした。読み書きがまったくできない妻・清子に、自分のしている仕事を沖縄語でやさしく話して聞かせるおしゃべり好きの愛妻家でもあったのです。1908年に43歳で亡くなりましたが、もし彼がいなかったら、沖縄の近代はどんなにか寂しいことになったかしれません。

参考文献
伊佐眞一編『謝花昇集』みすず書房、1998年

ひと⑦
自由民権運動や辛亥革命に身を投じた快男児 新垣弓太郎

〔与那嶺功〕

新垣《あらかき》弓《ゆみ》太郎《たろう》*（１８７２〜１９６４年）は東京や中国を舞台に、自由民権運動や辛亥革命に身を投じて情熱的に生きた人物です。

新垣は沖縄島南部に位置する南風原町宮城の農家に生まれました。尋常中学を中退した後、東京で働きはじめますが、日本の植民地だった台湾で警察官の職に就き、先住民の抗日運動と戦い、負傷して帰国します。

東京に戻り、東京専門学校（現在の早稲田大学）で書記として働くかたわら下宿屋を開業。上京してきた謝花昇（沖縄の自由民権運動の先駆者、ひと⑥参照）から、当時の沖縄県知事の暴政ぶりを伝え聞き、謝花の有力な支援者となりました。謝花は、県知事だった奈良原繁の農業政策をめぐって激しく対立。奈良原は16年間にわたって県知事を務め、その独断ぶりから「琉球王」の異名をとっていました。奈良原が放ったと思われる暴漢に襲われた謝花を、新垣が身を挺して守ったこともあります。また謝花らの

＊京都府立大学文学部歴史学科による２０１７年南風原町現地調査で、上野優里さん（３回生）が「新垣弓太郎—その生涯と沖縄における評価について」として報告書をまとめている。新垣に関する多くの資料を詳細に検討している。沖縄県公文書館のホームページを検索すると、新垣弓太郎に関する写真資料を閲覧することができる。

グループは、沖縄からハワイに移民を送る事業を模索しており、新垣もそれを手伝いました。

当時、日本には中国から数多くの留学生が来日しており、新垣の下宿屋にも出入りしていました。母国の革命運動にかかわる者も多く、やがて新垣は孫文とも知遇を得て、1911年ごろ中国に渡ります。辛亥革命*に加わり、中国名を「黄玉珊」や「林鐵」と名乗って、11年近く転戦しました。戦乱のなか、身を挺して孫文を守ったという話が残っています。

日本と中国との関係が悪化すると、新垣は古里に戻りました。大陸で活躍した新垣を新聞は好意的にとり上げましたが、満州事変後、沖縄の日本軍は新垣を厳しく監視します。かつて琉球は独立国で、中国の友好国だったので、いざとなれば中国の味方をするのではないか……、中国の有力な政治家・軍人と交友のあった新垣は中国と密かに通じている、と疑ったのです。

1945年、沖縄戦に突入。戦火が近づいたため避難しようと、新垣が家を出たところ、日本兵から銃撃を浴びました。弾は一緒にいた妻に当たり、それが元で死んでしまいます。「不審な動きをみせたら射殺せよ」とあらかじめ命令されていたのでしょう。

のちに新垣は妻の墓を建て、「日兵逆殺」と刻みました。「虐殺」でなく、「逆殺」という文字にした理由は、「日本兵が、敵（米兵）でなく、同じ日本人を逆に殺したから」と理解されています。

のちにインタビューにこう述べています。「戦前の日本は搾取政策をとり、本土決戦をとなえて沖縄を見殺しにしたのは沖縄を継子《ままこ》あつかいした現れであり、沖縄戦当時の日本軍の不信行為に対しては天皇

＊1911年（辛亥・かのとい）におきた中国の民主主義革命。300年近く続いた清朝を打倒し、数千年におよぶ専制政治を終わらせた。これによって中華民国が生まれた。

晩年の新垣弓太郎
（沖縄県公文書館所蔵）

か首相が訪問、謝罪すべきだ」

戦後、農業をしながら暮らしている新垣のもとを時折、沖縄の政財界の人びとが黒塗りの外車に乗って、話を聞きに訪れました。

1954年、蔣介石（台湾国民党）から「同志新垣」の文字をしたためた額が贈られてきました。新垣の勇猛ぶりを「熱血可嘉（ねっけつよみすべし）」と称えていました。再会を望んでいるので台湾に招きたいという誘いもあったようです。

次のような感謝状も届きました。「新垣林鐵（中国名）の御高名はかねがね承つておりましたが、先生の健在なる事を知り、想いを先生の上に駆せていました。先生の中国革命に対する功績に同士は非常なる敬意と感謝をささげるものであります」。

なぜ、台湾国民党は感謝状を贈ったのでしょう。蔣介石は、共産党との戦いから逃れて、台湾に拠点を移していました。新垣に接触したのは、沖縄側と友好を深めることで、国際社会での台湾の存在感を高める意図があったとも指摘されています。

さて、中国大陸を駆けた新垣のエピソードは壮大ですが、100年近く前、戦乱最中の出来事ということもあり、資料や第三者の証言が十分でなく、今のところ新垣の活躍を十分に裏づけるには至っていません。

妻が殺された恨みから、琉球独立を唱えたとも理解されていますが、新垣が「独立」を明確に主張したかは定かではないようです。重要なのは、日本軍による虐殺の背景を知ることです。

快男児・新垣を巡る生涯は、沖縄の歴史が色濃く映し出されています。明治以後の沖縄を取り巻く複雑な国際関係を理解する手がかりになるでしょう。

10 サンフランシスコ講和条約と米軍統治

〔白鳥龍也〕

どうして、沖縄の街のまんなかに基地があるのでしょうか。サンフランシスコ講和条約とは何ですか。沖縄とはどういう関係があるのですか。また、なぜ、米軍は沖縄に核兵器をもちこみ、「核の島」としたのですか。

沖縄に米軍基地があるのは「沖縄戦」の結果です。太平洋戦争末期の１９４５年３月26日、沖縄の慶良間諸島に上陸した米軍は４月１日に沖縄本島に侵攻し、６月下旬までに日本の守備隊をほぼ全滅に追いやりました。沖縄本島を占領した米軍は、またたく間に戦火で荒れ果てた土地の至るところに金網を張りめぐらせて、飛行場、軍港、兵舎、弾薬や物資の倉庫などの建設にとりかかりました。日本本土に進軍する基地にするためです。

沖縄の住民は、米軍が設けた収容所、今でいう難民キャンプのような場所に入れられるか、金網の外の狭い土地に追いやられ、自分たちが住んでいた土地が米軍基地に変わってゆくのを黙って見ているしかありませんでした。「世界一危険な基地」*としてよく耳にする沖縄県宜野湾市の米軍普天間《ふてんま》飛行場も、沖縄戦の延長で作られた基地です。宜野湾市の高台に上ると、ぐるりと市街地に囲まれたまんなかに広大な飛行場があるのがよく分かります。「沖縄のなかに基地がある」のではなく、「基地のなかに沖縄がある」という状態なのです。

1945年8月、日本は広島と長崎に原爆を落とされたことなどにより、米軍の本土上陸を待たずに敗戦を受け入れました。沖縄の米軍基地も無用になるかと思えましたが、新たな歴史の歯車がまわりはじめます。米国とソ連を中心とした東西冷戦が始まり、中国でも共産党率いる人民解放軍が国民党との内戦に勝利して共産主義の道を歩みはじめました。米国は、沖縄の米軍基地をソ連や中国の共産圏ににらみを利かせるアジアの最前線基地として存続させることにしました。

サンフランシスコ講和条約とは、日本が戦争状態を完全に終わらせ、あらためて独立国として歩みを始めるために第二次世界大戦の連合国（戦勝国）側と交わした約束です。条約では連合国側が日本の主権の回復を認める代わりに、朝鮮や台湾、南樺太などの領土を放棄させることにしました。しかし、1952年に発効したこの条約で沖縄は、施政権（政治を行って統治する権利）が正式に米国に移されます。沖縄戦当時から7年間続いていた米軍の占領状態が、その後もずっと続くことになったのです。しかも沖縄の領土としての扱いは日本のままという、何とも分かりにくい状態

＊2003年11月に普天間飛行場を上空から視察したラムズフェルド米国防長官（当時）が「世界一危険な米軍施設」だと発言したことによる。

です。この扱いが、その後ずっと沖縄にさまざまな矛盾や差別を押しつけることになるのです。

どうして、そんな事態になったのでしょう。本土も1945年8月に敗戦となって、その後進駐してきた米軍によって、基地も作られました。一方で米軍は、日本の軍備を放棄させる憲法を作り、日本を人権最優先の民主主義国家として歩ませようとしていました。ただ、共産圏と向きあう基地の増強も必要だと考えました。そこで、米軍は、沖縄のみを本土から切り離して基地機能を強化しようと考えたわけです。サンフランシスコ講和条約によって正式な米軍統治が始まって以降、銃剣を突きつけて住民を排除しながら、その畑などをブルドーザーでつぶして否応なく基地を拡張していく、いわゆる「銃剣とブルドーザー」の政策が進みました。

そして、日本本土の米軍基地も沖縄に移されたのです。サンフランシスコ講和条約発効当時、本土にはまだ多数の米軍基地があり、その面積は沖縄の10倍以上もありました。1953年の朝鮮戦争休戦当時には、岐阜県や山梨県などに米海兵隊の第三海兵師団が分散駐留していました。しかし、1957年までに第三海兵師団は沖縄に移ります。なぜでしょうか。

米軍の試射場や演習場、飛行場とされた石川県、群馬・長野県境、東

市街地の真ん中にある米軍普天間飛行場。海兵隊の輸送ヘリ「オスプレイ」などが使用しており、騒音被害や部品の落下事故などが絶えない＝宜野湾市で。

京都などで、住民による猛烈な反基地運動が起き、日米両政府はその運動が反米運動に変わることを恐れたのです。特に海兵隊*は陸上部隊ですから、本土の住民のなかには日本を守ってくれる同盟軍というより「占領軍」との悪いイメージをもつ人が多かったのです。占領当時に米軍が日本に広めた民主主義、平和主義が米軍への憎しみとなって返ってくるという皮肉な状況でした。一方、沖縄は米軍統治下であり、強権的に住民運動を抑えても問題になりにくい。本土から遠い島のため、本土の反対運動から駐留米軍の存在を見えなくするのにうってつけ、と思われたのです。1970年前後にも、米軍はF4ファントム戦闘爆撃機部隊の東京・横田基地から沖縄・嘉手納基地への移駐を行うなど、本土側の基地を整理縮小する一方、沖縄の負担を増やしていきました。

海兵隊に関しては1970年代、米軍再編計画の一環で沖縄から撤退させるべきだとの議論が米国で起きましたが、日本政府が「それは困る」と引き留めたとの経過が米国の公文書に記録されています。日本政府としては、米軍が日本を守ってくれている象徴として、陸上部隊の生身の兵士が目に見えるところにいてほしいという理屈なのです。その「目に見えるところ」は本土では困るが、沖縄ならいいということなのです。

1945年8月に広島、長崎へ人類史上初めて原爆が投下され、その激烈な破壊力が示されて以降、米国とソ連を中心とした東西冷戦は、核爆弾を多く作って配備したほうが有利だという核開発競争の時代に突入しました。

米国は、西太平洋でソ連と中国に向き合う日本に核爆弾や核ミサイルをたくさん置いて、優位に

＊英語では U. S. Marine Corps。名称から海軍を想像しやすいが、陸戦兵器を専門にする将兵から構成される。現在のアメリカ海兵隊は、上陸作戦、即応展開などを担当する外征専門部隊で、戦闘機・戦車・強襲揚陸艦などを装備し水陸両用作戦を展開できる。

立とうとしました。しかし、日本では唯一の被爆国であるという点から核兵器を拒絶する世論が高まっており、政府も１９５０年代から日本が核兵器を製造したり、また米軍が日本にもちこんだりすることはさせないとの方針を打ち出していました。１９５４年には、南太平洋・ビキニ環礁沖の核実験で日本漁船が被ばくして船員が死亡する「第五福竜丸事件」もあり、反核運動が拡大。１９６７年には当時の佐藤栄作首相が「核兵器を持たず、作らず、持ち込ませず」との「非核三原則」を示し、現在に至るまで核兵器に対する基本の政策となっています。

そこでまた、米軍の核戦略に沖縄が利用されることになります。沖縄への核配備が始まったのは東西冷戦構造が拡大していた１９５４年末ごろ。米国のアイゼンハワー政権は、ソ連軍が西側諸国へ侵攻してきた際には核戦力で即時反撃する大量報復戦略を策定していました。それに基づいて沖縄に運びこまれた核兵器は、ベトナム戦争が激しくなっていた１９６７年当時が最多でその数は約１３００発。比較的狭い範囲で敵を全滅させて戦いの流れを有利にする「戦術核」を主とし、兵器の種類では中・短距離型の地対空ミサイル、巡航ミサイルなど18種にの

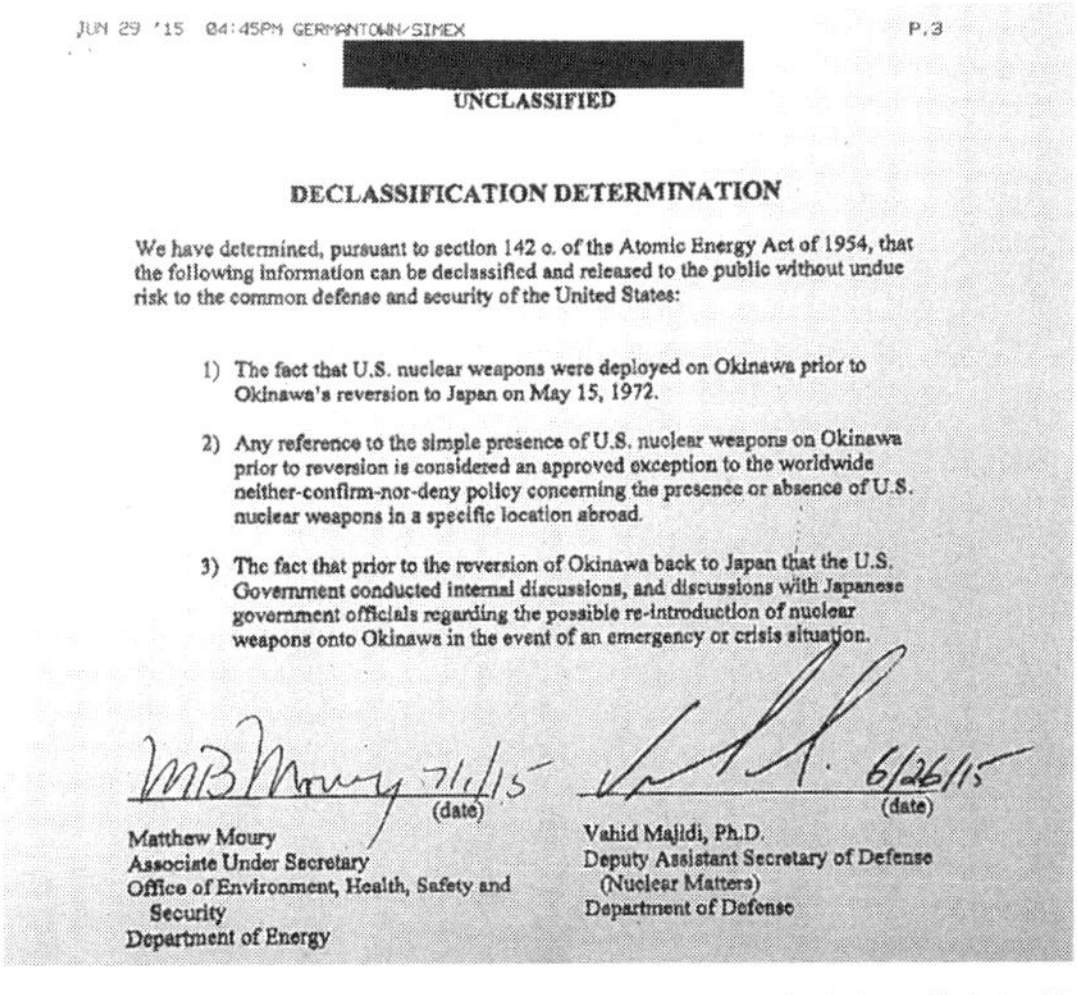

JUN 29 '15 04:45PM GERMANTOWN/SIMEX P.3

[redacted]

UNCLASSIFIED

DECLASSIFICATION DETERMINATION

We have determined, pursuant to section 142 c. of the Atomic Energy Act of 1954, that the following information can be declassified and released to the public without undue risk to the common defense and security of the United States:

1) The fact that U.S. nuclear weapons were deployed on Okinawa prior to Okinawa's reversion to Japan on May 15, 1972.

2) Any reference to the simple presence of U.S. nuclear weapons on Okinawa prior to reversion is considered an approved exception to the worldwide neither-confirm-nor-deny policy concerning the presence or absence of U.S. nuclear weapons in a specific location abroad.

3) The fact that prior to the reversion of Okinawa back to Japan that the U.S. Government conducted internal discussions, and discussions with Japanese government officials regarding the possible re-introduction of nuclear weapons onto Okinawa in the event of an emergency or crisis situation.

7/1/15 (date)
Matthew Moury
Associate Under Secretary
Office of Environment, Health, Safety and Security
Department of Energy

6/26/15 (date)
Vahid Majidi, Ph.D.
Deputy Assistant Secretary of Defense (Nuclear Matters)
Department of Defense

2015年６月29日付の米国防総省とエネルギー省連名の情報解禁通知。復帰前の沖縄に核兵器を配備していたことを公式に認めた。

ぼり、沖縄は「アジア最大の核弾薬庫」となりました。1959年6月には、現在の那覇空港の場所にあった米軍施設から核弾頭を搭載したミサイルが誤って発射される事故もあったとされます。ミサイルは近くの那覇沖合に着水し、爆発しませんでしたが、もし爆発していたら那覇市一帯は壊滅していたでしょう。

当時、沖縄に核兵器がもちこまれていることは一切、明らかにされないままでしたが、県民のあいだでは「公然の秘密」だったといわれます。米国防総省とエネルギー省が情報解禁通知で沖縄へ核を配備していたことを公式に認めたのは2015年6月のことです。

1972年の本土復帰に伴い、沖縄の核兵器は全面撤去されたことになっています。東西冷戦が終わって米ソの核開発競争もいったん下火にはなりましたが、この間、急速に軍事力を増強させている中国が日本やグアムを射程に収める中距離ミサイルを約2000発も保有。米国もこれに対抗して中距離核ミサイルの開発を進める方針であることから、その配備先として再び沖縄が選ばれる可能性は否定しきれません。

住民の土地を強制的にとり上げての基地の開設、本土からの移転、危険な核兵器、毒ガス兵器のもちこみなど、それだけでも沖縄の人びとの人権がどれだけ踏みにじられていたかが分かります。

すべての矛盾は、沖縄には米国の合衆国憲法も日本国憲法も適用されなかったことに始まります。サンフランシスコ講和条約により、日米両国が沖縄に対して、日本の領土のまま統治を米国に託すという理不尽を押しつけたことが背景にあります。

憲法がないのですから、それに基づく法律も沖縄の人たちには適用されません。自由も、民主主義も、自治も、権利と名のつくものはひとかけらもなかったのです。沖縄に置かれた「琉球列島米国民政府」が出す「布告」や「布令」「指令」が法律の代わりです。その「民政府」も名ばかりで、実質は沖縄を占領していた米軍がそのまま住民を治める「軍政府」です。米国防長官が米陸軍の幹部軍人のなかから任命して沖縄に送りこむ「高等弁務官」が絶大な権力を握っていました。従って「民政府」の出す「布告」や「布令」も米軍にとって都合のいいものばかり。政治的な集会を開くことや、文書を印刷、配布することから始まり、沖縄の人たちの生活のすべては米軍の許可なしには成り立たなかったのです。

計6人に上った歴代の高等弁務官のうち、最も独裁的で沖縄の人びとに恐れられたポール・ワイアット・キャラウェイ陸軍中将は「沖縄住民による自治は神話に過ぎない」といい放ちました。

民政府の下には、沖縄の人たちによる「琉球政府」が置かれ、形の上で自治を認めていたかのようでしたが、琉球政府の代表である「主席」は米軍の任命制でした。議会に当たる立法院、裁判所も置かれたものの、立法院は布告や布令のなかでしか法律（都道府県でいえば条例）を作ることができません。裁判所は、沖縄の人たち同士による争いを裁くだけで、布令や布告に反することは、民政府の裁判所が裁きます。民政府の検事や裁判官もまた米軍人でしたから、公平・公正な判決など望むべくもありません。

一方で、米兵が沖縄の人たちに対して犯す犯罪、殺人や傷害、強盗、交通事故などは米軍の軍事法廷（軍法会議）が裁いていました。裁判は完全非公開で、たとえ殺された被害者の家族であっても傍聴は許されない。判決も公表されない。米兵による明らかな犯罪が無罪になり、まったく補償もされないことなど日常茶飯事でした。

　そのころ、沖縄には、米軍基地に雇われ、軍作業の下働きなどで得た賃金で生活をしている人が多くいました。米兵相手に物を売ったり、飲食を提供したりの商売もありました。特に、１９５０年〜53年の朝鮮戦争、１９５５年〜75年のベトナム戦争では、沖縄の米軍基地は最前線への出撃拠点となり、街が米兵であふれました。戦地に向かう米兵はいつ死ぬかも分かりませんから荒っぽくお金を使って酒を飲み、不安を発散しようとしました。そのお金を目当てに、米空軍嘉手納基地のある当時のコザ市＊（現在の沖縄市）には、歓楽街が生まれて夜ごとにぎわいました。基地があることによって沖縄の暮らしや経済が成り立っていた面もたしかにあります。しかし、それは米軍統治が先にあったことの結果です。道理に合わない抑圧のほうがはるかに大きかったのです。

　その証拠に、１９７０年12月、コザ市の中心街では、地元の人たち約４０００人が、米軍の警察である憲兵隊や米兵の乗る車に放火したり投石したりする事件がありました。本土では「コザ暴動」、沖縄では「コザ騒動」と呼ばれる事件です。酔っ払い運転の米兵が、地元の男性をはねてけがを負わせた交通事故がきっかけです。大きな事故ではありませんでしたが、その前に沖縄の糸満町（現在の糸満市）で女性が米兵の車にひき殺される事故がありました。しかもその米兵は無罪になったのです。また、コザに近い米軍の知花弾薬庫（現在の嘉手納弾薬庫地区）に密かに貯蔵されて

＊フィールドワーク⑧、⑨参照。

いた兵器用の猛毒ガスが漏れ、あわや周辺住民が死ぬかもしれない危険にさらされました。そんな沖縄の人たちを人とも思わない米軍統治に対して、人びとの怒りがコザで爆発したのです。

11 日本「復帰」と日本国憲法の関係

〔松島泰勝〕

「沖縄」の人びとはなぜ「復帰」を求めたのでしょうか。その結果もたらされたものはなんですか。

「復帰」という言葉は、「元の状態に戻る」ことを意味しています。もともと琉球（沖縄）は日本とは別の国でした。1879年に日本に侵略されて植民地になったのであり、琉球は日本の「固有の領土」ではありません。よって「琉球が日本に復帰した」とはいえず、「復帰」という言葉をカッコでくくりたいと思います。

1950年代半ば、日本では在日米軍基地に反対する運動が激しくなりました。その移駐先として日米両政府が考えたのが琉球です。琉球には日本国憲法や米連邦憲法が適用されず、住民の抵抗を「銃剣とブルドーザー」で弾圧したうえで軍事基地を建設しました。米軍統治時代において、琉球人が日の丸を振って「祖国復帰運動」に参加した理由は、琉球が日本の一部になることで平和憲法が適用され、米軍関連の事件・事故が減少し、米軍基地が縮小・撤廃されることを望んだからでした。

1956年に全司法福岡高裁支部の作詞、荒木栄の作曲による、「沖縄を返せ」という、「復帰」運動のなかで頻繁に合唱された歌があります。この歌には次のような歌詞があります。「固き土を破りて民族の怒りに燃える島沖縄よ、我等と我等の祖先が血と汗もて守り育てた沖縄よ、我等は叫ぶ沖縄よ我等のものだ沖縄は、沖縄を返せ沖縄を返せ」。

日本人がこの歌を唄うときに、歌詞のなかの「民族、我等」が意味するのは日本人となるのでしょう。異民族支配に苦しむ琉球人を日本人として認識していることになります。「沖縄」は日本人やその祖先が戦争等によって守ってきた国土の一部であり、それは日本の所有物であるという、日本人の愛国心が濃厚な歌です。しかし、この歌を琉球人が唄うとき、「民族、我等」は琉球人を意味し、「沖縄を返せ」は「沖縄に返せ」のように、「を」ではなく「に」にいい換えることが多いといわれています。助詞を少し変えるだけで、主体が日本人から琉球人となり、琉球は琉球人のものであるという意味になります。

1971年11月、屋良朝苗・琉球政府主席は、米軍基地の「本土並み返還」を柱とする「復帰に関する建議書」*を第67臨時国会（「沖縄国会」）に提出しました。しかし、衆議院の沖縄返還協定特別委員会は沖縄返還協定を強行採決し、同建議書は無視されました。また「復帰」直後、日本列島から米軍基地や自衛隊基地が沖縄県に移され、基地負担はさらに荷重になりました。

＊「従来の沖縄は余りにも国家権力や基地権力の犠牲となり手段となって利用され過ぎてきました。復帰という歴史の一大転換期にあたって、このような地位からも沖縄は脱却していかなければなりません」（琉球の人びとの自己回復をうたう、屋良が執筆したといわれる「建議書・はじめに」から）

1972年に琉球は「復帰」し、沖縄県となり、日本国憲法が適用されました。しかし、憲法よりも大きな権限をもっているのが日米地位協定*であり、憲法で保障されている平和主義、基本的人権の保障などが琉球では実現できないままなのです。「復帰」は沖縄返還協定という国際法によって実現しましたが、それとともに結ばれたのが日米地位協定です。同協定により、米軍は島内の港や空港などのインフラを軍事的に利用することができます。また同協定によって米軍人や米軍属（基地内で働く軍人以外の米国人）らは日本国民よりも多くの特権が認められ、それが原因で米軍関連の犯罪・事故の発生を止めることができないのです。

日本人は「沖縄を返せ」と主張しましたが、「復帰」後もまだ返還されない土地があります。それは米軍基地です。琉球には陸軍、海軍、空軍、海兵隊の米軍四軍の基地があります。各基地には英語と日本語で書かれた看板が金網のフェンスにくくりつけられていますが、普天間海兵隊基地には次の言葉が書かれた看板がありました。

「米国海兵隊施設　無断で立入ることはできません。違反者は日本の法律に依って罰せられる」

戦後、米軍は琉球人から無断で土地を奪い、銃剣やブルドーザーを使って無理やり基地をつくり、今も土地を占拠しつづけています。元々の所有者である琉球人に「土地に入るな」と命じているのです。違法に琉球人の土地を奪った米軍を日本政府は法律で罰せず、土地を奪回しようとする琉球人を罰すると脅しているのです。

米軍基地内に日本の法律は適用されるのでしょうか。フェンスの内側は米国であり、日本の国家

＊在日米軍基地の管理権は米軍がもつことのほか、米軍への課税免除、軍人、軍属らの刑事裁判権などについて定めている。たとえば広大な空域を米軍が管制することを許し、日本で裁判を受けるべき被疑者でも、米側が先に身柄を拘束した場合、起訴まで身柄が引き渡されることがなく、重罪にもかかわらず、不当に寛大な処分がされることもある。1960年締結以降、条文は変わっていない。

＊2004年8月13日、米軍所属の大型輸送ヘリコプターが訓練

主権は及びません。米軍関連の事件・事故が発生すると、米軍警察が現場を押さえ、日本国民の立ち入りを禁止し、その現場は「米国の領土」になるのです。2004年に米軍ヘリが沖縄国際大学の校舎に墜落した時に、私は事故現場の近くにいました。*米軍警察が侵入禁止のテープを校舎周辺に張り巡らし、私を含む日本国民の侵入を規制し、現場検証をしました。日本の国家権力である沖縄県警はそのテープの外側に立って、米軍警察を支援していました。

イタリアにも米軍基地がありますが、米軍関係の事故が発生するとイタリア政府が事故原因を調査することができます。米軍機による騒音が住宅地域に拡散しないように飛行回数、飛行経路、上昇角度等に制限が設けられ、リポーゾ（午後1時から4時までの昼寝の習慣）のあいだ、米軍機はエンジンを切って静かにしています。琉球ではこのような配慮はまったく見られません。夜間も米軍機が爆音を放ち、住民の睡眠を妨害しています。

日米地位協定の本質的な問題とは、米国民や米政府は日本国民や日本政府を対等な人間、政府として認識していないことです。日本をリスペクトの対象としてみなしていないのです。そのような国民やその領土を米軍人の血を流してまで守るとは考えられません。日米安保条約のなかで「米軍が日本を守る」と書かれ、米国大統領が「日本を守る」と発言したとしても、如何なる状況下でも絶対に日本を守るとの保障はありません。米連邦議会が米軍の参戦に関する

中にコントロールを失い、沖縄国際大学1号館に接触・墜落・炎上した。乗員3人が負傷。民間人には負傷者はでなかったが、大惨事につながりかねない事故だった。

沖縄国際大学ヘリ墜落現場

最終的な決定権をもっています。日米地位協定は、日本国民の人間性を貶める不平等条約です。「復帰」後の琉球人が米軍基地関連の事件・事故に苦しんでいるのに、日本政府は日米地位協定を改正しようとせず、自国民の尊厳や権利を守る国家として責務を果たしていません。

2012年に、オスプレイ（墜落の危険性が高い米軍用機）* の琉球配備に対して多くの住民が強く反対していたときに、米兵のレイプ事件、少女暴行事件、民家への不法侵入事件が相次ぎました。在沖米軍司令部による米兵の夜間外出や飲酒禁止の命令も有効ではありませんでした。米軍司令部が米兵を統制、管理できない状態が戦後80年近く続いているのです。これまで数限りない事件・事故を起こしてきた米軍は、琉球人にとっては自らを守ってくれる存在ではなく、逆に安全や生命を脅かす暴力源でしかありません。日本人はよく「米軍基地は日本の抑止力である」と主張しますが、その「日本」のなかに琉球は含まれているのでしょうか。皆さんも考えてみてください。

1972年と73年、そして1995年や2005年に、米政府が在沖海兵隊のカリフォルニア州や韓国などへの移転を提案したにもかかわらず、日本政府はそれらを拒否しました。地政学的に琉球に米軍基地が必要だと米政府が認識しているから、琉球に基地が集中しているのではなく、実際は日本政府が意図的に琉球に米軍基地を押しつけてきたのです。

他国軍を自国内から撤退させてこそ、日本は真の独立国になることができます。琉球に米軍基地を押しつけて自らは安全に暮らしたい、国家の責務（基地負担を自ら引き受ける）を果たしたくない日本政府の無責任体制が今日にいたるまで続いているのです。近年、琉球に基地を押しつけ続けて

*回転軸の角度を変更できるローターを採用し、垂直離着陸できるヘリコプターと高速移動可能な固定翼機の両方を兼ねた機体をもっている。その特性から安定を失い事故をおこしやすい。

いる日本人、日本政府は無意識的または意識的に琉球人、琉球を差別しているのであり、差別を止めないなら琉球独立しかないという怒りの声が強くなっています。

参考文献

松島泰勝『琉球独立論――琉球民族のマニフェスト』バジリコ、2014年

12 1972年以降の沖縄県

〔伊佐眞一〕

琉球・沖縄にとって、1972年はなぜ歴史の曲がり角なのですか。日本に「復帰」したとの表現は正しいでしょうか。実際、1972年以後に何が変わったのですか。

こうした質問に答えるには、どうしても琉球の長い歴史をざっとふり返ってみなければなりません。東アジアの地図をみればわかりますが、琉球・沖縄の西に中国、北方に日本があり、そこから海路で東南アジアへ行く道筋に琉球はあります。どうみても日本からは遠くに離れています。そして実際に19世紀の後半まで、琉球王国として日本国家とは別の歩みをしていた「事実」＝歴史があるわけです。その歴史の一番肝心なところを手短に説明するならば、いまの「沖縄県」が日本という国に入って、わずか１４０年にしかならないわけです。しかも琉球が自主的に納得して入ったというのではなくて、日本に軍事力で一方的に恫喝《どうかつ》されて、琉球王国を滅ぼされた結果です。この一事からして、1972年に沖縄が日本国に「復帰」したとする考えは、すぐにあやしくなります。「復帰」とは読んで字のごとく、もとあった場所にまた帰ることを意味しますから。

1972年――この年が沖縄の歴史において大きな節目になるのは、それまでアメリカ合衆国がもっていた施政権、つまり沖縄を全面的に支配する権利を、今度は日本国が手にするということになったからです。なぜ、アメリカが沖縄に対する完全な独占的施政権を27年（1945年～72年）も維持していて、それを日本国に返還（沖縄をカヤの外に置いて）したかの説明は省きますが、両政府にとって一番かつ最大の関心が何であったのかは、1971年6月17日に調印した「沖縄返還協定」（正確には、「琉球諸島および大東諸島に関する日本国とアメリカ合衆国との間の協定」）に集約されています。いわゆる「復帰」後に安保条約その他の条約を沖縄にも適用すること、そして、沖縄にある米軍基地の施設と区域をそのまま米国に使用させること、でした。これが1972年以後の沖縄をがっちりと方向づけていくことになります。施政権返還で沖縄が「本土並み」になるというのが、日本政府の謳い文句、いい分でしたが、米軍基地に加えて、新たに自衛隊を本土並みに増やして配備するとの意味でもありました。日本国にとって、沖縄の価値がどこにあるのかが明瞭ではないでしょうか。

1972年以後の具体的な段取りは、こうです。――「沖縄における公用地等の暫定使用に関する法律」を制定して、米軍用地として使用させ、その5年期限が切れると、今度は「米軍用地特措法」で強制的に沖縄の軍用地をとりあげるのです。沖縄だけに適用した差別法といってもいい過ぎではありません。しかも、沖縄の意思は聞くこともしませんでした。

施政権返還後において、日本政府の沖縄制御のもう一つは、国家予算配分による方法です。日本との経済格差を埋めるための方策として、沖縄振興開発特別措置法を中心にした法整備をして、1972年から10年ごとに策定してきている「沖縄振興開発計画」があります。今日までに5次の計画がなされてきましたが、最初の計画が日本で失敗に終わった「新全国総合開発計画」を後追いしたように、重化学工業誘致型の外部資本の誘致や海岸埋立てに力点がおかれたため、自然環境が破壊されるという弊害をもたらすことになりました。その後も自立型経済を掲げながらも、企業誘致は進展しないままに、第5次の「沖縄21世紀ビジョン基本計画」が観光産業を中心につくられてきていることはご存知だと思います。

政治や経済の骨格動向はおおよそ以上ですが、それと併行して社会の各方面でも、人間の移動が日本とのあいだで容易になったことにより、さまざまな変化が生じていきます。とくに目立つのは、日本の主導による沖縄の系列化でしょうか。これは社会の広い分野に染みこんでいて、最初に政党と労働組合がそれ以前から東京の本部と直結するようになります。土着政党の沖縄社会大衆党がわずかに存在感をみせはするものの、沖縄に固有の政治問題があっても、それはひとおり中央の支持と承認が前提となる仕組みになっていきます。

https://www.21okinawa.com/

沖縄21世紀ビジョン

そして資本主義経済の通有とはいえ、本土資本がどっと流入してくると、在来の商取引の慣行も、沖縄県の行政が日本政府の指導下で連携していくのと歩調を合わせるかのように、経済的力関係以外のもの、とくに人間の行動と思考がじょじょにヤマト風へとなびいていくのは自然の流れともいえます。テレビやラジオ、その他大量の出版物の情報は、琉球・沖縄の日常生活やウチナーンチュ固有の精神的な軸をも侵食するまでになります。

その意味で、1975年に行われた海洋博と、その翌年の伊波普猷生誕100年記念行事は、沖縄の日本への「復帰」の矛盾と関係性の軋轢《あつれき》を浮き上がらせる象徴だったかもしれません。怒涛のような「ヤマト世」と、それに抵抗する沖縄アイデンティティの勃興です。

政治と経済、社会全体がこのようにじわりじわりと琉球の根っこを侵していくのと併行して、琉球・沖縄の自治・自立、自己決定権にかかわる重大な歴史認識も大きくゆり動かされることになります。そのなかでも特筆すべきものは、沖縄の歴史上、あらんかぎりの残虐性と沖縄差別を集約した沖縄戦の教訓に対する攻撃です。人間と土地と自然、文化を徹底的に破壊した沖縄戦は、琉球・沖縄人が戦後を生きていくにあたって、その地獄体験が強力なバネになります。それだけに少々のことでは、教訓として伝えられない困難があるのですが、現代琉球・沖縄人にとっては原点にほかなりません。その沖縄戦のなかで起こった厳然たる事実——たとえば日本兵による壕からの住民追い出し、問答無用とばかりに住民をスパイ視して虐殺したことなど、結局は沖縄の住民を守らず、日本の「国体」を「護持」するために沖縄を「捨て石」にしたことを打ち消して、さも美しい国家のための奉公物語にしようとしたことです。論より証拠、文部省の教科書が沖縄戦の教訓をねじ曲げようとすることが次々と起こります。１９８２年、高校の教科書で日本軍による沖縄住民の虐殺が削除されると、２００７年には教科書検定で「集団自決」から「軍関与」を削除するようにとの検定意見が出てきます。そして１９９９年、摩文仁にある新平和祈念資料館で、ウチナーンチュの稲嶺惠一知事の県政によって大改竄《かいざん》*がなされたのは、そうした戦後精神の支柱を骨抜きにしようとするものであったといえるでしょう。

こうした潮流のなかで、最も大きい反動的挑戦は、２０１３年の仲井眞弘多《ひろかず》知事と高良倉吉《くらよし》、川上好久両副知事による辺野古沿岸域の埋め立て承認です。沖縄戦という、この世の地獄をくぐりぬけてきた沖縄の人びとは、これまで一度もみずからの手で新たな軍事基地を造ることはしませんでした。現在の沖縄がかかえる最大の苦しみの元凶がこれなのです。かように１９７２年以後の沖縄には、じつにさまざまな問題が新たに起こり、またそれまでにあったものが、より深刻な度をつよめてきています。日本政府や日本の人たちの抑圧、自己中心主義、指導者意識もあらわになってきていますが、それに対する琉球・沖縄人の愚直なまでの抵抗と矜持、それを万力に変える学習と阻止行動も粘りづよく続いています。

*開館を翌年に控えた沖縄県平和祈念資料館の「ガマの惨劇」模型展示案で、県は日本兵が住民に向けていた銃などをとりはらった。「日本兵の残虐性が強調されすぎないように配慮する」という方針によるもので、稲嶺知事が県幹部に「反日的になってはいけない」と発言したことによるもの。

参考文献

石原昌家、大城将保、保坂廣志、松永勝利『争点・沖縄戦の記憶』社会評論社、２００２年
新崎盛暉『沖縄現代史』新版、岩波新書、２００５年

13 世界に広がるウチナーンチュ

〔与那嶺功〕

琉球国の時代から海外との交流が盛んで、外に開かれた独立国というイメージがあります。外国に住む沖縄出身者やその子孫らも数多く、また沖縄ブームで日本本土から移住する人も目立つと聞きました。島を出入りするそのような人びとの動きも、沖縄の歴史が影響しているのでしょうか。

琉球王国時代は、交易に携わる人びとが東南アジアを行き来していましたが、明治に入り、沖縄県となってから状況が一変しました。沖縄戦や日本復帰といった社会状況の変化によって、人の往来が大きく左右されます。また、もともと独立国だったので、日本本土への移住も、大きくみると「移民」ととらえることもできるでしょう。沖縄をめぐる人びとの移動は三つの時期に区分することができます。

明治日本からの脱出

琉球王府中心の社会から日本社会へと仕組みが変わるなかで、沖縄内部でも身分の変化や失業などに見舞われる者が出てきました。日本の文化や行政・教育システムに合わせるよう強いられましたので、日本の競争社会のなかで暮らしていくうえでは、やはりハンデとなります。

当時は農民が多く、サトウキビ栽培によるモノカルチャー産業だったので、それほど現金収入はありません。不作時や不況時には食糧難に見舞われ、毒をもつ植物（ソテツ）を食べて餓えをしのぐこともありました。

そのころ殖産興業《しょくさんこうぎょう》*が叫ばれていた日本本土では、工場や炭鉱などで働く人たちが必要とされていました。安い賃金で使える若い労働者が存在するとして、沖縄が着目されます。多いときは年間2万人が出稼ぎに出ました。女性は紡績工場に送りだされるケースが多く、沖縄は「女工王国」と呼ばれていました。

神奈川の川崎や鶴見、大阪の大正、兵庫の尼崎といった工業地帯では、先に移住した人びとが、親類や知人らを呼び寄せてともに暮らすようになります。差別や偏見が激しい時代だったので、やがてウチナーンチュが身を寄せあう地域となります。

また海外移民も始まります。1899年、26人のハワイ移民を皮切りに、ブラジルやフィリピンなど世界各地へ船が出ました。移民団を組織した當山久三は、もともと自由民権運動のメンバーでした。明治政府に圧迫された沖縄から飛びでて、海外にチャンスを求めました。沖縄にも徴兵制が

＊明治政府が西洋諸国に対抗するために、機械製工業をはじめとする資本主義の育成による近代化を推進した政策。

敷かれるようになり、戦地に送られるよりはと、移民を決断した人も多かったといいます。日本が戦争で獲得した台湾や南洋諸島にも移民が相次ぎ、漁業や農業に従事する沖縄人コミュニティが形成されました。

移民者らは、稼いだ金を沖縄の家族に送金することを忘れません。送金額は県予算の歳入額の45～60%にも達し、困窮していた県経済も支えました。

一方、日本から沖縄へ移住した人びとにも、注意を払う必要があります。明治国家の法律や制度に沿った社会に強制的に変えていくため、県庁や学校の管理職は本土出身者で占められました。沖縄でひと儲けしようとやってきた商売人は、役人らと結託して不当に利益を得ており、自由民権運動側から激しく批判されました。歴史学者らは、当時の沖縄を日本国内にある「植民地」として位置づけています。

大事な点は、日本も欧米に追いつき追い越せと、文明化を急いでいたことです。日本も大変革期の最中で、沖縄がその日本に同化していくということは、日本化と文明化が同時に進んだということです。日本化することに同意したというよりも、文明化への憧れをもちながら、日本社会へ強引にとりこまれていったということでしょう。

イギリスの産業革命以降、世界各地に文明化（欧米化）が波及していったことをみてもわかるように、琉球が独立国のままでも、いずれは文明化したことはまちがいありません。明治国家に組みこまれたおかげで沖縄が発展したという見方は、誤った考えでしょう。

＊ウチナーンチュの世界ネットワークについては、沖縄県庁（文化観光スポーツ部交流推進課）のホームページで知ることができる。また各市町村のホームページや史誌には、移民者の足跡や当時の社会状況などが詳しく記されている。

米軍占領期の閉塞感

沖縄戦で焦土と化したことによって、食糧難や物不足に見舞われますが、その窮地を救ったのが、海外に住む沖縄の人びとでした。県人会が寄付を募り、お金や生活必需品を送り届けました。戦闘に巻きこまれて豚が激減したことを聞きつけたハワイの人びとが、５５０頭もの豚を船で輸送したエピソードは有名です。養豚業が復活し、食糧難を解消することに一役買いました。豚肉がいかに沖縄の食文化に欠かせないかを物語るエピソードですね。

占領軍の米軍は、島の内外との往来を厳しく制限します。米軍に批判的な人物は厳しくマークされ、パスポートの発給が止められることも珍しくなく、社会全体に閉塞感が漂っていました。

戦後復興にともなって人口が急激に増えたことから、米軍は島の産業に比べて人口が多いことを理由に、移民を積極的に後押しします。移民促進団体がつくられ、ボリビアやブラジルなど南米に次々と開拓団が送られました。戦前に海外移住していた人びとの呼び寄せに応じて、海を渡った人びともいます。

米軍関係者と結婚して、アメリカに渡った花嫁も数多く存在します。彼女らは移民先の沖縄コミュニティーに加わって、琉球舞踊や沖縄料理を披露するなど重要な役割を果たしています。

一方、日本本土に出稼ぎや進学で渡航する若者も多くいました。米軍の存続が優先されて経済振興が後回しにされた沖縄では、これといった産業や安定した職場が少なく、また高度成長期の日本本土では若い労働力が重宝されていたことが背景にあります。先進国メンバーに仲間入りし、著しい発展を続ける日本社会への憧れもあったでしょう。

沖縄ブームとグローバル化

1972年5月に、沖縄の施政権が返還された後は、外部との往来が自由になり、人の行き来が飛躍的に増えます。75年の沖縄国際海洋博覧会ごろから観光客が増加し、リゾート地として脚光を浴びました。

歌手の安室奈美恵さんがスポットライトを浴び、NHK朝の連続ドラマ「ちゅらさん」が話題となったことで、「沖縄ブーム」が到来。南国で住みやすいというイメージや、エスニックなイメージが広がり、沖縄への移住が相次ぎます。仕事の転勤や沖縄出身者との結婚を機に住む人も、以前と比較にならないほど増えました。戦前の人口が60万人程度、現在は145万人ですから、戦後75年間で2倍以上に膨らんでいます。

興味深いのは、グローバリゼーションが進むにつれ、移民の子孫らの暮らしや生活圏も国境を越えてグローバル化することです。移民先の国ぐにに根づく人もいれば、そこから新たに仕事や進学などで世界各地に転居する例も珍しくありません。

たとえば現在、ブラジルから日本に出稼ぎにきた日系人のなかには、沖縄の血を引く者も数多くいます。神奈川の鶴見に戦前から存在する沖縄コミュニティーと、新たにやってきたブラジル系労働者コミュニティーが協力しあうケースも報告されています。

　アメリカ人と結婚した親から生まれた沖縄系の人びと、南米の地元の人とのあいだに生まれた沖縄系など、いまさまざまな沖縄系のタイプが生まれています。現在、沖縄にルーツをもつ人は、海外に40万人近くいるとみられています。世界各地では91に上る県人会が活動し、民間大使も250人近く任命され、沖縄のPRに一役買っています。

　さて、世界の沖縄人（ウチナーンチュ）を結びつけるものは、何でしょうか。彼らは沖縄風の位牌（トートーメー）を拝み、沖縄の伝統行事を執り行うことを忘れません。仕事に疲れたときは三線を弾いて民謡を歌い、心を癒やします。空手もアイデンティティーの一つ。

　沖縄系の人びとが母国沖縄に集って交流する「世界のウチナーンチュ大会」がこれまで6回開かれています。毎回、数万人近くが里帰りし、親類や知人らと旧交を温めています。しまくとぅば（沖縄語）に英語やスペイン語、ポルトガル語とが混じりあい、歌やダンスに興じます。

　さらに、その交流のなかから、実業家同士のネットワーク「世界ウチナーンチュ・ビジネス・アソシエーション」、次世代へのネットワーク継承を目的とした「世界若者ウチナーンチュ連合会」*も生まれています。

＊琉球新報社編集局『世界のウチナーンチュ（全3巻）』は、世界各地に住む沖縄出身者らをルポした好著。30年近い前の取材だが、移民初期から中期にあたる人びとの苦難の歩みを知ることができる。専門的な学術書では藤波海『沖縄ディアスポラ・ネットワーク』（明石書店）が最新事情を扱っている。

https://wuf2022.com/ja

ウチナーンチュ世界大会

14 首里城の歴史

〔伊佐眞一〕

首里城は日本の城とは見た目にも大きくちがいますが、なぜですか。琉球・沖縄のシンボルと言われる理由はなんでしょうか。今度の「復元」に琉球・沖縄から批判が起こっている原因はどこにありますか。

首里城というと、正殿を中心にした内郭地域とそれをとり巻く外郭地域を含む広い範囲を指しますが、ここでは首里城正殿という建築物の存在が意味するものに重点をおいて説明をします。まだ記憶も新しいと思いますが、2019年10月31日未明、1992年に復元された首里城正殿は、管理者の不始末で夜空に灰となって消えてしまいました。燃えて崩れ落ちる姿を、目の前で、テレビなど

戦前の首里城

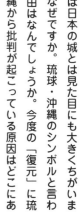

でじかに見て、琉球・沖縄人、日本人、欧米人などの胸に湧き出た思いを考えてみたいと思います。つまり、首里城正殿はたしかに琉球国王の居城だったのですが、ただそれだけにとどまらない意味をもった歴史建造物だということです。ちなみに、首里城正殿という名称は日本化した呼び名で、琉球では、「むんだしぃ」（百浦添）、「からふぁーふ」（唐破風）、「うぐしく」（御城）と呼ぶのが自然です。

さて、その首里城正殿のもととなる建物が最初にできたのは、最新の発掘調査によると14世紀後半で、中山《ちゅうざん》王・察度《さっと》の時代といわれています。その後、佐敷の按司《あじ》、尚巴志《しょうはし》が中山王・武寧《ぶねい》を滅ぼして第一尚氏の居城とし、第二尚氏が引き継いで琉球王国のシンボルになっていきます。その間、首里城正殿の周囲に配置される内郭の建造物ができていって、外郭には仏閣や迎賓門、池などが整備されていきます。おもなものを列記すると、1427年に龍譚池、1492年に円覚寺、1493年に玉陵《たまうどうん》、1494年に円鑑池、1519年に園比屋武御嶽《そのひゃんうたき》、そして16世紀前半に守礼門が建造され、そのあと「守礼之邦」の扁額が掲げられます。

いうまでもなく首里城は、琉球王国を統治する王府の心臓部で、政治や経済などすべての政策が最終決定される場所でもあるわけです。そして、中国からの冊封使節を接待する北殿と薩摩役人を応接する南殿が隣接していると同時に、首里城正殿の周囲には公式かつ最高の祭祀を執り行う神聖

首里城瑞泉門

な空間がありました。その後首里城は、1453年に王位継承の抗争、「志魯《しろ》・布里《ふり》の乱」があって焼け落ちます。翌年には再建されたようですが、1660年には2度目の火災で焼失。再建はそれから11年後でした。そして3度目の焼失が1709年、尚質《しょうしつ》王のときです。このときは南殿も北殿も失っています。竣工したのは再建に取りかかってから3年後の1715年でした。このときは薩摩から材木を調達して復元したといいます。

4度目の不幸といいますか破壊は、1945年の沖縄戦です。サイパンに続く地上戦で首里の町は徹底的な攻撃をうけ灰燼に帰したのですが、その第一原因は日本軍がこともあろうに総司令部を首里城の真下に作ったからでした。ひときわ高台に聳える首里城が格好の攻撃目標となったのは当たり前です。その当時、首里城は国宝*に認定されていたのですから、たとえていえば、法隆寺の地下に軍のトンネルを網の目のように掘ったようなものです。

そこで、改めて首里城がどんな歴史を歩んできたのか、日本のなかでどういう位置づけになっていったかを話したいと思います。首里城の建物のカタチはずいぶん変遷があるのですが、それはともかく、王城として14世紀ごろから存在してきたわけです。その首里城の歴史に一大変化をもたらしたのは、19世紀後半、日本の明治政府が琉球王国を侵略したときです。琉球王国を滅ぼして、日本の領土としての「沖縄県」にした1879年です。内務省の処分官、松田道之《みちゆき》は首里城において、王府首脳を彼の面前に並び立たせて、3月11日をもって大日本帝国が琉球を支配すると宣言します。琉球王国が消滅したことを琉球人にハッキリと思い知らせると同時に、全琉球にその事実を

＊文化史的・学術的価値が高い重要文化財のなかでも極めて価値が高いとして法令に基づいて指定された建造物・美術工芸品などの有形文化財のこと。ただし、文化財保護法施行（1950年）以前は、国宝と重要文化財の区別はなく、国指定の有形文化財はすべて「国宝」とされていた。首里城は1925年に国宝に指定されたが、1945年の焼失したため国宝ではなくなった。

徹底させるために、意図的に王国のシンボルである首里城を占領したのでした。ですから、この琉球王国が消滅したことを宣言するセレモニーの場はどうしても首里城でなければならなかったのです。そして、５００年ものあいだ一国の神聖なる権威の象徴だった王宮は、一転して熊本鎮台（日本軍）兵士の軍靴の踏み荒らす兵舎同然に貶《おとし》められていきました。日清戦争後になってやっと首里城から兵士が撤退していきますが、その間に琉球・沖縄の人びとの意識が大きく変化していったことを忘れてはなりません。明治の末年には首里城だけでなく、守礼門も中山門も老朽化してボロボロなっていて、首里城の土地を払い下げられた首里市も修理にお金がかかるという理由で、とり壊しを決議したほどでした。つまり、日本政府が強権的にずっと上から押しつけなくとも、琉球・沖縄人みずからが自分たちのアイデンティティーにかかわる大事なものを、壊し、捨てさってもかまわないほどに、その歴史意識が変化していたのです。明治政府の目的はこの時点で完璧に達成されたというべきでしょう。

　これはどういうことかといいますと、日本の歴史とは別の道を歩み、別の国家として存続してきた琉球・沖縄人が、武力併合された事実とその独立国家の歩みを忘れずに、いつかは日本から離れて自立しようと思うことほど日本の国家統治に不都合なことはありません。琉球・沖縄人を「日本人化」して、天皇の赤子にするためには、首里城に集約された歴史や文化、琉球・沖縄人としての民族意識は何よりもじゃまなものにちがいなかったからです。

　つまり、そういう意図があって、首里城のもつ琉球・沖縄人としての独立性を琉球・沖縄人の胸

https://www.library.pref.okinawa.jp/archive/news/1877temple-dans-la-cour-du-palais-de-lo-sama.html http

沖縄県立図書館貴重資料デジタル書庫
（ルヴェルトガの首里城正殿の写真が見られる）

中から抜き去ってしまいさえすれば、たとえ1925（大正14）年に首里城が日本の国宝に指定され、翌年には県社沖縄神社になったところで何の不安も痛痒《つうよう》もないでしょう。日本文化の範疇《はんちゅう》からはずれた琉球文化の象徴ではなくて、あくまでも日本文化のなかの首里城、もしくは日本の神社であるとの位置づけでなければならないのです。沖縄神社になると、首里城正殿はその後方の奥にある沖縄神社本殿を拝むための、たんなる拝殿の役目をする建築物に成り下がってしまい、王国の時代には登城者を威嚇するかのように堂々と正面を向いていた大龍柱*も、短く切断されて互いに向きあう姿となり、日本の神社らしい石灯籠までが据えられます。当然に首里城をつつんでいた琉球王国独自の国家祭祀も大きく様変わりしてしまいました。「琉球的なもの」＝琉球のアイデンティティーにつながるものが改変され消し去られていくのが、沖縄戦までの首里城の歴史ということになります。

　では、首里城に投影されたそうした変化に対して、琉球人からは何の異議申し立てもなかったのでしょうか。先の復元もそうでしたが、今回もまた日本政府が政治的思惑から積極的に再建を主導しています。日本からの独立の象徴になる最も危険な歴史建造物との懸念が、すっかり払拭されている証拠です。政府から予算が出て、公の委員になっているならば、もうそれで結構だと悦んでいる知識人も情けないもので、いくら観光とお国自慢だからといっても、すでに沖縄の内外からは50億円もの寄附金が寄せられているですから、沖縄県当局は先頭に立って総合計画を策定し、その再興をするのだという気概をみせなければなりません。それでこそ首里城は琉球・沖縄人の誇りにも

＊大龍柱が正面向きであることは、西村貞雄氏の研究と、フランス海軍中尉のジュール・ルヴェルトガが1877年に撮った写真が論証している。

https://oki-park.jp/shurijo/

首里城公園

なるわけでしょう。自治と自己決定権を回復し、その面目と主体的行動を求める声が高くなっているわけです。

参考文献

當眞嗣一『琉球王国の象徴　首里城』新泉社、２０２０年

15 奇跡の1マイル国際通り

〔真喜屋美樹〕

国際通りはどのように作られましたか。その名前の由来はなんですか。

沖縄県の県都・那覇市のメインストリートといえば、国際通りです。国際通りは、県庁前の交差点がある久茂地《くもじ》から北の安里《あさと》方向へ一直線に1・6キロ（約1マイル）続く通りで、道路の両側には観光客向けの土産品店が軒を連ねます。週末には、車両の出入りを止めて歩行者天国になるので、都心の通りをのんびりと歩くことができます。また、毎年8月の第1日曜日には、沖縄の伝統の踊りエイサーを踊る人で埋めつくされる「一万人エイサー踊り隊」が行われ、県内外から多くの観光客が訪れます。

国際通りのスタート地点となる久茂地には、沖縄唯一のデパート、リウボウがありますが、かつてこの通りには、沖縄資本のリウボウのほ

https://naha-kokusaidori.okinawa/

国際通り商店街

かに本土資本の山形屋、沖縄三越と合わせて3つのデパートがありました。2000年代になって那覇市の北側にできた新しい都心「おもろまち」が登場するまで、現在のような土産品店ばかりが並ぶ通りではなく、地元の人たちが映画を観たり買い物をしたりと、少しお洒落をして出かけたくなるような沖縄一華やかな通りでした。

戦前の国際通りは野原のなかのだだっ広い一本道でした。あたりは墓地と芋畑だけが目立つ湿地帯で、一坪一銭でも買い手がつかないほどでした。そんな野中に一本道ができたのは、それまで那覇の中心地であった西町や東町から、1920年（大正9年）に沖縄県庁が、1925年（大正14年）に那覇警察署が、久茂地に隣接する泉崎に移転してきたためです。野中の一本道は、住宅地であった古都首里と行政地区となった泉崎を短距離で結ぶ目的で、1934年（昭和9年）に新県道として開通しました。新県道の開通でバスが通るようになり首里への交通は便利になりましたが、周辺は人家がポツリポツリとあるのみで、バス以外はほとんど人の往来はありませんでした。

国際通りを歩いてみるとわかりますが、久茂地から安里に向かうと、途中にある松尾が丘陵地となっていて、そこから先は緩やかな下り坂です。下り坂の途中にある牧志は、平地と丘陵が組みあわさった地域です。芋畑だった道路の両端に少しずつ家が建つようになると、人びとは農業のほかに、傾斜地を利用した登《のぼ》り

国際通り商店街

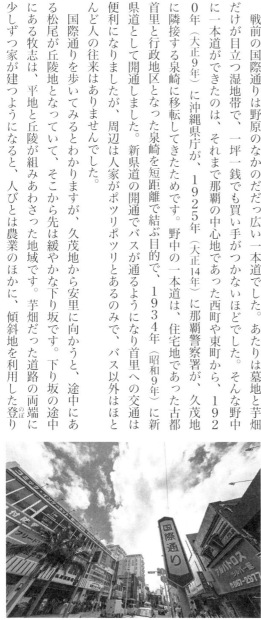

窯《がま》*で、瓦や煉瓦を作るようになりました。現在も、沖縄伝統の工芸品であるヤチムン（焼き物）を製作するヤチムン通りがある壺屋は、国際通りの裏側にあります。当時から窯業を行っていた壺屋が日常雑器づくり中心の窯業であったことに対して、牧志は瓦専門の窯業でした。現在の国際通りのまんなかにあるハピ那覇（旧沖縄三越）の場所も、瓦工場でした。

１９４４年（昭和19年）の10・10空襲*、そして、沖縄戦の「鉄の暴風」によって那覇は焼きつくされ、ほとんどが灰燼に帰しました。戦後、那覇は米軍によって立ち入りが規制され、多くの地域がオフリミッツ（立ち入り禁止区域）となりました。新県道周辺は、米軍に出入りを許可された「先遺隊」と呼ばれた復興に必要な職人たちが、「製瓦業先遺隊」として戻り、人びとの家づくりに必要な瓦を作りはじめました。

その新県道が国際通りと名づけられる契機となったのが、沖縄本島北部の本部村（現本部町）で、海運業、旅館、倉庫、船会社などを手広く営んでいた高良一《たからはじめ》が、新県道の中間にある牧志に建設した「アーニー・パイル国際劇場」です。戦後、高良は、那覇が一望できる首里城跡の高台から眼下の焼け野原を見て、戦前は４つの行政区に分かれていた、那覇市、首里市（現那覇市首里）、真和志村（現那覇市真和志）、小禄村（現那覇市小禄）のまんなかに位置する牧志が、これからの那覇市の中心として栄えるようになると狙いをつけたといいます。

当時、牧志一帯は「クロンボー部隊」と呼ばれ、黒人兵を中心とする米軍の物資集積所となっていました。１９４７年、高良は、「クロンボー部隊」物資集積所の隊長に面会を求め、「戦争で疲れ

＊陶磁器を作るための窯の一種。傾斜地をつかい、連続した数室に分けられ、下の窯で焚きだした火が上っていくように作られている。仕上がりのばらつきを防ぎ、量産を可能にした。大量の煙を排出するので、市街地からは消えつつある。読谷村が米軍からの返還地に登り窯を作り、陶工たちを集めている。

＊沖縄大空襲とも呼ばれる、１９４４年10月10日にアメリカ海軍機動部隊が行った空襲。那覇市の市街地の大半が焼失した。

きった沖縄の人びとを慰めるために、映画や演劇をやる劇場を造りたい。その場所はここ以外には考えられない。この敷地を使わせてほしい」と、単刀直入に交渉したそうです。交渉の翌日、隊長は使用を許可しただけでなく、物資集積所だったために豊富に集められていたテントや鉄骨、材木などの建築資材も無償で大量に払い下げました。

他方、沖縄を統治していた米軍政府からは劇場建設許可が下りたものの、沖縄側の沖縄民政府は民間人である高良による映画館運営を、すぐには許可しませんでした。その理由は、物資不足のため多くの人たちにまだ住む家が行き渡っていなかったからです。沖縄民政府としては、住む家がなく帰るところもない人たちが大勢いるなかで、一部の民間人が劇場を建て運営することを許可することには大きな懸念があり、時期尚早と考えていました。その一方、娯楽もなく辛い日々を送っていた人びとは、屋根のある劇場で映画を観ることを待ち望んでいました。沖縄民政府は、最終的に高良の映画館を正式に認めることとなりました。

高良は、その劇場の名前を、沖縄県北部にある伊江島で最期をとげたアメリカ従軍記者であったアーニー・パイルと、戦前の東京浅草にあり、当時、東洋一の規模を誇った大劇場「国際劇場」から名づけました。アーニー・パイルは優れた記者で、故国を遠く離れた地の凄惨な戦場で戦う無名兵士たちについて書いた彼の記事は、本国アメリカで高く評価されており、アメリカ兵たちに圧倒的な人気がありました。伊江島には今も、アーニー・パイルの墓標があります。高良は、アーニー・パイルの名前をつけると、アメリカ側の受けがいいのではと考えていました。また、国際劇場の「国際」には、戦後の沖縄が国際化へ進んでいくことへの期待がこめられていました。完成した劇場は、鉄骨張りのテント葺き、椅子は丸太に板を渡したものでしたが、収容人員は350人とされ、当時としては立派な建物でした。

牧志通り（牧志街道）と呼ばれるようになっていた新県道は、アーニー・パイル国際劇場の誕生によって、国際通りと呼ばれるようになりました。この劇場は、戦災ですべてを失い娯楽に飢えていた沖縄の人びとに大いに歓迎され、連日、映画を観る人で大入り満員でした。高良は、この劇場周辺を新しい那覇市の中心街にしたいと考えていました。

1947年頃、物々交換の場として自然発生的に市場のようなものができはじめ、闇市の草分けとなりました。高良は、アーニー・パイル国際劇場付近に市場を誘致する運動を展開し、那覇市に働きかけて、この闇市を移転させて牧志に公設市場を作りました。その後、那覇市役所も近くに移転してきたため、劇場付近は急速に発展し一大繁華街となりました。公設市場は、その後、市民の台所として愛され、現在も沖縄らしさを残す市場（2021年現在は、老朽化のため建て替え中）として人気の高い牧志公設市場です。

かつて低湿で雑草が生い茂って荒れはて、ほとんど人家もなかった国際通りは、戦後那覇市の文化発祥の地となって目覚ましい発展を遂げたのです。戦前の中心地であった那覇の旧市街が、10・10空襲によって一日のうちに忽然と消えた一方、戦争の爪痕が残り、住む家がない人も多く、食べるものにも困っていた時代に、アーニー・パイル国際劇場を中心とした牧志一帯には新市街が誕生しました。そこでは、建築ブームが始まり、デパート、映画館、銀行、各種商店が立ち並び、国際通りを中心に、街は驚異的に復興し繁栄しました。そして、その中心を貫く国際通りは、いつから か「奇跡の1マイル」と呼ばれるようになりました。国際通りは、その後もいろいろな時代を経て、現在は観光客がひっきりなしに訪れる場所となっています。

ひと⑧
不屈の革命家
徳田球一

〔与那嶺功〕

第二次世界大戦前から戦後にかけて、日本の社会運動をリードした徳田《とくだ》球一《きゅういち》*（1894〜1953）は1894年、今の名護市に生まれました。

県立中学を出た後、成績が優秀だった徳田は、旧制七高（鹿児島）に進みますが、いくどとなく琉球人として蔑まされたことに立腹して中退。帰郷して小学校の代用教員などとして働いた後、上京しますが、ここでも沖縄差別に怒り、今度は弁護士を目指して働きながら勉強を続けて、難関試験を突破しました。

勤務した弁護士事務所で社会主義者らと出会い、ソ連の国際大会に出席するなど国内外で活動の幅を広げていき、1922年、仲間らとともに日本共産党の創立にこぎつけます。

当時、社会変革を目指し、戦争反対を主張していた共産党は非合法とされていたために、政府によって解散に追いこまれ、徳田も幾度となく警察に逮捕されます。日本が世界大戦を戦った期間とほぼ重な

＊徳田球一顕彰記念事業期成会編『記念誌徳田球一』は徳田の親類や知人らの思い出や証言が豊富で、全555ページの大著。巻末の年表や資料は詳細。徳田球一の『獄中一八年』は、監獄暮らしの様子を話し言葉でまとめたもの。生い立ちや活動の歩みをユーモアをまじえながら語ったもので、敗戦直後にベストセラーとなった。

る18年間を獄中で過ごしました。極寒で知られる網走刑務所（北海道）にも6年近く送られましたが、自らの思想信条を曲げることなく拷問に耐え抜きました。監獄では、何人もの同志が命を落としています。

日本政府の弾圧に抵抗する徳田は国際的にも知られており、敗戦直後に監獄にいた徳田らを欧米のジャーナリストが発見した際には、フランスの『ル・モンド』や米国の『ニューズ・ウイーク』などが大ニュースとして報じました。

出獄後、すぐに共産党を再建し、党トップに就任。敗戦翌年の衆議院選挙に当選し、国会で論戦を展開したほか、民主化を求める集会や大衆デモなどで先頭に立ちました。

日本を占領したGHQは、財閥解体や軍国主義者追放などといった民主化政策を進めてきましたが、やがて共産主義国との対決姿勢を強め、日本でも共産党員や民主化運動のリーダーらを公的機関や職場から追い出しにかかりました。いわゆる公職追放（レッドパージ）です。

徳田らは、同志らとともに隠密の活動を開始しますが、50年に中国に密航し、北京に活動拠点を置きました。中国から日本のメンバーを指導しましたが、53年に59歳で病没しました。

中国政府は、客死した徳田を称え、毛沢東主席は「徳田球一同志永垂不朽（徳田同志は永遠に不滅）」と書いた自筆の書を送りました。北京の天安門で開かれた追悼集会には3万人が参加したと伝えられます。

エネルギッシュで闘志あふれる徳田の不屈の精神は、どのようにして培われたのでしょうか。徳田の父はかつて琉球を支配していた薩摩の血を引き、ま

不屈の革命家・徳田球一

た母は人身売買制度の犠牲者でした。「半分は薩摩、半分は琉球」という血筋を意識しつつ、複雑な環境で育ちました。沖縄人に対する差別と戦ううちに、より広く社会の不条理に気づき、やがて経済的不平等や軍国主義に立ち向かっていくようになりました。

　また徳田は明るくあけっぴろげな性格でもあり、庶民から「トッキュウ（徳球）」の愛称で呼ばれ親しまれました。ちなみに、名前の「球一」は「琉球で一番の男になってほしい」という願いをこめてつけられたといいます。

　名護が生んだ不世出の革命家、徳田球一を顕彰する碑が1998年、名護市の生家近くに建立されました。その碑文には、徳田が好んだ言葉「為人民無期待献身」が刻まれています。報いを期待することなく人民へ献身する、という意味です。

　ところで、徳田の碑に隣接して、「宮城與徳碑」も建っています。宮城與徳*（1903〜43年）は移民としてアメリカに渡り、絵描きとして生活しながら共産主義運動にかかわりました。東京に移り住んだ後、国際的に有名な『ゾルゲ事件』に連座して逮捕され、獄中で亡くなりました。戦時下で迫害された宮城與徳の名誉を回復しようと、古里の人びとが顕彰碑を建てました。

　宮城と徳田球一の弟は同級生で、生家もすぐ近くにありました。彼らを生んだ名護という街の風土を考えてみるのも面白いかも知れません。

＊宮城與徳生誕百年記念誌『君たちの時代』は写真や新聞記事、用語説明も多く盛り込まれ、宮城の生きた時代の背景が分かりやすい。徳田と宮城の顕彰碑は、名護市東江の名所「ひんぷんガジュマル」近くにある。

ひと⑨
戦後、琉球独立を唱えた実業家 照屋敏子

〔松島泰勝〕

照屋敏子は1915年に沖縄島の南端にある糸満で生まれました。糸満は琉球国時代から漁業が盛んに行われた地域です。糸満漁民は琉球独自の漁船であるサバニ*に乗って、アジア・太平洋の各地に進出しました。照屋は16歳になると家族とともに南洋群島（現在の北マリアナ諸島、パラオ、ミクロネシア連邦、マーシャル諸島）に移住し、南洋群島最大の貿易会社であった南洋貿易会社の社員としてサイパン、パラオ、セレベスなどで働きました。

戦後、福岡県において、照屋は「沖ノ島水産」を設立し、戦地から引き上げた、約300人の琉球人を使って、九州近海や三陸沖まで手広く漁業を行いました。しかし、サンフランシスコ講和条約が締結されると、琉球（沖縄）は日本から法制度的に切り離されることが確定し、アメリカ合州国の植民地になりました。その結果、琉球人漁民の国籍が問題とされ、福岡県は漁業法を盾にとって「漁業禁止」命令を出したため、やむなく照屋は自分の会社を解散

＊サバニ（鱶舟）、「エーク」と呼ばれる櫂と四角い帆（フー）、エンジンで動かす漁船。数人が乗りこみ、荷物を乗せられるサイズが多い。

しました。

日本で漁業活動ができなくなった照屋は、東南アジアに活動の場を求めます。約50人の漁師を引き連れて、100トンの母船1隻、サバニ5隻の船団でマレー海に進出しました。糸満漁民が得意とする追いこみ網漁に力を入れました。1957年には、シンガポールの華僑と合弁で春光水産という会社を設立しました。漁場のコースをまちがえると拿捕されるという危険を冒しながら漁業を行いました。

1958年、照屋は、ワニ皮製品、宝石、サンゴ、インド線香、更紗生地の総代理店契約を結び、国際通りに「クロコデール・ストア（後に「金宝堂」）」を設立しました。シンガポールに出張所を設け、漁網、サンゴの輸出も行いました。さらに糸満に農水牧場「海の里」を設立し、ハマグリ、ウミガメ、コイの養殖、高級メロンなどの亜熱帯果樹の栽培をしました。

照屋は次のように述べています。「沖縄の島はあんた、あくまで琉球人のものですよ。かつては琉球王国だったんだ。それを日本が母国であるかのようにいう。いまさらなんだ。復帰になれば日本（本土）の資本がはいる。沖縄といったって、中身はぜんぶ日本人が経営する（日本の）植民地になる。よしてくれというんですよ。私はね、絶対に独立論ですよ」（朝日新聞社編『沖縄報告』朝日新聞社、1969年、103〜104頁）。

「嘉手納の基地はね、爆音がひどいからあれはど

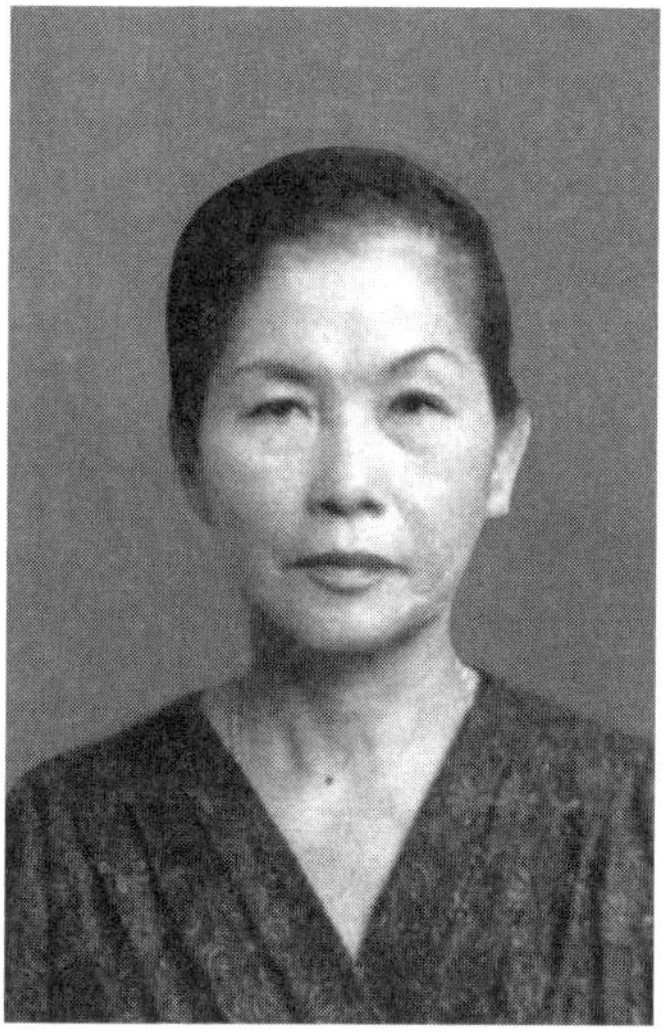
照屋敏子

こかに持って行って下さいだ。Ｂ52なんかはね。あんなものはね。どこか無人島に持って行けばいいんですよ。なにも沖縄の本島内になくたっていいんだ。沖縄が独立すればその話合いが国連の場でできるんですよ。沖縄の代表を国連に送って（中略）あんなもの（Ｂ52）日本に持って行けばいいんですよ。私はいいますよ、ああ、日本に持って行け。君たち（と、記者をにらむ）が戦争をしたんじゃないか、と。こんな狭い所にあんな大きなことをする飛行機を置いたら困る、と。冗談じゃない、と。その上、民族までさ、卑下してしまって、バカにされてさ……」（同上書１０４頁）。

照屋の琉球独立論は、アジア太平洋における、強かな経済活動の経験に裏打ちされ、大変説得力があり、現在の独立運動にも大きな影響力を与えています。

参考文献

松島泰勝『実現可能な5つの方法　琉球独立宣言』講談社文庫、２０１５年

ひと⑩
復帰を実現させた苦悩の知事
屋良朝苗

〔白鳥龍也〕

1972年5月15日、沖縄の人たちが念願していた本土復帰が実現しました。屋良《やら》朝苗《ちょうびょう》は、その4年前の1968年、米軍統治下の沖縄で初めて住民投票により行われた琉球政府の行政主席選挙によって主席に就任し、沖縄を復帰に導いた政治リーダーです。しかし、復帰はなかなか沖縄県民の望んだ形には進みません。そのため、眉間にしわを寄せて悩み、苦しむ表情が多かった屋良は、いつしか「縦じわの屋良」と呼ばれるようにもなりました。

琉球政府の行政主席とは、復帰以前のいわば「沖縄県知事」です。ただ、琉球政府の上には米軍人が統率する米国民政府がありましたから、主席に与えられていた権限は現在の知事よりずっと制約が多いものでした。

屋良朝苗

屋良は読谷村で生まれ、広島高等師範学校（現在の広島大学）を卒業後、沖縄の女子師範学校、第一高等女学校などで教壇に立つ教育者でした。沖縄戦後も沖縄群島政府文教部長、沖縄教職員会の初代会長などを務め、行政主席選挙では労働組合などが支援する「革新系」の統一候補として、米国民政府や日本政府が露骨に応援する「保守系」の西銘順治《にしめじゅんじ》（沖縄自民党総裁）と戦い、大差で勝利しました。沖縄の人たちが強圧的な米軍統治にいかに苦しんでいたかの証拠でしょう。

沖縄の本土復帰運動はもともと教職員組合が先頭に立っていましたから、当選後の屋良も、沖縄の人たちの希望がとりいれられる形での復帰が実現することを最優先政策とし、日米両国政府と交渉を重ねました。沖縄にとって最大の願いは広大な米軍基地をなくすことです。しかし、日米間の沖縄返還交渉はそんな住民の気持ちなどおかまいなしに基地存続の方向で進んでゆきます。

悩んだ屋良は1971年、信頼する部下たちとともに沖縄の思いを「復帰措置に関する建議書」と題する約5万5000字の文書にまとめ、日本政府と国会に提出することにしました。

建議書の「はじめに」で屋良は、それまで26年におよんだ米軍統治下の沖縄を「国民的十字架を一身にになって、国の敗戦の悲劇を象徴する姿」だったと形容。県民生活については「異民族による軍事優先政策の下で、政治的権利がいちじるしく制限され、基本的人権すら侵害されてきた」と指摘し、県民は「あくまでも基地のない平和の島としての復帰を強く望んでいる」とくり返し訴えました。

しかし、その年の11月17日午後。屋良が建議書を携えて沖縄から東京の羽田空港に到着したちょうどそのころ、国会の衆院特別委員会では自民党が、米国と結ぶ「基地付き」の沖縄返還協定を強行採決してしまいます。結局、建議書は日本政府などに届けられることなく〝幻〟に終わりました。

屋良はそのときの心境を日誌に「何と云《い》ってよいか言葉も出ない」と記し「要は党利党略の為《ため》には沖縄県民の気持と云うのは全くへいり（弊履）の様にふみにじられる」と嘆きました。＊弊履とは、はき古したぞうりのことです。

屋良は翌年の復帰と同時に沖縄県知事となり、1976年まで務めます。

復帰の日、那覇市で行われた記念式典でも屋良は、米軍基地の存続について「必ずしも私どもの切なる願望が入れられたとはいえないことも事実であります」と喜びを抑えたあいさつをし「私どもにとって、これからもなおきびしさは続き、新しい困難に直面するかもしれません」と、今に続く沖縄の困難を予測しました。

知事在任中の1975年、当時の皇太子ご夫妻（現在の上皇ご夫妻）が、皇族として戦後初めて沖縄県を訪問した際、ひめゆりの塔（糸満市）の献花台前で、皇太子さまの足元に過激派が火炎瓶を投げつける事件が起き、事前に過剰警備を批判していた屋良がその責任を追及されることにもなりました。決して良い評価ばかりではない屋良でしたが、本土の負担を押しつけられる一方の沖縄の苦しい心を代弁しようと努めた政治家であったのはまちがいないでしょう。

＊『一条の光——屋良朝苗日記』（上下、琉球新報社）。復帰前後の屋良の日記をはじめ、秘書の記録などを編集して、当時の様子にくわしい。

ひと⑪
不屈の現代政治家 瀬長亀次郎

〔嘉手納安男〕

かつて沖縄の巷間で「カメジロー」「カメさん」という名が飛びかっていた時期がありました。亀のように鈍重ではなく、刺激や変化に首と手足を引っこめるのとは反対に、常に前向きに果敢に生きた人物。敗戦後の沖縄が米軍の占領下におかれ、事実上の植民地とされていた頃、決然として沖縄の人びとの人権を声高に主張し、米軍の強権と対峙して譲らなかった男。その名は「瀬《せ》長《なが》亀《かめ》次郎《じろう》」後に那覇市長にもなった人です。瀬長は1907（明治40）年、豊見城村（現・豊見城市）で生をうけました。

激しく地上戦が戦われた沖縄社会は、戦争の終結後も貧しい状況が続きました。加えて、米国の軍隊が本格的に進駐し、沖縄は琉球王朝時代に築いた独特

瀬長亀次郎
（沖縄県公文書館）

で豊かな文化をも失ったかのようでした。敗戦国の人びとは不当な扱いを受けても仕方がない、沖縄の一般民衆も支配者＝米国の思うがままに扱われるように見えました。

そうした状況にあって「カメジロー」は、妥協することなく、たとえ単独であっても怯まずに占領国側にものをいい、行動で訴える政治家でした。その瀬長を米側は常に監視し、牽制し、時に拘束して弾圧しました。その結果、刑務所に収監され数年間自由を奪われる経験を余儀なくされています。

いわゆる「人民党事件」*です。当時、沖縄人民党という政党があり、米国側はそれを共産主義政党と名指しし、公然と圧力を加えていました。沖縄から退去するよう人民党幹部に下された米側の命令を無視して、該当者をかくまったカドで瀬長は捕らえられ、十分に審理されることもなく有罪になり、刑務所に送りこまれたのでした。このような艱難辛苦に遭いながらも、カメジローは根強い支持者たちに支えられながら息の長い活動に邁進しました。

また、人民党については折に触れ共産主義を標榜する政党ではなく「不正と闘うヒューマニズムの精神に貫かれ、日本復帰を要求する人民のための政党」と位置づけることを公式に表明しています。

1956（昭和31）年、公正な選挙を経て那覇市長の職に就いたカメジローを待っていたのは、米側の傀儡ともいうべき、他党派の議員や財界人たちの抵抗の壁でした。その背後には、米国の強い圧力が働いていたことはいうまでもなく……。

同年、通称「プライス勧告」といわれた、収用された軍用地の地代を一括で払い終えようとする一方的な措置がまかり通ろうとした際に、カメジローは体を張ってその画策に対抗しました。「土地を守る四原則貫徹」を楯に、いわゆる「島ぐるみ闘争」といわれる大衆運動の先頭に立ったのです。

〈反米〉色の強いカメジローは終始米側から嫌悪され、その後市長の座から追放される憂き目にあいました。

＊1954年7月15日、前年に日本復帰した奄美群島出身の人民党員2人に対し、琉球列島米国民政府は域外退去命令を出した。2人は行方をくらましたが、米国民政府は2人をかくまったとして瀬長を逮捕した。その後、弁護士無しの裁判で懲役2年の判決を下した。

ます。しかし、1972（昭和47）年の日本復帰後は、新たに国政に打って出る機をつかむなどして、沖縄の混迷深い時代に民衆の熱い信頼を得て活躍した人物でした。

QA社会

16 戦後の沖縄の扱いにかんする「天皇メッセージ」

〔豊見山和美〕

昭和天皇がGHQに送った「天皇メッセージ」とはどのような内容でしょうか。このメッセージは、戦後の沖縄にどんな影響を与えましたか。

１９４５年３月にアメリカ軍が上陸して以来、沖縄はアメリカの軍事占領下にありました。１９４５年８月にポツダム宣言を受諾した日本も、先に降伏したイタリアやドイツと同じように連合国に占領され、連合国最高司令官総司令部（ＧＨＱ）に管理されていました。この状況で、天皇裕仁が沖縄と日本の今後についてどう考えていたかを伝える文書があります。

１９４７年９月、宮内庁御用掛の寺崎英成がＷ・Ｊ・シーボルト対日理事会議長兼連合国最高司令部外交局長に天皇の見解を伝え、その内容がアメリカ本国へ電文報告されました。寺崎によると、天皇は、①アメリカが沖縄その他の琉球諸島の軍事占領を継続すること、②この軍事占領は日本の主権を残したままでの長期租借（25年ないし50年あるいはそれ以上の貸借）によること、③この手続きはアメリカと日本の二国間条約によるべきことを考えていました。この資料は１９７９年にアメリカ国立公文書館で日本の研究者が発見し、「天皇メッセージ」と呼ばれて注目を集めました。

　このメッセージは、たとえば敗戦国となった日本が天皇制の維持と独立を図るために沖縄をアメリカに提供するという提案なのか、長期租借の形式をとることで沖縄に対する日本の潜在的主権を維持する取引なのか、さまざまな解釈がありますが、沖縄をアメリカ占領下におくという天皇の意図は明らかです。第二次世界大戦後の世界には、アメリカを中心とする自由主義陣営と、ソ連（ロシア）を中心とする共産主義陣営に二極化する、東西冷戦*が始まっていました。天皇は日本の共産主義化について戦前から強く警戒しており、寺崎が伝えた「沖縄占領はアメリカに役立ち、日本に保護を与えるもの」という天皇の考えは、この流れのなかで理解することができます。

　しかしこのメッセージには、25年以上も他国に軍事占領される沖縄の人びとへの考慮はあったでしょうか。保護される「日本」に、沖縄は含まれていなかったといえます。日米戦争にあたって、日本は沖縄を日本本土防衛のための「捨て石」として位置づけ、戦場となった沖縄に民間人だけで少なくとも９万４０００人が命を失う結果を招きました。さらに戦後再び、日本本土防衛のための防波堤として、生き残った沖縄人すべてを他国の占領に委ねることを天皇は望みました。沖縄の人びとの意思を顧みることはなかったのです。

＊第二次世界大戦後の世界を二分したアメリカ合衆国を盟主とする西側＝資本主義・自由主義陣営とソビエト連邦を盟主とする東側＝共産主義・社会主義陣営とが互いの覇権・優位を、実際には戦火をまじえないかたちで争ったこと。ただし、局地的には朝鮮戦争やベトナム戦争で直接戦火を交える戦争になった例もある。

結果として天皇の提案を踏まえるように、１９４９年（昭和24）５月、アメリカは沖縄の長期保有と基地の拡大強化を図る方針を採用しました。１９４８年（昭和23）には朝鮮半島を南北に分断して北をソ連が、南をアメリカが管理するようになって緊張が高まっており、49年10月には社会主義を掲げる中華人民共和国が発足するなど、極東情勢が激動するさなかでの決定でした。

アメリカの世界戦略における日本、とりわけ沖縄の位置はますます重要なものとなり、「太平洋の要石《かなめいし》」「反共の砦」として米軍基地の拡充が始まりましたが、それはしばしば住民を私有地から問答無用で追い出す強権的な形で行われました。これはまさに財産権の侵害ですが、それにとどまらず、占領アメリカ軍の暴挙によって住民はつねに生命や身体を脅かされる状態にありました。終戦直後の沖縄では、沖縄戦で目撃した日本軍の非行の記憶も鮮やかであり、大日本帝国からの解放者としてアメリカ統治を

＊沖縄社会大衆党（社大党、50年10月結党）、沖縄人民党（47年7月結党）を中心に初の超党派による復帰運動体として結成された。

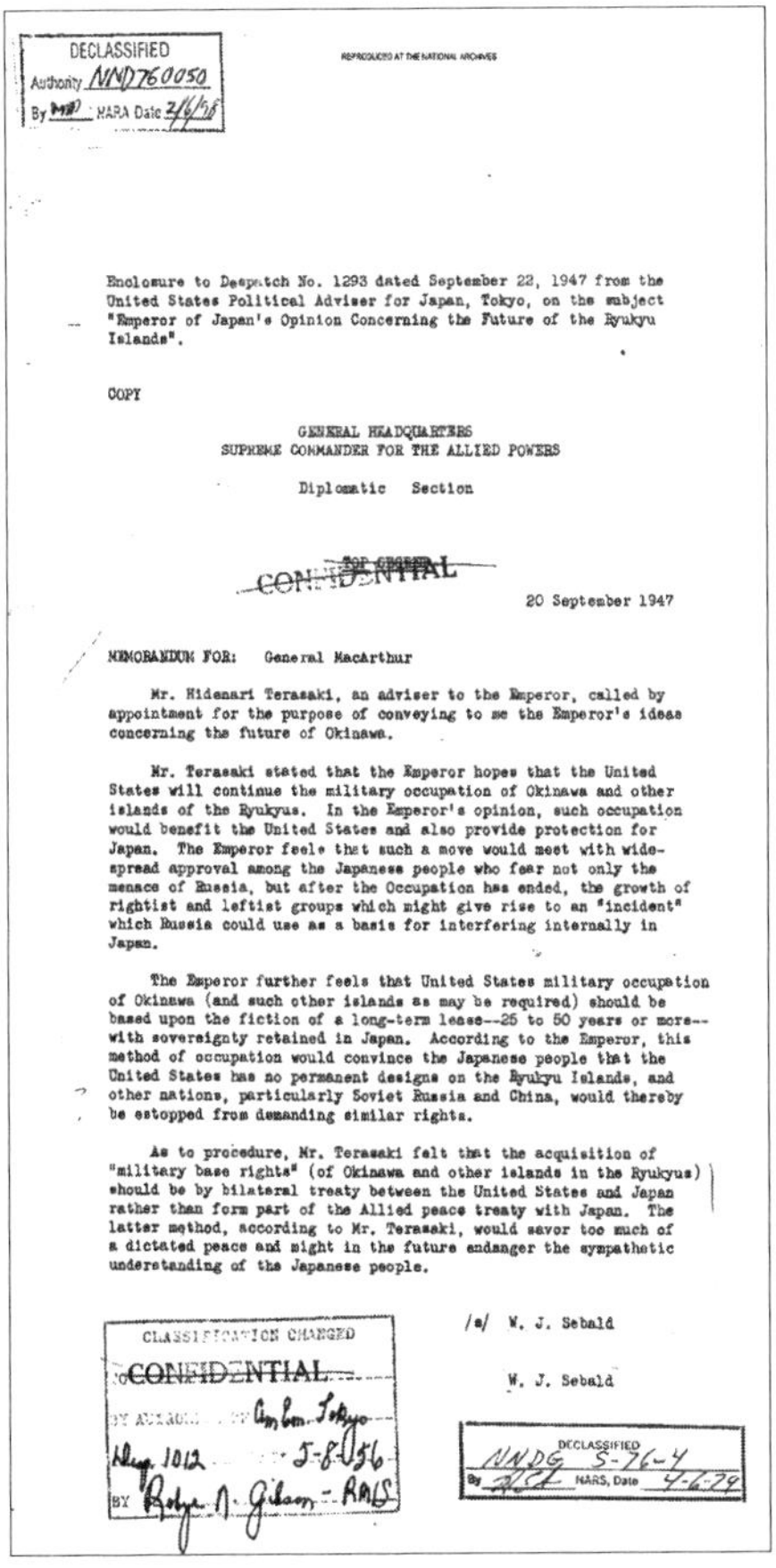

DECLASSIFIED
Authority NND760050

REPRODUCED AT THE NATIONAL ARCHIVES

Enclosure to Despatch No. 1293 dated September 22, 1947 from the United States Political Adviser for Japan, Tokyo, on the subject "Emperor of Japan's Opinion Concerning the Future of the Ryukyu Islands".

COPY

GENERAL HEADQUARTERS
SUPREME COMMANDER FOR THE ALLIED POWERS

Diplomatic Section

~~TOP SECRET~~ ~~CONFIDENTIAL~~

20 September 1947

MEMORANDUM FOR: General MacArthur

Mr. Hidenari Terasaki, an adviser to the Emperor, called by appointment for the purpose of conveying to me the Emperor's ideas concerning the future of Okinawa.

Mr. Terasaki stated that the Emperor hopes that the United States will continue the military occupation of Okinawa and other islands of the Ryukyus. In the Emperor's opinion, such occupation would benefit the United States and also provide protection for Japan. The Emperor feels that such a move would meet with widespread approval among the Japanese people who fear not only the menace of Russia, but after the Occupation has ended, the growth of rightist and leftist groups which might give rise to an "incident" which Russia could use as a basis for interfering internally in Japan.

The Emperor further feels that United States military occupation of Okinawa (and such other islands as may be required) should be based upon the fiction of a long-term lease--25 to 50 years or more--with sovereignty retained in Japan. According to the Emperor, this method of occupation would convince the Japanese people that the United States has no permanent designs on the Ryukyu Islands, and other nations, particularly Soviet Russia and China, would thereby be estopped from demanding similar rights.

As to procedure, Mr. Terasaki felt that the acquisition of "military base rights" (of Okinawa and other islands in the Ryukyus) should be by bilateral treaty between the United States and Japan rather than form part of the Allied peace treaty with Japan. The latter method, according to Mr. Terasaki, would savor too much of a dictated peace and might in the future endanger the sympathetic understanding of the Japanese people.

/s/ W. J. Sebald

W. J. Sebald

CLASSIFICATION CHANGED
~~CONFIDENTIAL~~

DECLASSIFIED

アメリカの資料に残る天皇メッセージ

受け入れる考えも生まれました。しかし、軍事優先で人権を顧みないアメリカ軍の実態を目の当たりにするにつれて、祖国：日本復帰を求める気運が高まりました。1951年4月に発足した日本復帰促進期成会*が復帰請願運動を始め、3か月のあいだに約20万近い署名（有権者の7割相当）を集めて日米両政府に沖縄住民の意思を示しましたが、これが尊重される余地はありませんでした。

1951年9月、サンフランシスコ講和会議において、日本は一部の国々との平和条約に署名しました。その第3条は、アメリカが北緯29度以南の南西諸島その他の施政権をもつと定めました。同日に日米安全保障条約も締結し、極東の平和と安全を守る名目で、日本が独立した後もアメリカ軍が日本に駐留できる体制を整えました。翌1952年4月28日にこの二つの条約は発効し、日本は主権を回復しましたが、奄美・沖縄は無期限にアメリカ施政権下に置かれたままでした（奄美は1953年12月に返還）。

1969年11月、日米首脳会談で沖縄返還が合意され、1972年5月15日、日本とアメリカが結んだ「沖縄返還協定」が発効して沖縄の施政権が日本に返還されました。アメリカ施政権下で住民自治を担っていた琉球政府は閉庁し、新たに沖縄県が発足しました。それまでの27年間、アメリカの軍事支配に苦しみながらも平和と人権を求めた沖縄住民の軌跡は本書の他の項目で示されているとおりです。

米軍基地の存在によって生じる事件・事故に苦しめられてきたことから、施政権返還を視野にいれて行われた沖縄の選挙では「米軍基地の即時・無条件・全面返還」「核も基地もない平和で豊かな沖縄県」を掲げる候補が圧勝しました。しかし、このような沖縄住民の意思もまた、沖縄返還のあり方に反映されることはありませんでした。日本政府が策定した「沖縄復帰対策要綱」も米軍基地の継続的な存在を前提としたものでした。返還協定そのものにもいくつかの密約があったことが後に判明しています。

日本政府は在沖米軍基地の整理縮小について取り組むことをしばしば表明しますが、現実には、施政権返還後も、沖縄への米軍基地の集中は解消されていません。これは日本本土にあった米軍基地が縮小されたことと対照的です。さらに、米軍普天間飛行場の代替施設として辺野古・大浦湾を埋め立てて建設工事を進める一方で、普天間飛行場返還のめどはまったく示されないままです。最近では那覇市にある米軍港の浦添市への移設が問題となっていますが、これも返還というよりは老朽化した軍港の拡充強化と見るべきでしょう。２０１９年2月、辺野古の米軍新基地建設に必要な埋め立ての賛否を問う県民投票が実施され、埋め立て反対が43万４２７３票（投票総数の71・７％）という結果が出ましたが、日本政府はその翌日も埋め立て工事を進めました。施政権返還から49年を迎える今、日本政府の政策に「基地のない平和な沖縄」という沖縄の要求を考慮するようすは見られません。日米の利益のために沖縄を軍事化するという「天皇メッセージ」のエッセンスが、今も生きているということでしょうか。

沖縄は75年も基地の島のまま

〔宮城隆尋〕

日本にある米軍基地（米軍専用施設）の7割が沖縄に集中していることで、どんな被害がありますか。近年、米軍基地から有毒物質が県民の住宅街に流出する事故が頻発していますが、その原因は？なぜ、米軍を取り締まることができないのですか。

事故・騒音や米軍関係者による事件

太平洋戦争末期、１９４５年の沖縄戦の最中に、米軍は沖縄本島を中心に米軍基地の造成をはじめました。沖縄は日本の国土の０・６％の面積しかありませんが、戦後75年以上を経た現在も日本にある米軍専用施設の約70％が沖縄に集中しています。沖縄への過重な基地の集中は、騒音や事件・事故、環境汚染などの基地被害を引き起こしています。沖縄の人びとは常に危険ととなりあわせの生活を強いられています。

＊米軍は１９４５年４月１日、沖縄本島中西部の読谷村の海岸から上陸した。日本軍の主力は南部に集中していたため、ほぼ無血上陸に近いものだった。

1945年4月、沖縄島に上陸した*米軍は米国軍政府を設立し、布告を出して南西諸島で日本政府の行政権、司法権を停止しました。米軍は日本軍が建設した北飛行場（読谷飛行場）、中飛行場（嘉手納飛行場）を中心に土地を囲いこみ、軍用地を確保して本土攻撃の拠点としました。

米軍は住民を収容地区に送り、そのあいだに伊江島などで大規模な滑走路を建設しました。普天間飛行場が造られた宜野湾村宜野湾、新城、神山の三つの集落も、住民が収容地区にいるあいだにほとんどの土地が米軍に囲いこまれました。古里に戻った住民は、基地周辺のわずかな土地で再出発を強いられました。米軍は終戦後も伊江島や宜野湾の伊佐浜などで住民から強制的に土地を接収し、基地を拡張しています。

1952年4月28日にサンフランシスコ平和条約と日米安全保障条約が発効し、日本は独立しまし*た。しかし沖縄は切り離され、米国の統治下に27年間置かれました。そ

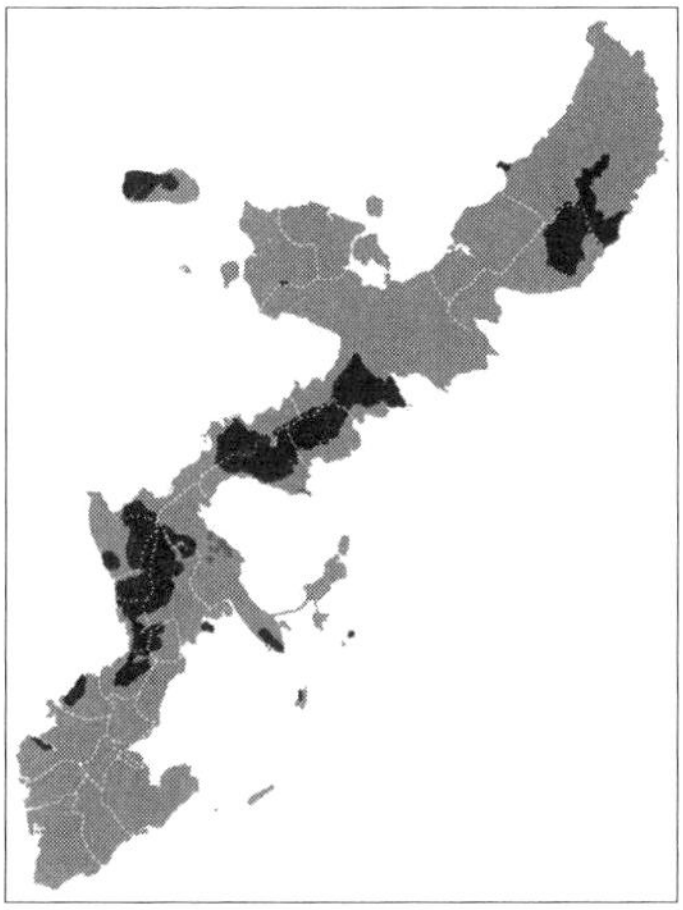
沖縄の米軍基地

米軍の読谷海岸上陸

の間、日本本土で米軍基地に反対する運動が広がったことを理由に、沖縄に本土の基地が移転してきました。1972年に沖縄は日本に復帰しますが、米軍基地の返還が進んだ本土と比べると、沖縄の基地負担軽減は進んでいません。

主な被害には事件・事故と騒音があります。米国による沖縄統治が続いていた1959年6月、石川市（現在のうるま市）の宮森小学校に嘉手納基地所属のジェット機が墜落しました。児童や地域住民合わせて18人が死亡、200人以上が負傷しました。

日本復帰後も毎年のように事故は相次ぎます。2004年8月には宜野湾市の沖縄国際大学の構内に普天間飛行場所属の大型輸送ヘリコプターが墜落しました。復帰後に県内で発生した米軍機の墜落事故は50件を超えています。

米兵や米軍関係者による事件は何度も発生しています。1955年9月に嘉手納基地の兵士が石川市の6歳の女の子を暴行して殺害しました。1963年には信号無視の米軍トラックにひかれた男子中学生が亡くなりました。1995年には米兵3人が少女に乱暴する事件も発生しています。

騒音は主に嘉手納基地、普天間飛行場のすぐそばに住む人びとが悩まされています。米軍の航空機が離着陸する際の騒音は100デシベルを超えることも多く、特に滑走路の延長線上に位置する地域で暮らす人びとの被害は深刻です。嘉手納爆音訴訟、普天間爆音訴訟という二つの裁判が争われています。どちらの訴訟でも、裁判所は騒音被害が住民の受け入れられる限度を超えており、違法であると認めて、その損害を賠償するよう日本政府に命じました。ただ住民の「米軍機の飛行を

＊2013年に、安倍晋三内閣は4月28日を「主権回復の日」と定めたが、「沖縄抜き」にすすめられた「主権回復」に対する批判も多い。

差し止めてほしい」という要求は、米軍の訓練に裁判所の権限が及ばないという理由で退けられています。

泡消化剤流出*

*26米軍基地の環境汚染参照。

沖縄県の水道を管理している県企業局は2016年、北谷浄水場の水源である比謝川水系から、有機フッ素化合物PFOSが高濃度で検出されたことを発表しました。PFOSは発がん性などのリスクが指摘され、国際的に製造や使用が禁止されています。県の調査によると、米空軍嘉手納基地を挟んで河川の上流でPFOSの値が低く、下流で高い傾向がありました。そのため基地内を通っているあいだに汚染されている可能性が高いとして、県企業局は基地の立ち入り調査を要請しましたが、米軍は拒否しました。日米地位協定が壁となり、現在も汚染源は特定されていません。

2020年には米軍普天間飛行場で22万7100リットルの泡消火剤が流出する事故が起き、その6割以上が基地外に流れ出ました。泡消化剤にはPFOSなどが含まれています。

また基地から周辺地域に化学物質が漏れ出すことは近年に限ったことではありません。1967年に米軍の航空機燃料による地下水汚染が広がり、くみ上げた井戸水に火をつけると燃え上がる「燃える井戸」が深刻な問題となりました。

https://www.pref.okinawa.jp/site/chijiko/kichitai/ https://www.pref.okinawa.jp/site/c

沖縄県基地対策課

日米地位協定

日米地位協定は、日米安全保障条約に基づく日本とアメリカのあいだの取り決めです。1960年に発効しました。在日米軍人、軍属、家族の法的な地位のほか、基地の管理・運営について規定しています。

米兵が起こした事件で沖縄の人たちが被害に遭ったにもかかわらず、日本の警察がすぐに逮捕できなかったり、日本の法律で裁けなかったりする場合があります。これは日米地位協定で米軍が第1次裁判権をもつ（米軍人、軍属らの公務中の作為または不作為から生じる罪の場合。日本側による現行犯逮捕を除く）など、日本の法令が適用されない治外法権を認める内容になっているためです。そのため沖縄側は「不平等だ」として見直しを求めてきました。

「公務中」と判定された場合、米軍は軍法裁判などで処罰しますが、執行猶予がつくなど軽微な罰となることが多く「事実上、無罪と同じ」という批判があります。イタリア、ドイツが冷戦後に地位協定を改定させたのに対して、日米地位協定は一言一句改定されていません。

普天間は世界一危険といわれるが、危険なのは普天間だけ？

普天間飛行場は宜野湾市の中心部にある米海兵隊基地です。約2800メートルの滑走路があります。まわりに住宅や学校、公共施設などが密集しており、2003年に視察したラムズフェルド米国防長官（当時）が「世界一危険」と表現しました。2004年の沖縄国際大学へのヘリ墜落など、事故も繰り返されています。

1995年に起きた米兵による少女乱暴事件を機に、日米両政府は1996年、普天間飛行場を日本へ返還することで合意しました。* しかし県内に移設することが条件になりました。日本政府は1999年に名護市辺野古への移設を閣議決定しました。2013年、当時の仲井眞弘多知事が辺野古沿岸部の埋め立てを承認しましたが、辺野古移設に反対する後任の故・翁長雄志前知事が15年、承認を取り消しました。移設の是非をめぐり、県と国の法廷闘争が続いています。

危険な基地は普天間飛行場だけではありません。沖縄本島には「極東最大の空軍基地」といわれる嘉手納飛行場もあります。所属する戦闘機の飛行訓練が連日くり返されるなかで、外来機の飛来も相次いでいます。過密な運用が周辺地域に深刻な騒音被害をもたらしています。墜落事故もたびたび起きています。1959年に宮森小学校に墜落したのは嘉手納飛行場に着陸するはずのジェット機でした。

ほかにも1965年には米軍がパラシュート降下訓練で投下したトレーラーの下敷きになり、読谷村の少女が亡くなりました。兵士や物資を降下させるパラシュート降下訓練は現在も伊江島、嘉手納基地、津堅島訓練水域などでくり返されています。

＊日本政府、米国政府によって設置された「沖縄に関する特別行動委員会」（SACO）が1996年12月に普天間などの返還に合意した。しかし、約5000ヘクタールの基地返還と同時に代替施設の県内移設などによって、負担軽減ではなく、機能強化だと批判されている。

18 全国平均2倍といわれる深刻な子どもの貧困率

〔照屋信治〕

沖縄では、子どもの貧困が深刻だといわれますが、実態はどうでしょうか。それはどうしてですか。

2016年1月5日の沖縄県内の新聞一面に衝撃的な数字がおどりました。沖縄の子どもの貧困率が37・5%とする山形大学戸室健作准教授の研究成果です。その後の沖縄県独自の調査でも29・9%という数字が示され、全国平均の約2倍の貧困率に人びとは驚き、暗澹たる思いに沈みました。

貧困率が、全国平均13・9%、沖縄県29・9%という数字（『沖縄子どもの貧困白書』かもがわ出版）を見て、いぶかしく思う人もいるでしょう。豊かな日本にそれほどの貧困層が存在するのだろうかと。たしかに現在の日本で、戦後直後の日本や発展途上国の一部で見られる飢餓状態を想像するのはむずかしいかもしれません。ケガや病気を患っても高額な医療費を払えず病院へ行けず、栄養状態が悪くて命の危険にさらされているといった状態は、皆無ではありませんが、数少ない事例でしょう。そのような生命の危機に直結する貧困を絶対的な貧困と呼びますが、現在の日本で社会的関心が向けられているのは、相対的な貧困といわれる状況です。

相対的な貧困とは、その国や地域の文化水準、生活水準と比較して困窮した状態を指します。世帯の所得が、中央値（上と下から数えて中央の値）の半分に満たない世帯をさします。たとえば、親が仕事やアルバイトのダブルワークで忙しくかまってもらえない子どもたちや、部活動の遠征費用が支払えずに部活動をやめてしまう生徒や、大学に進学したいけれど就職志望に変更する高校生を想像するとよいでしょう。自身の希望を切り下げ、能力を十分に発揮できない子どもたちです。そのような子どもが30％近く存在する社会の未来は明るいとはいえません。子どもの貧困は、個人の責任ではなく、社会の責任であり、私たち大人の責任です。

沖縄県も2016年1月の子どもの貧困実態調査の発表や「沖縄県子どもの貧困対策計画」の発表を皮切りに、貧困問題への取り組みを強化してゆきます。県民の側からの動きも活発なものでした。子どもの居場所を確保するため、子ども食堂、児童館、学童保育、公民館等での取り組みがなされました。2016年度の内閣府予算による「沖縄の子どもの貧困対策」事業で、子どもの居場所づくり事業が展開され、これらの施設は前年度の30か所ほどから100を超える数となりました。しかし、子どもの重要な居場所である学校現場の動きは活発とはいえません。全国学力テスト＊

＊文部科学省が日本全国の小学校6年生、中学校3年生を対象に、学力・学習状況の把握を目的に行う学力調査。テスト結果による学校間・地域間の競争が問題視されている。

の最下位から脱出するための学力向上対策に忙殺され、貧困に押しつぶされている生徒たちへの支援が十分だったとはいえません。

さて、沖縄県の子どもの貧困率はなぜ高いのでしょうか。

現状を示すデータから考えていきましょう。沖縄県の労働者の最低賃金は全国一低く、非正規雇用率は全国一高く、完全失業率（全国1位）、県民所得（同47位）、1人当り預貯金残高（全国42位）、持ち家率（同47位）、離婚率（同1位）、母子世帯割合（同1位）、高校・大学進学率（同47位）といった状況です（沖縄県企画部統計課『100の指標からみた沖縄県のすがた　令和2年度版』等参照）。

沖縄は、婚姻率も合計特殊出生率も高く、人口は増加を続けており、人口に占める子どもの比率も高い地域です。他方で、離婚率も高く、母子（父子）世帯の比率も全国一です。ひとり親世帯の貧困率は50%をこえています。

労働環境としては、非正規雇用が4割前後を占め、最低賃金も全国最低水準であり、県民所得も全国最下位です。1人当り預貯金残高も全国42位であり、持ち家率は最下位です。世帯の家計は全般的に厳しい状況にあるといえます。その結果であり原因でもあるのでしょうが、高校・大学進学率も全国最下位となっています。

このようなデータを並べると、そこから、若年での結婚出産の多さが指摘され、それが子どもの貧困の要因の一つと指摘されることがあります。10代での若年出産・婚姻が学業の中断を余儀なくさせ、十分な教育を受けられなかった結果、非正規雇用などの就労条件の不利な職種に追いこまれてゆきます。母親自体が未成年であり、基本的生活習慣や家庭生活を営む知識や技術、行政へのアクセスのための社会的な能力が十分でないために、子どもの生育環境を整えることができないケースも見受けられます。そのような認識は、保育・教育関係者にとって重要な課題といえます。

しかし、これらのことは、沖縄の子どもの貧困の根本的な原因ではなく、現象として表れてきた事象といえます。貧困や格差の原因を人びとの行動や県民性に求めては偏見を助長することにつながり、解決策も見えてきません。もう少し鳥瞰的な視点から沖縄の子どもの貧困を捉えなくてはなりません。

沖縄の子どもの貧困を深めている理由は、歴史的にいえば、沖縄戦とその後の米軍統治の27年間における児童福祉の立ち遅れにあります。また、復帰後においても、公共事業偏重な予算の配分による社会福祉の立ち遅れが指摘できます。

まず、１９４５年の第二次世界大戦直後の日本や沖縄戦後の沖縄においては、戦災孤児をはじめとした多くの子どもたちが絶対的な貧困状態にありました。日本本土においては、ＧＨＱ＊の指示のもと、いち早く１９４７年に児童福祉法が制定され、公的責任で児童養育、保護が行われ、児童福祉施設である母子寮（現母子生活支援施設）や保育所、児童館が日本全国に設置されていきました。他方、米軍統治下の沖縄においては、本土に遅れること6年、１９５３年に琉球政府の児童福祉法が成立しましたが、本土のように施設整備を伴いませんでした。本土では、１９４７年に44館あった児童館は、１９６５年には５４４館に増加しました。しかし、米軍統治下の沖縄では、１館の児

＊General Headquarters, the Supreme Commander for the Allied Powers（連合国軍最高司令官総司令部）の略称。第二次世界大戦終結にともないポツダム宣言を執行するために日本の占領政策を実施した機関。

童館が建つこともありませんでした。

復帰後に沖縄でも児童館の建設は行われましたが、米軍統治下の児童福祉の遅れは現在にも尾を引いています。たとえば、全国の児童クラブ（学童保育）の設置や運営主体を見ると、全国で民立民営の児童クラブは18・2％に過ぎないのですが、沖縄では93・8％にものぼります。公立公営、公立民営の施設は、小学校の空き教室などの公的な施設を使用できますが、沖縄で多数を占める民立民営の児童館では、施設の賃貸料が発生します。また小学校からの距離があれば送迎費用などもかかります。自治体からの利用料減免の実施率も他府県に比べ沖縄では低水準です。その結果、割高な利用料を保護者に求めることになります。行政の対応の遅れが、民間施設への依存につながり、その高負担を保護者に負わせているのです。

では、1972年の復帰以降はどうでしょうか。日本政府は沖縄振興開発特別措置法*をはじめとして、膨大な予算を沖縄開発に投入しました。しかし、それが児童福祉を抜本的に改善させることにはつながりませんでした。8～9割の高率補助が受けられるのは広域下水道事業、湾岸の埋め立て、県道市町村道、農道林道の建設といった公共事業であり、教育福祉分野の予算を削ってでも、高率補助の事業の獲得へ自治体をいざなうことになりました。そのようななかで児童福祉の立ち遅れは放置されたのです。

戦後沖縄の歴史的なゆがみが、現在の沖縄の子どもの貧困を深刻なものにしています。

＊1971年、「沖縄の復帰に伴い、沖縄の特殊事情にかんがみ、総合的な沖縄振興開発計画を策定」するとされ、制定された。公共事業を大規模開発に誘導することになった。

19 沖縄の新聞とメディア

〔与那嶺功〕

沖縄では新聞の発行が盛んだといわれますが、どんな新聞・メディアがありますか。

人口約１４０万人の沖縄ですが、意外にも多くの新聞が発行されています。県庁所在地の那覇市に拠点を置く『沖縄タイムス』『琉球新報』の２紙は、皆さんもその名前を聞いたことがあるでしょう。会社の規模や発行部数は拮抗し、たがいにスクープ合戦を展開しています。各都道府県には、それぞれ地方紙と呼ばれる新聞社がありますが、一つの県で同規模の二つの地方紙が存在しているのは、沖縄と福島ぐらいしかありません。

そのほかにも、宮古諸島をエリアとする『宮古新報』『宮古毎日新聞』、八重山諸島をカバーする『八重山毎日新聞』と『八重山日報』があります。偶然かもしれませんが、それぞれの地

https://ryukyushimpo.jp/

琉球新報

域ごとに二つの新聞が存在するということによって、たがいに競いあいが生まれ、地元のきめ細かい情報が伝えられるというプラス面が生まれます。同時に、読者の多様な意見が反映されやすいという側面もあるでしょう。

沖縄が、日本のなかで独自の歴史と文化をもつのと同じように、沖縄の新聞も、本土のメディアとは異なった歩みをたどってきました。

戦前の日本では、国策推進と情報統制を目的として、各県の地方紙を統合する「一県一紙」体制が取られました。敗戦後も、各県では当時統合された新聞社がそのまま存続してきましたが、米軍占領下に置かれた沖縄では、いったん新聞社が途絶えます。

米軍は沖縄占領をスムーズに行うために、政策や情報を住民に知らせる広報手段として、『ウルマ新報』という新聞を無料で配布しはじめました。『ウルマ新報』は、のちに民間企業として独立し、『琉球新報』と題字を替えて再スタートします。

１９４８年、それとは別に、戦前の新聞関係者が再結集して『沖縄タイムス』を立ち上げました。

米国は、本国では「報道の自由」を掲げていたでしょうが、占領地では軍政を妨げるような記事を許すことはありません。沖縄の米軍は、記事を厳しくチェックし、批判的な記事の掲載を差し止めるなど、検閲は当然といった態度です。基地の動きを取材していた記者が、米軍関係者の車で追いかけられ、カメラのフィルムを抜きとられることも多々あったと聞きます。

https://www.okinawatimes.co.jp/

沖縄タイムス

＊『女子力で読み解く基地神話』（かもがわ出版）は、地元テレビ局に勤めていた三上智恵さんと、琉球新報記者の島洋子さんの対談本。米兵らによる性被害を論じつつ、男たちが被害女性に抱く〝偏見〟の存在も指摘している。家庭をもつ女性ジャーナリストとしての苦労や悩み話もつづっている。

さらには、兵糧攻めに遭ったこともあります。敗戦後のバラック小屋からスタートした『沖縄タイムス』は、本社ビルを造るために、銀行から融資を得る準備を進めていましたが、米軍の横やりが入って融資が滞り、本社建設計画が一時、暗礁に乗り上げたことがありました。このように、沖縄の新聞は常に米軍との緊張関係を強いられてきました。

沖縄の新聞は、1972年に沖縄が日本の施政権下に入った後も、米軍の動きを常にウオッチし、厳しく報道しています。なぜなら、日本復帰後も沖縄に存在する米軍は減るどころか、機能的には強化されつづけているというのが実態だからです。軍用飛行機やヘリの墜落事故、昼夜かまわぬ爆音。射撃訓練の銃弾が民家に飛びこむ事故や、米兵による女性への性被害も後を絶ちません。それら事件・事故を伝えるのは報道機関の当然の役目だからです。*

しかし、沖縄の住民目線で伝えた記事が、本土のメディアや政治家に、受け入れられるとは限りません。ここ数年、政治家に加え、作家や学者といった文化人から、沖縄の新聞は激しい攻撃を受けることがあります。*

宜野湾市にある普天間飛行場を名護市辺野古に移設する動きが批判を浴びていた2000年ごろ、森喜朗自民党幹事長（その後に首相就任）が、「沖縄の教職員組合や、新聞2紙は共産党に支配されている」と発言して大きな批判を浴びました。

最近では、小説『永遠の0』で知られるベストセラー作家・百田尚樹さんが、自民党国会議員の集まる勉強会で、新基地の建設に反対する県民と、その意見を載せる新聞を強くなじったことは記

*専修大学でジャーナリズム論を教える山田健太教授の『沖縄報道』（ちくま新書）は、本土マスコミが報じる沖縄の基地問題の紙面を分析し、その構造的な問題点をあぶり出す。

*安田浩一さん（ジャーナリスト）の『沖縄の新聞は本当に「偏向」しているのか』（朝日新聞出版）は、沖縄の新聞を攻撃する保守や右翼側の発言を取り上げて、その真偽を確かめていく。地元紙記者への取材も重ね、沖縄の歴史のなか

憶に新しいものです。

自民党議員が「沖縄の世論が歪んでいるのは沖縄のメディアの特殊性にある」と発言し、それを受けて百田さんが次のような言葉を述べました。「沖縄のあの二つの新聞（『沖縄タイムス』と『琉球新報』）をつぶさなあかん」*。

沖縄の米軍基地が強制的に造られたという経緯や、日頃の基地被害を知っている住民にとっては、偏見・差別ともいえる内容です。

当然ですが、沖縄の住民のなかには、米軍基地の存続に賛成の人もいれば、国防のためにある程度の基地を受け入れるのはやむを得ないと考える人も、ある程度存在します。ただ彼らの多くも、基地を原因とした事件・事故や騒音については、極力減らすことを求めていますし、米軍に弱腰な日本政府の態度に憤る声が聞かれます*。

さて、本当に沖縄の新聞は偏向しているのでしょうか。もし住民の考えや願い事とあまりにもかけ離れていたら、どうなるでしょう。購読する人が少なくなって、新聞経営が立ちゆかなくなります。さらには、地元紙と対立する考えをもつグループが新しい新聞を立ち上げる考えを抱くでしょう。実際、1967年に、地元新聞の報道に不満をもつ経済関係者が、第三の新聞として『沖縄時報』を創刊しましたが、部数が伸びずに経営に行き詰まり、わずか2年で廃刊となりました。最近も、いわゆる保守を謳う新聞が、沖縄本島に進出しましたが、思うように読者を獲得できていないのが実態です。

で新聞がどのような役割を果たしてきたかを明らかにする。

＊畑仲哲雄さん（龍谷大学社会学部教授）の『沖縄で新聞記者になる』（ボーダー新書）は、沖縄の新聞社に勤める本土出身記者らをインタビューしたもの。なぜ沖縄で記者になったのか。本土出身者ゆえに抱える〝負い目〟やアイデンティティーの問題を教えてくれる。

ちなみに、沖縄の新聞のユニークな点は毎週一ページを使って、海外に住むウチナーンチュの話題を伝えていることです。米国本土やハワイ、南米諸国、東南アジアに多くの移民を送り出した歴史的な背景があるので、海の向こうに住む親戚や知人らの活躍を伝えるニュースが喜ばれているようです。

かつては実物の新聞が海外の県人会に届けられ、それを読むのを楽しみにしている人も多かったといいます。新聞は、世界のウチナーンチュの心を結ぶ絆の役目を果たしていました。インターネット時代になっても、世界各地のウチナーンチュは、沖縄の新聞社のホームページをクリックしては、遠い古里のことに思いをはせているでしょう。

また、沖縄は芸能が盛んな島だけに、琉球舞踊や伝統劇、そして沖縄ミュージック界の動向も逐一伝えられます。沖縄で盛んな闘牛の話題も充実しています。沖縄の新聞をめくると、意外な一面を知って驚くことも多いと思います。

20 沖縄のテレビは偏っているか

〔島袋夏子〕

沖縄のテレビは、「沖縄目線」「地元の視点」といわれますが、どんな放送を目指しているのでしょうか。

2014年7月21日午前2時過ぎ、名護市辺野古の米軍キャンプシュワブに、何台ものトラックが入っていきました。人びとが寝静まる深夜を狙って強行されたのは、政府による辺野古新基地建設に向けた資材搬入です。私たち琉球朝日放送の記者は、その瞬間を撮り逃さないようにと、数日前から現場で張りこんでいました。その日の取材ディスクには、トラックを止めようと道路に飛び出した男性を見て、「危ない」と叫ぶ私の声も収録されています。

カメラはその夏、辺野古で、沖縄戦体験者のおばあが両手を広げてトラックの前に立ちはだかり基地建設阻止を訴える場面を、また小さな

https://www.qab.co.jp/

琉球朝日放送

ボートで海に出て抗議した人たちが、海上保安庁の職員らに容赦なく排除される姿をとらえていました。

私たちが記録しているのは、沖縄で日々つづいている基地をめぐる命がけの戦い、本土の人たちが滅多に目にすることがない権力のもう一つの姿です。それは「偏っている」と批判されることもあります。しかし一方で、徹底した「沖縄目線」「地元の視点」だと評価する声もあります。

なぜ私たちが炎天下でまっ黒に日焼けし、汗だくになりながら「戦う人びと」の姿を撮り続けるのか。その背景には沖縄の記者に引き継がれるテーマがあります。

基地問題の源流は1945年の沖縄戦です。しかし75年以上が経った今、テレビ局には戦争体験をした現役記者、経営者はいなくなり、世代を超えて沖縄戦を継承していくための試行錯誤が続いています。

私が勤務する琉球朝日放送で記者、ディレクター経験者の古豪と位置づけられているのが専務の仲里雅之です。仲里は自身が入社したときからのテレビの変遷を次のように語りました。

「戦前、終戦直後生まれの沖縄の記者やディレクターにとって一番重要な仕事は、今そこにいる戦争体験者の言葉を伝えることでした。そして次の世代の役割は、ずっと戦争を語れずにいた人たちの証言を記録することでした。ところが1980年代、90年代になると、戦争体験者の証言を中心とした番組はやりつくされた感があるとみられ、視聴者の関心を集めなくなってしまったのです」

こうした社会の変化を背景に、沖縄戦の取材は公文書の発掘や、データを組み入れた検証報道に移っていったといいます。

仲里自身、戦後43年となった1988年、当時在籍していた琉球放送で、ある番組を制作していました。6月23日の慰霊の日に放送されたドキュメンタリー「遅すぎた聖断—検証・沖縄戦への道」。番組は、古い文献や音声データに残る昭和天皇、沖縄戦の中核だった第32軍の八原博通大佐、近衛文麿元首相などのやりとりを淡々と紹介しながら、沖縄戦が米軍の本土上陸を遅らせるための時間稼ぎだったのではないか、なぜ20万人以上の人びとが犠牲にならなければならなかったのかを問いかけ、天皇の戦争責任について考えさせる内容になっています。

琉球朝日放送（QAB）は1995年に開局しました。おりしも戦後50年のこの年、沖縄では基地問題を再燃させる事件が起きていました。海兵隊3人による少女暴行事件です。このとき被害者に心を痛め、自分や身内のことのように怒りを共有しながら事件の行方を見守っていた県民は、許しがたい現実に向きあいます。米軍人が重い罪を犯しても、日米地位協定という不平等な日米間の約束に守られ、日本の警察が容疑者を逮捕して身柄を確保することもできないという事実を突きつけられたのです。それは経済的には米国と肩を並べるほど自信を高め、平和になったとみられていたこの国が、実は敗戦国の矛盾を抱え続け、その負担を米軍基地が集中する沖縄に押しつけていた側面を浮き彫りにしました。

事件はその後、普天間基地返還の日米合意につながりましたが、いつしか辺野古新基地建設にすり替えられてしまいました。膠着状態が長く続くなかで、本土メディアには無関心や、政局の観点からこの問題をとらえる風潮が広がり、沖縄のメディアとは温度差が生じてきたのです。

事件の年に開局したＱＡＢは、沖縄問題の実相を全国に発信しようとドキュメンタリー制作に力を入れました。

沖縄返還に伴う密約スクープが男女のスキャンダルにすり替えられた西山太吉事件*を検証する「告発―外務省機密漏洩事件から30年、今語られる真実」（２００２年、土江真樹子ディレクター）、辺野古新基地建設を阻止しようと立ち上がった人びとの姿を描く「海にすわる―辺野古６００日の闘い」（２００６年、三上智恵ディレクター）、東村高江のオスプレイパッド建設反対に声を上げた人びとの記録「標的の村―国に訴えられた東村・高江の住民たち」（２０１３年、三上智恵ディレクター）など、本土メディアがとりあげない沖縄目線、地元の視点で時代を切りとった作品です。

２００７年に入社した私も、記者として基地問題を担当しながら、２年に１本のペースでドキュメンタリーを制作してきました。

なかでも２０１３年に取材した「沖縄市サッカー場ドラム缶発掘事件」は、印象深いものでした。はじまりは、返還軍用地のサッカー場から古いドラム缶が発掘され、そのなかからベトナム戦争で米軍が使用した化学兵器・枯れ葉剤*と同じ毒が検出されたということでした。しかし、そのドラム缶からベトナム戦争、枯れ葉剤、そしてベトナムに思いをめぐらせていくうちに、目の前に広

＊取材上知りえた沖縄返還協定にからんだ日米の「基地の地権者に支払う土地現状復旧費用約12億円を日本政府が秘密裏に米国政府に支払う」という密約を、国会議員に渡したことで毎日新聞・西山太吉記者らが国家公務員法違反で有罪となった事件。当初の日米密約の存在から、情報源の外務省事務官と記者のあいだの男女関係に関心が集中してしまった。

がる米軍基地と米国の戦争とのかかわりを深く考えるようになったのです。

生まれたときからかたわらに基地があり、日常的に頭上を戦闘機が飛びまわっていたけれど、その機体が向かった国で、どんな残虐な行為を重ねてきたのかリアルに想像したことはありませんでした。それが半世紀以上前の戦争で大量の枯れ葉剤が散布され、今も世代を超えて300万人以上が病気や先天性奇形に苦しめられているベトナムの現状を知ったとき、改めて米軍基地を置き続け、米国の戦争にかかわり続けることの責任を考えたのです。

また、番組を見た東京の大学生の言葉にも、はっとさせられました。

「ベトナム戦争については学校で勉強したけれど、沖縄が前線基地だったことは教わりませんでした」

学生の素直な言葉は、日本の教育や報道の欠陥を鋭く突いていました。同じテーマでも、どの情報を切りとって伝えるかで、受け取る側の認識が大きくちがってしまいます。沖縄のメディアが伝えていることは、教科書に掲載されず、全国ニュースでも流れない、権力が隠したい事実だったり、日本の政治や外交の矛盾だったりします。沖縄問題の本質を若い世代に知ってもらうには、沖縄からメッセージを発信しつづけなければならないと実感したのです。

今は米軍による環境汚染問題を調べています。米軍から返還された土地が化学物質で汚染されたり、基地周辺の河川や地下水から有害物質が検出されたりしているのをデータで確認し、検証しています。それはフェンスのなかの見えないものを見せていくという、基地問題への迫り方と本質的

＊除草剤の一種で、アメリカで発明され、その後、化学兵器として軍事利用された。ベトナム戦争では米軍と戦うゲリラの隠れ場の森林を枯渇させるために使われた。そこで使用された枯葉剤はダイオキシンを高い濃度で含み、催奇形性が高く、戦争後も深刻な被害を与えている。

に重なります。

来年は本土復帰50年。沖縄にまた節目が訪れます。沖縄の視点を大切にしながら、次の世代に伝えていきたいと思います。

21 琉球独立運動

〔松島泰勝〕

琉球が明治政府に併合されたことに抵抗する独立運動があったようですが、どんな運動がありましたか。

１８７０年代から80年代にかけて琉球国王の臣下が清朝に政治亡命し、日本政府による琉球併合を阻止し、王国復興を求めた頃から、琉球独立運動が始まりました。臣下の一人である幸《こう》地《ち》朝《ちょう》常《じょう》＊は、１８７６年から柔遠駅（琉球館：福建におかれた琉球王府の公館）を拠点にして、北京、天津、上海、福州等と往来し、清朝の援軍を求める運動に邁進しました。幸地は１８７９年に天津で李鴻章（清朝の直隷総督）と面会し、次のような請願書を手渡しました。「生きて日（本）国の属人と為るを願わず、死して日（本）国の属鬼と為るを願はず」。琉球（沖縄）の独立を求める、国王臣下による琉球救国運動

＊（1843〜1891）、琉球王国末期の官僚・政治家。「嘆願書」を出した後、帰郷を拒否して清国で客死した。

は日清戦争終了まで続きました。

　1946年、日本共産党は沖縄人連盟全国大会に対して次のような「沖縄民族の独立を祝うメッセージ」を送りました。「日本の天皇制帝国主義の搾取と圧迫とに苦しめられた沖縄人諸君が、今回民主主義革命の世界的発展のなかに、ついに多年の願望たる独立と自由を獲得する道につかれたことは、諸君にとって大きな喜びとされるところでしょう」。しかし米政府は、琉球に独立や自由を与えず、新たな圧政者として軍事植民地にしました。

　戦後間もなく、いくつかの政党が誕生しました。1947年に仲宗根源和の指導で結成された沖縄民主同盟は、政策目標の一つに独立共和国の樹立を掲げました。沖縄社会党は米国の信託統治領化を求めました。また、共和党、琉球国民党も、米国の民主主義制度と経済力に頼りながら独立する方針を示しました。

　1947年に奄美共産党が創立され、奄美人民共和国憲法草案が採択されました。奄美共産党の行動綱領には、奄美人民共和国政府の樹立、奄美人民共和国憲法の制定が含まれていました。かつて琉球国は武力を用いて奄美諸島を併合しました。戦後、奄美独立論者は、日本だけでなく琉球からも離脱することで、奄美独立が達成されると認識していました。

「復帰」運動が盛んになるなかで「復帰」に反対を唱え、独立を主張する琉球人による社会運動がありました。それは「沖縄人の沖縄をつくる会」と「琉球議会」であり、前者には約3000人、後者には約2700人が入会しました。それらの団体の支持層には、多くの零細な自営業者や職人層がいました。

「復帰」して10年が経過して、過大な基地負担や日本政府主導の沖縄振興開発への疑問から、日本と琉球との関係のあり方を根本的に問う議論が琉球独立論と結びついて登場しました。１９８１年の『新沖縄文学』48号は「琉球共和国へのかけ橋」を特集とし、琉球共和社会憲法案、琉球共和国憲法案が掲載されました。またその頃、琉球社会が急速に開発され、自然破壊が進み、琉球社会が大きな変貌をとげつつあったことに警鐘をならし、太平洋島嶼をモデルとする琉球独立論が提示されました。平安座島のＣＴＳ（石油備蓄基地）開発に反対する「琉球弧の住民運動」の人びとは、同じくＣＴＳの建設計画があったパラオの人びとを琉球に招き、協力しあいながら反対運動を進めました。パラオが１９８１年に自治政府を樹立した際*、住民運動のリーダーであった安里清信が同地に赴き、自治政府樹立記念式典に参加しました。安里は、人口約１万５０００人のパラオが自治政府を設立したことに刺激を受けて、琉球独立を唱えました。同年、詩人の高良勉は、パラオや他の太平洋島嶼の独立と琉球独立を結びつけた、「琉球ネシアン・ひとり独立宣言」という文章を発表しました。

１９９５年に米軍人による少女暴行事件が発生し、基地反対運動がさらに激しくなりました。２００２年に「復帰」30年を迎えて、「復帰」の功罪を検証する議論が活発になり、琉球独立関連の集会開催、書籍の出版が相次ぎました。琉球人を先住民族と位置づけ、日米両政府の不当な琉球支配を国連等の国際社会で訴え、世界の先住民族とネットワークを構築する若い世代を中心とした団

＊16世紀以降、スペイン、ドイツ、日本の支配を受けた。１９４7年に国連の委託を受け、アメリカの信託統治下に置かれたが、１９７９年に「非核憲法」を住民投票で可決。アメリカ政府の意向を受けた信託統治領高等裁判所が無効を宣言。１９９４年12月、8回目の住民投票の結果、アメリカから独立し、パラオ共和国が樹立された。

体も活動を本格化させるなかで、独立を求める声も大きくなりました。

「復帰」して40年になる2012年に私は『琉球独立への道』を出版しました。同書では太平洋諸島、南アジア諸国、スコットランド等の世界における脱植民地化の過程を検討し、国際法に基づく琉球人による自己決定権行使の可能性を考え、琉球人がネイション（民族）であることを論証し、独立後の将来像を提示しました。同書の特徴は、独立論を文化、思想だけでなく、他の植民地や独立諸国との比較を通じて政治経済的にも琉球独立の可能性を検討し、国際法や国連を通じた脱植民地化・独立に向けた活動について分析したことにあります。その後、私は単著として『琉球独立論』『琉球独立への経済学』『琉球独立宣言』『琉球独立』『帝国の島』、編著として『琉球独立は可能か』等の琉球独立に関する本を出版しました。最新の琉球独立論である『談論風発　琉球独立を考える』では、歴史・法・植民地責任、遺骨盗掘問題、独立後の新たな憲法や国籍など、多角的で斬新な視点から琉球独立が具体的に論じられています。

なぜ琉球では独立運動が盛んなのでしょうか。琉球はかつて琉球国という独立国家であり、また戦後の米国統治時代において、主に琉球人が運営する琉球政府が存在していました。琉球人を担い手とした国や政府があったという歴史的事実が、将来の独立に対しても琉球人に自信を与えています。人口約140万人の琉球よりも人口が少ない、世界の島嶼地域が独立を平和的に実現し、国際社会で活躍していることからの刺激もあります。

近年のアジア経済の興隆と、琉球国の大交易時代とを重ねあわせ、経済自立のプロセスとして独立に期待を寄せる人もいます。その背景には、沖縄開発庁（現在は内閣府沖縄担当部局）が主導する振興開発政策が失敗に終わり、開発により環境が大きく破壊された事実があります。豊かな自然環境を残しながら、経済主権を奪回して日本政府による経済的、法制度的な縛りから脱却して、アジア太平洋地域との経済的なネットワークを強化し、経済発展することが独立によって可能になるのです。

琉球人は、「復帰」直後から基地の縮小や撤廃を訴えてきました。しかし、日本列島の安全保障を重視する日本政府は琉球人の訴えを無視し、米軍基地を集中させました。しかし基地関連経済の県民総生産に占める比率が約5％程度となり、基地跡地開発による経済効果が大きくなったことで、米軍基地の存在が経済的に大きなデメリットでしかないことが明らかになりました。独立すれば日本政府の妨害をうけないで、米軍基地を撤廃できると考えて琉球独立を求める人びとも増えています。

近年の琉球文化の興隆を通して、自文化に対する自信が深まり、琉球人としてのアイデンティティが強化され、独立への志向性が強まりました。先住民族として琉球人を考え、国連、国際NGO、世界の諸機関や団体等と連携をとりながら、国際法に基づいて日米による琉球に対する植民地支配を世界に向かって告発するようになりました。琉球が世界と直接結びついて、その現状を変革しようとしており、運動や意識の面での独立性がより明確になりました。

参考文献

松島泰勝『琉球独立への道』法律文化社、2012年
松島泰勝『琉球独立論』バジリコ、2014年
松島泰勝『琉球独立』Ryukyu企画、2014年
松島泰勝『実現可能な5つの方法　琉球独立宣言』講談社文庫、2015年
松島泰勝『琉球独立への経済学』法律文化社、2016年
金城実・松島泰勝『琉球独立は可能か』解放出版社、2018年
松島泰勝『帝国の島』明石書店、2020年
前川喜平・松島泰勝編著『談論風発　琉球独立を考える』明石書店、2020年

22 国連は琉球（沖縄）をどう見ているか

〔松島泰勝〕

国連は琉球をどう見ているのでしょうか。日本の一部と見ているのですか、それとも独自の文化をもった地域・人びとと見ているのですか。

米国が琉球（沖縄）を植民地として支配していた時期である、１９６２年２月１日、琉球立法院（琉球の民撰議会）は「２・１決議」を採決しました。琉球立法院は、国連憲章、植民地独立付与宣言に基づいて、米国による植民地支配を批判し、同決議を国連本部と全加盟国に送付しました。１９６３年２月、タンガニーカ（現在タンザニア）で開催された、第３回アジア・アフリカ諸国人民連帯大会は、「４月28日を『琉球デー』として、国際的共同行事を行うよう、すべてのアジア・アフリカ人民に訴える」という決議を採択しました。

琉球先住民族である私は、国連ＮＧＯの市民外交センター（代表は上村英明氏）のメンバーとして、１９９６年に国連欧州本部で開かれた人権委員会先住民作業部会に参加しました。アイヌ民族は１９８７年から同作業部会に出席しており、私は国連での人権回復運動の意義についてアイヌ民族から多くのことを学びました。

なぜ私は国連先住民作業部会に出席したのでしょうか。国際法である、ＩＬＯ１６９号条約では、先住民族を次のように位置づけています。先住民族とは、特定の地域に住み、独自の言葉、社会組織、信仰、精神世界、経済様式、慣習的法制度や土地制度など、他の地域とは異なる生活を行い、大国やマジョリティの民族により支配、収奪、差別されてきたという植民地の歴史を有し、また現在もそのような状況におかれている人びとです。自らの民族的アイデンティティを自覚することが、先住民族であることにおいて重要になります。１８７９年の琉球併合以来、現在まで続く、琉球に対する植民地支配の歴史から考えても、琉球人は先住民族であると私は認識しました。

１９９６年、大田昌秀・沖縄県知事が琉球人の生命や生活を守るために日本政府と争った「代理署名訴訟*」において知事の上告が、最高裁で棄却されました。国内法のなかで琉球人の人権を守ることが非常に困難であると思い知らされました。日米安保条約、日米地位協定という国際法が国内法を上回る権限を有するというのが日本の現状です。琉球人の先住民族としての権利を国際人権法に基づいて主張できる場所が国連です。そこでの活動を通じて安保条約、地位協定に対抗し、琉球人の生命や生活を守ることができるのではないかと考えて、私は国連に行きました。

作業部会に参加した多くの先住民族が「琉球は自分たちと同じような歴史をもっており、現状で

＊在日米軍の軍用地使用にあたって土地所有者が応じない場合、市町村長が代わって署名押印を行うこととされ（市町村長が拒否した場合は都道府県知事）ている（駐留軍用地特別措置法）。１９９５年に、１９９６年から97年に使用期限が満了した沖縄県内の軍用地使用権原の代理署名を当時の大田昌秀知事が拒否し、国が知事に対し職務執行命令訴訟を起こした。96年8月、最高裁で県の敗訴が確定した。

ある。今後とも連絡をとりあい協力していきたい」と私に言ってくれました。軍事基地に反対する先住民族の集いに参加したとき、カナダのイヌー人がＮＡＴＯの空軍基地撤去を求め、ハワイのカナカ・マオリが米軍基地に強く反対しており、琉球人と同じ植民地支配下におかれた人びとと意見交換しました。

私は２０１１年にグアム政府代表団のメンバーとして、国連脱植民地化特別委員会*の会議で報告し、２０２０年にニライ・カナイぬ会（研究者によって奪われた琉球人遺骨の返還・再風葬を実現するための団体）と市民外交センターの共同声明を、国連先住民族の権利に関する専門家機構の会議において発表しました。

国連ＮＧＯの琉球弧の先住民族会と市民外交センターの支援を受けて、20年以上毎年のように琉球人は国連のさまざまな委員会に出席して、琉球の脱植民地化、脱軍事基地化を訴えてきました。その結果、国連の各委員会は、「琉球における人権問題」を解決するために日本政府に対して次のような勧告を出してきました。

１　２００１年9月24日、国連社会権規約委員会「部落の人々、沖縄の人々、先住性のあるアイヌの人々を含む日本社会におけるすべての少数者集団に対する、法律上および事実上の差別、特に雇用、住宅および教育の分野における差別をなくすために、引き続き必要な措置をとること」

２　２００８年10月30日、国連自由権規約委員会「国内法によりアイヌの人々および琉球・沖縄

＊国連が１９６０年に採択した「植民地独立付与宣言」に基づいてつくられた。宣言の実行状況を調査し、実施にかんする勧告を行う。宣言は、「１　外国による隷属・支配、基本的人権の否定を構成する搾取、これらへの人々の従属は国際連合憲章に反するもので、世界平和と協力の推進にとっての障害である。２　全ての人々には自決権があり、その権利によって、自由

の人々を先住民族として明確に認め、彼らの文化遺産および伝統的生活様式を保護し、保存し、促進し、彼らの土地の権利を認めるべきだ。通常の教育課程にアイヌの人々および琉球・沖縄の人々の文化や歴史を含めるべきだ」

3　2010年4月6日、国連人種差別撤廃委員会「委員会は、沖縄における軍事基地の不均衡な集中は、住民の経済的、社会的および文化的権利の享受に否定的な影響があるという現代的形式の差別に関する特別報告者の分析をあらためて表明する」

4　2014年8月20日、国連自由権規約委員会「締約国（日本）は法制を改正し、アイヌ、琉球および沖縄のコミュニティの伝統的な土地および天然資源に対する権利を十分保障するためのさらなる措置をとるべきである」

5　2014年9月26日、国連人種差別撤廃委員会「締約国が、琉球の権利の促進および保護に関連する問題について、琉球の代表との協議を強化することを勧告する」

6　2018年8月30日、国連人種差別撤廃委員会「琉球の人々を先住民族と認め、その権利を守るための措置を強化する立場を再確認することを勧告する。米軍基地に起因する米軍機事故や女性に対する暴力は、『沖縄の人々が直面している課題』であるとして懸念を示す。その上で『女性を含む沖縄の人々の安全を守る対策を取り、加害者が適切に告発、訴追されることを保証する』ことを求める」

つまり国連は琉球人を先住民族として認識し、米軍基地の押しつけを人種差別として考え、琉球

に自らの政治的な地位を決め、自由に自らの経済的・社会的・文化的な開発を遂行することを得る」など7項目である。

の歴史や文化の教育を求めるとともに、差別の監視や権利保護措置にかんして琉球側と協議するよう日本政府に勧告したのです。しかし、日本政府は米軍基地を琉球に過大に押しつけ、琉球人を先住民族と認めないという差別政策を改善していません。日本は国際人権上、非常に立ち遅れた国として世界から見られています。

２００９年、ユネスコは琉球の島々の言葉を、独自の言語（奄美語、国頭語、琉球語、宮古語、八重山語、与那国語）として位置づけました。

琉球人は日本国民である前に、国際法上に規定された「人民（民族、Peoples）」です。国連憲章（１９４５年発効）は、日本の憲法や法制度が琉球に適用された１９７２年よりも先に成立したのであり、「人民の自己決定権」のように、琉球人の諸権利を保障しています。「人民の自己決定権」とは、「他者」から「自己（個人でも集団でも）」が支配されたり、統治されたりしない権利です。国連憲章、植民地独立付与宣言、友好関係宣言等の国際法は、自己決定権と脱植民地化とを強く結びつけています。自己決定権は特定の民族に限定されず、集団の規模や政治経済的な構造の内容に縛られません。また国連脱植民地化特別委員会は、「自己決定」を、植民地または従属地域の人びとが自らの土地の将来の政治的地位について決定をすることであると規定しています。自己決定権をもっているのは「人民（民族）」であり、人民は国際法上の権利を行使することができる法的主体です。自己決定権には、内的自決権と外的自決権があり、前者は自治、後者は独立を意味します。つまり、自己決定権は独立する権利も含んでいるのです。

過大な米軍基地の押しつけという、琉球人差別の解消を求める抗議の声が、日本政府によって封じこまれてきました。国内的な救済活動だけでなく、国際的な救済活動を展開する、つまり国連において世界の先住民族と手を携えながら、琉球人の自己決定権を行使することで、植民地支配から脱する道が見つかると考える人が増えてきました。それに呼応して、国連は数々の勧告を日本政府に出してきたのです。日本政府の国連勧告に対する真摯な対応が求められています。

参考文献

松島泰勝『琉球独立への道』法律文化社、2012年

23 国際関係のなかの沖縄

〔宮城隆尋〕

冷戦とベトナム戦争は沖縄とどのような関係がありますか。9・11米国同時多発テロのとき、沖縄ではどのような事態が発生しましたか。

沖縄の基地は当初、米国の極東での政策上、特に重要とはされていませんでした。しかし1950年に朝鮮戦争が始まったことなどから米国は方針を転換します。東西冷戦の構造がアジアを含めてグローバル化するなかで、米国は沖縄の米軍基地の能力を強化し、沖縄は「太平洋の要石《かなめいし》」＊と呼ばれるようになりました。

1952年4月28日にサンフランシスコ講和条約＊が発効し、日本は独立国として主権を回復しました。しかし沖縄は本土から分断され、米国の施政下に置かれたままとなりました。米国はこの後も、すでに接収した軍用地の使用と新たな接収を正当化する布令を次々に発布しまし

＊沖縄を中心に円を描くと、2000キロ以内に東京、ソウル、平壌、北京、台北などがおさまる。東アジア地域の軍事上の要衝に部隊展開ができる場所として米軍が沖縄をこう呼んだ。

＊日本と連合国48か国とのあいだに結ばれた第二次世界大戦終結のための条約。1951年9月8日調印、52年4月28日発効。ただし中国・インドなどとは締結されず、片面講和

た。なかでも1953年4月に発布した布令109号「土地収用令」は、地主に諾否を尋ねるものの、同意がなくても強制的に土地を接収することができるという内容でした。米軍は那覇市の安謝や銘苅、宜野湾市伊佐浜などで武装した兵士たちが強制的に接収を行いました。「銃剣とブルドーザー」と呼ばれる米軍の凶行に、住民らは激しく抵抗しました。55年の強制接収で土地を奪われた宜野湾市伊佐浜の住民のなかにはブラジルに移住した人もいます。

その後、軍用地料の支払いを巡る問題に端を発した「島ぐるみ闘争」などが起きました。しかしベトナム戦争などを機に、米軍は基地の機能強化のため、新規の土地接収を続けました。

冷戦下、米ソ両国で核兵器開発が加速するなか、沖縄にも核兵器が配備されていました。復帰前、辺野古弾薬庫や嘉手納弾薬庫には、1300発もの核兵器が貯蔵されていました。1959年には米軍那覇飛行場配備のミサイルが核弾頭を搭載したまま誤射され、海に落下する事故が起きました。

1962年には米ソが全面戦争の瀬戸際に至ったキューバ危機がありました。その際、米軍内でソ連極東地域などを標的とする沖縄のミサイル部隊に核攻撃命令が誤って出され、現場の発射指揮官の判断で発射が回避されるという出来事もありました。ミサイルは、核搭載の地対地巡航ミサイル「メースB」で、62年初めに米国施政下の沖縄に配備されました。1965年には、米海軍の水爆搭載機が沖縄近海に水没した事故もありました。

沖縄の核兵器は日本復帰の際に撤去したとされています。ただ沖縄返還当時の佐藤栄作首相は、

条約とも呼ばれた。この条約をもって日本は主権を回復したが、同時に北緯29度以南の沖縄・奄美・小笠原は日本から分離され、米国統治がつづいた。そのため、琉球では4月28日を「屈辱の日」として記憶されている。

沖縄県庁ホームページ・米軍基地について

https://www.pref.okinawa.jp/site/kichi/begun/index.html

ニクソン米大統領とのあいだで、有事の際には沖縄に核をもちこめるという密約を結んでいることが明らかになっています。

核兵器だけではなく、1970年には米軍知花弾薬庫に毒ガス兵器が貯蔵されていることも明らかになり、住民の反発を招きました。毒ガスは復帰までに、住民の避難を伴う大規模な撤去作業を経てすべて沖縄からもちだされました。

ベトナム戦争の戦況が悪化すると、米軍は沖縄に配備していたB52戦略爆撃機をベトナムに向けて出撃させるようになります。1968年2月以降、嘉手納基地を拠点としたベトナム爆撃が恒常化します。出撃拠点となった沖縄はベトナムで「悪魔の島」と呼ばれたといわれています。沖縄の住民は墜落の危険性や騒音などの被害だけでなく、戦争への加害者性にもさいなまれました。

68年11月、B52は嘉手納基地を離陸した直後に墜落事故を起こし、沖縄からの撤去を求める声は大きなうねりとなります。米軍基地の従業員が加入する全沖縄軍労働組合（全軍労）も加わったゼネラルストライキが計画されるなど、沖縄返還交渉にも影響を与える動きになりました。B52は1970年10月、沖縄から撤退しました。

1972年の沖縄返還に向けた日米交渉は「核抜き・本土並み」をうたいましたが、裏では有事に核をもちこむことができる密約や、事実上の基地の自由使用を容認する取り引きがありました。復帰後も冷戦構造のなかで米軍基地の大半は沖縄に残り、県民は事故や犯罪、騒音に苦しんできま

米軍によって土地を奪われた農民（1955年頃、読谷平和資料館提供：阿波根昌鴻氏）

した。

◇　◇　◇

沖縄の経済における米軍基地への依存度は復帰以降、次第に限定的となりました。沖縄県によると、基地関連収入が県民総所得に占める割合は１９６５年度で約30・４％、72年度で約15・５％でした。復帰から42年たった２０１４年度には約５・７％と大幅に低下しています。米国統治下の沖縄経済は高度経済成長を遂げた日本全体の経済から切り離され、基地依存型の経済でした。復帰後は社会資本が整備され、県民総所得全体が増加しています。観光収入は伸び続け、基地関連収入の倍以上となっています。

米軍基地の返還後、跡地利用が進んだ地域では経済効果や雇用者数が倍増しました。県によると、那覇市新都心地区で年間の直接経済効果は返還前の52億円から１６３４億円へと約32倍増えました。北谷町桑江・北前地区では３億円から１０８倍の約３３６億円に膨らんでいます。

沖縄の経済は米軍基地への依存から観光関連産業中心に変化してきました。しかし米軍基地が観光産業の足かせとなったのが２００１年、米国で発生した同時多発テロ*の直後でした。テロがあった米国から沖縄は遠く離れていますが、米軍基地が集中する沖縄は「危険だ」との風評が日本全国で急速に広がりました。特に修学旅行のキャンセルの動きは顕著でした。新潟、神奈川両県の教育委員会は各高校に沖縄を名指しして注意を呼びかける通知をしました。

観光客の激減にさらされた観光業界は、宿泊料金の値下げなど価格競争に陥りました。２００１

*２００１年９月11日に発生したテロリスト集団アルカイダによる、民間の航空機をハイジャックして引き起こされた米国に対する４つの協調テロ攻撃。マンハッタンのワールドトレードセンタービルやバージニア州のペンタゴン（アメリカ国防総省本庁舎）などが攻撃を受けた。これらの攻撃よって２９７７人が死亡し、２万５０００人以上が負傷した。

年の観光客1人当たりの県内消費額は前年比で8・8%減の7万6000円に落ちこみ、復帰後6番目に低い額となりました。

2001年の入域観光客数はNHKのドラマ「ちゅらさん」の大ヒットで波に乗っていましたが、9月のテロ以降、急速に落ち込んで前年比1・9%減の443万3400人となりました。修学旅行をキャンセルした学校は879校（約20万人）に上りました。

テロの影響は県経済全体に深刻な打撃を与えました。観光客数が戻って以降も、旅行商品の低価格化に歯止めはかからず、業界を苦しめています。県の基幹産業は米軍基地関連産業から観光産業に変わりましたが、観光でさえ米国の情勢という外的な要因によって左右されてしまう状況にあります。

24 琉球（沖縄）経済の動向

〔松島泰勝〕

琉球経済は基地や観光に大きく依存しているのでしょうか。経済的な自立のためには何が必要ですか。

1972年の「復帰」前後、観光業ではなく、CTS（石油備蓄基地）*、石油化学コンビナートによって琉球の経済自立を実現しようと、日本政府、琉球政府（後に沖縄県庁）は考えていました。しかし平安座島の海が埋め立てられ、CTSが建設されると、海が汚染され漁業が衰退しました。日本の重化学工業関連産業が衰退するとともに、同島の石油精製が中止となり、多くの労働者が解雇されました。大規模な企業の進出はなく、製造業の発展や、高失業問題の解消は実現しませんでした。その後、琉球全体の産業のなかで製造業のシェアーは低下し、観光業が主要産業になり、日本政府

*オイルショック（第4次中東戦争やイラン革命によって1973年、79年におきた）に代表される世界的な石油の急激な価格変動や戦争による石油供給の減少に備えて石油を備蓄するための施設。

の沖縄開発計画は完全に破綻しました。

「復帰」後、沖縄振興開発特別措置法（沖振法）という沖縄県に限定された法律が施行され、日本政府の沖縄開発庁が開発計画を作成しました。沖縄開発庁が開発調査、各省庁との調整をしたうえで、一括計上方式という各省庁の沖縄県にかんする振興開発予算をまとめて計上し、高率補助を実現させました。構造的に日本政府が決定権をもつ開発システムであり、琉球側の主体性が奪われた開発体制でした。

沖縄開発庁は、2001年から内閣府沖縄担当部局に名称を変更しました。内閣府沖縄担当部局は、開発とともに基地、政治も含めて、総合的に沖縄県を管理する性格をもつようになり、琉球を植民地支配する日本の国家体制がさらに強化されました。そのような体制に基づいて、琉球側が新しい米軍基地の建設を拒否すると、補助金を減らすという「アメとムチ」の政策を実行するようになりました。

2010年3月に提示された「21世紀沖縄ビジョン」策定まで、沖縄県庁が自らの予算措置を伴う経済計画を作ったことがありません。同ビジョンにしても予算配分権は日本政府にあり、同ビジョンが実現するかどうかは日本政府の意のままです。

日本政府から提供された振興開発事業費全体の90％以上が公共事業に投じられました。道路・港湾・空港・ダムの建設、土地改良事業等のような大規模な開発によって、沖縄島周辺のサンゴ礁*の90％以上が破壊されました。サンゴ礁が破壊されると、海の生物もいなくなります。また同公共事

＊サンゴ礁は、その周辺に多くの他の生物も生息する生物多様性を保持するための重要な役割を担っている。琉球列島付近には日本に生息する8割の造礁サンゴ礁（サンゴ礁を形成するサンゴ）が存在する。サンゴ礁の破壊は深刻な生物多様性の危機に直結する。

業を受注した企業の約半分は日本本土に拠点をおいており、企業の収益が日本本土に流れ、そこで納税が行われるため、振興資金が琉球経済のなかで十分に循環しません。これは「ザル経済、砂漠経済」といわれています。

2017年における沖縄県の経済状況は次の通りです。県内総生産は名目値で1972年当時の約4592億円から約4兆4140億円へと9・6倍となり、同期間の国内総生産（名目値）の伸び率（5・7倍）を上回っています。県民総所得に占める軍関係受取（軍雇用者所得や軍用地料等）の割合は6・0％、観光収入は14・9％、財政依存度（政府最終消費支出と公的総固定資本形成）は37・8％でした。沖縄県の経済は、日本政府からの公的資金に大きく依存していますが、基地経済からは脱却し、観光経済が大きく発展しました。軍関係受取のうち、「軍用地料」、「軍雇用員所得」等は日本政府によって支出されており、日本政府が基地経済を下支えしています。また高額の保証金を企業に課すボンド制により、沖縄県の中小企業ではなく、日本の大手建設会社が基地内建設工事を受注し、利益を日本本土に拠点をおく本社に還流させています。

一人当たり沖縄県民所得は約234・9万円であり、一人当たり国民所得（約316・4万）の74・2％しかなく、全国で最も県民所得が少ない県の一つです。産業別県内総生産（名目）の構成比を見ると、第1次産業が1・5％（全国は1・2％）、第2次産業が16・9％（うち製造業が4・4％、建設業が12・4％）（全国はそれぞれ26・5％、20・8％、5・7％）、第3次産業が82・1％（全国は71・6％）となっています。全国との所得格差が見られ、第3次産業に大きく偏った産業構造になっています。

２０１９年の沖縄県への入域観光客数は約１０１６万人であり、初めて１０００万人を超えました。内訳を見ると国内客は約７２３万人、外国客は約２９３万人でした。２０２０年の入域観光客数は約３７４万人であり、前年比で約６４３万人減、率にして63・２％減となりました。次の諸点が、過去最大の落ちこみの原因となりました。①新型コロナウイルス感染症の影響による旅行自粛、②国内航空路線の運休・減便による国内客の減少、③海外からの入国制限措置による外国客の減少、④クルーズ船の寄港キャンセルや海外渡航路線の運休、⑤日韓関係の悪化による韓国客の減少。琉球の観光業は、さまざまな要因で観光客数が大きく減少する不安定な構造を抱えています。

「復帰」後、大規模な土地改良事業が行われ、製造企業の誘致を目的にした、珊瑚礁の埋立て事業が実施されました。しかし、農林水産業、製造業が大きく衰退する一方で、観光業を中心としたサービス業に偏重し、高率補助金によって政府部門が肥大化しました。食料自給、物的生産の基盤が脆弱であり、島外への依存度が増し、国内外の政治経済や社会の変動に島の経済が左右されやすい、歪な経済構造となりました。振興開発で建設された施設やインフラの維持管理費は市町村自治体の負担になるため、立派なインフラや施設ができても、その維持管理費の負担で自治体の財政赤字が増える構造になっています。

沖縄振興開発政策が失敗した主な原因は次の通りです。①琉球の実態に基づかない画一的な開発手法、②振興開発予算配分率の固定化、③開発計画の策定・実施過程における琉球側の主体的な参加の欠如、④中央官庁による介入・規制・指導、⑤基地と振興開発とのリンケージ。

「基地と振興開発とのリンケージ」は、「アメとムチ」ともいわれています。1995年に琉球人少女が3人の米兵にレイプされた事件をきっかけに、反基地運動が激しくなりました。そのような動きを抑えるために、日本政府は基地と振興開発とを結びつける政策を実施したのです。基地関連の振興開発に依存させて、住民が基地を容認するように、日本政府は仕向けました。日本政府の基地押しつけ政策と直接結びついた振興開発として、次のものがあります。普通交付税の算定項目に安全保障への貢献度を反映させる基地補正、沖縄米軍基地所在市町村活性化特別事業、北部振興事業、SACO補助金、SACO交付金、駐留軍等の再編の円滑な実施に関する特別措置法に基づく振興開発等。

振興開発は「アメ」といわれていますが、ハコモノの維持管理費は自治体負担となり、財政赤字の要因となります。1990年代半ばから膨大な振興開発資金が投じられた沖縄島北部地域で、経済自立を実現した自治体はありません。沖縄県全体をみても「アメ」で自立的に発展した事例はありません。

琉球では、外部から振興開発や民間投資の資金が投じられ、経済的利益が生まれても、その大半が島内で循環せずに外部に流出する植民地経済が形成されました。低賃金・不安定・重労働の労働条件下で働く琉球人も増えています。今、琉球で一番深刻な経済問題は、「子どもの貧困問題」です。日本政府から、一括交付金を含む振興開発資金がどれほど与えられても、日本政府への経済依存、基地の強制、本土企業の支配、「子どもの貧困」がさらに進むだけです。
琉球の経済自立のためには、地域の住民、自治体、企業が主体的に発展計画を作成し、自主的な予算決定権をもち、地域のさまざまな資源を活用するとともに、文化や自然と調和した持続可能な発展を推進していく「内発的発展」が望ましいのではないでしょうか。

参考文献・サイト
松島泰勝『沖縄島嶼経済史――12世紀から現在まで』藤原書店、2001年
松島泰勝『琉球独立への経済学』法律文化社、2016年
内閣府沖縄総合事務局総務部調査企画課編『沖縄県経済の概況』内閣府、2020年
「入域観光客数」(沖縄県ホームページ：https://www.pref.okinawa.jp/site/bunka-sports/kankoseisaku/14734.html)

25 米軍基地に反対する人びと

〔多嘉山侑三〕

米軍基地の前で座りこみして抗議活動をつづけている人たちの姿をテレビで見ました。どういう抗議活動を、なぜつづけているのでしょうか。

名護市辺野古のゲート前で座りこみをして抗議活動をする人びとの存在を、もしかしたらニュースで見たことがあるかも知れません。宜野湾市にある「世界一危険」といわれる米軍普天間基地を移設するという名目で、日本政府が現在も強行する辺野古基地建設。それに反対する人びとの抗議行動の一つですが、そもそも沖縄県の立場としても辺野古基地建設には公式に反対しています。なぜなら、沖縄県は普天間基地については無条件での返還を、もしくは代わりの基地が必要であれば県外・国外への移転を求めているからです。その証拠に沖縄では数々の選挙で辺野古基地建設へ反対を掲げる人が当選しつづけ、２０１９年の「辺野古米軍基地建設のための埋立ての賛否を問う県民投票」*においても投票者の72％が「反対」でした。また、普天間辺野古問題以外にも嘉手納基地の米軍機の爆音被害に対して訴訟を起こしたり、北部訓練場跡地への米軍による大量の廃棄物へ抗議したり、東村の高江という場所で強行されるヘリパッド建設へ抗議活動を行ったり、沖縄の人びとは沖縄島内の米軍基地に対してさまざまな抗議の声を上げつづけています。

では、なぜこのように沖縄では現在も米軍基地に反対する人が多いのでしょうか。

その背景には、米軍基地が作られた歴史と、その存在によって被る事件・事故および理不尽な状況があります。これらについてこれからお話ししていきます。

そもそもいつ、どのようなきっかけで米軍基地が沖縄に作られたのでしょうか。それは「9なぜ、沖縄戦が起きたのか」でも触れた、あの沖縄戦にさかのぼります。太平洋戦争時、アメリカは元々「オレンジ・プラン」と呼ばれる日本に対する国防戦略を立てており、そのなかで沖縄を日本本土への爆撃のための前進基地と位置づけていました。米軍が沖縄に上陸して沖縄戦が開始された後、米軍はその戦略を忠実に実行していきます。戦闘の最中に日本軍の航空基地を占領したり、もしくは民間地を強制接収したりして、次々と沖縄の地に米軍基地を建設していきました。しかし、戦闘状態や占領などにかんする国際的取り決めであるハーグ陸戦条約*では、戦争中の民間地収奪を禁じています。米軍のこういった行為は国際法違反だという指摘が現在もつづいていますが、それによって米軍が基地を返還したり、何かしらの謝罪をしたことは一度もありません。

＊２０１９年2月24日実施。沖縄県の県民投票条例に基づいて実施された。日本政府が名護市辺野古地区に計画している米軍基地建設のための埋め立てに対して賛成・反対・どちらでもないからの三択によって行われた。投票総数60万５３８５票。有効票数60万１８８８票。投票率52・48％。賛成11万４９３３

http://www.mco.ne.jp/~herikiti/index.html

ヘリ基地反対協議会

そして沖縄戦および太平洋戦争は日本の敗戦によって幕を閉じ、日本全体が米軍の占領化に置かれます。その後1951年のサンフランシスコ講和条約によって日本が主権を回復して独立を果たしますが、このとき沖縄は日本から切り捨てられ、引きつづき米軍支配下に置かれることとなりました。実はその背景として、1947年の天皇メッセージ*があったといわれています。その内容は「沖縄を長期的に米軍に占領させることで天皇制の維持と日本の独立を図りたい」というものでした。つまり、天皇制の維持のために沖縄戦が起こり、戦後もまた天皇制の維持のために沖縄は米軍支配下に置かれつづけたのです。

そして日本が独立し、やがて高度経済成長へと向かっていくなか、米軍支配下の沖縄では、いわゆる「銃剣とブルドーザー」で民間の土地を強制接収して新たな米軍基地が作られていきました。そのやり方は、土地の立ち退きを拒否する住民に銃剣を突きつけ、その目の前で家ごとブルドーザーで敷きならすという暴力的なものでした。さらには、通常は地主へ継続的に支払われ続けるはずの土地の使用料を一括で支払う方針を打ち出し、米軍基地を無期限に使用しようとしたのです。

そういった米軍側の不当な仕打ちに対して、住む土地を奪われた住民を中心に沖縄の民衆は一丸となって立ち上がります。一括払い反対、適正補償、損害賠償、新規接収反対という「土地を守る四原則」を掲げた反対運動が沖縄各地に広がり、いわゆる「島ぐるみの土地闘争」となります。

また、理不尽な米軍支配は土地の強制接収だけではありませんでした。基本的に住民の生活より軍事優先で、ヘリコプターからのトレーラー落下による小学生圧死事故、不発弾の爆発、毒ガス漏

票（19・10％）、反対43万4273票（72・15％）、どちらでもない5万2682票（8・75％）。

*1899年ハーグ平和会議で採択された。交戦者の定義、宣戦布告、戦闘員・非戦闘員の定義、捕虜・傷病者のあつかいなどを規定している。捕虜の人道的あつかい、非戦闘員に対する殺傷の禁止、占領地での略奪の禁止などを定めている。

*16戦後の沖縄の扱いにかんする「天皇メッセージ」参照。

れなど、住民の生活は危険ととなりあわせだったのです。その上、米軍人・軍属による交通事故や犯罪などで何の罪もない善良な住民が尊い命を奪われたり、特に女性への性犯罪が多発しました。おまけに事件・事故を起こした米軍人・軍属がその後無罪になったり、被害を受けた住民の多くが満足な補償を得られずに、泣き寝入りさせられてきました。このように米軍および米軍関係者によって沖縄住民の人権が踏みにじられてきたのです。

そういった米軍支配下から抜け出し、平和で豊かな島を築くために、沖縄住民が基地の撤去と平和憲法をもった日本への復帰を願うようになったのは当然のなりゆきでした。そして復帰に先駆けて行われた沖縄初の主席選挙では、基地の「即時・無条件・全面返還」を掲げた候補が当選し、日本復帰による「核も基地もない平和で豊かな沖縄県」の実現を要望します。しかし実際は、米軍基地の存続は認められ、沖縄を「太平洋の要石」とする米軍の基本姿勢も変わらず、沖縄住民の要望とはほど遠いものでした。

そして1972年の日本復帰後も、国土面積0・6%の沖縄に、在日米軍基地面積の7割以上が集中するという差別的な状況が続き、米軍による実弾砲撃演習や各種の軍事訓練による自然環境・生活環境の破壊、米軍人らによる事件・事故の多発と日米地位協定による特権的扱いなど、県民の生活は脅かされつづけていました。

そのようななか、1995年9月に3名の米兵によって12歳の少女が強姦されるという、いわゆる少女暴行事件が起きます。そこで戦後50年間の鬱屈した県民の怒りが爆発し、翌月10月に県民総決起大会が開かれ8万5000人もの人が集まります。そこで米兵による少女暴行事件を糾弾し、日米地位協定の見直しと米軍基地の整理縮小を求める声が上がりました。そしてその声が日米政府を動かし、沖縄における施設及び区域に関する日米特別行動委員会、通称SACOが設置されます。そこで普天間基地返還も含めた米軍基地返還の話が日米政府のあいだで行われたのですが、最終的にはそのほとんどが県内移設条件となっており、沖縄県民が求めた実質的な基地負担軽減からはほど遠い内容でした。

その後SACOの内容に従って普天間基地の代替施設の場所が名護市辺野古に決まり、キャンプ・シュワブ沿岸を埋め立ててV字滑走路を建設する現行案が2006年に日米政府のあいだで合意されます。それから沖縄では、先ほどお伝えしたとおり数々の選挙で辺野古基地建設反対を掲げる候補が当選し、反対の民意を示しますが、日本政府はその民意と向きあおうとせずに計画を進めます。

そこで2014年7月に、埋立工事のためのトラックが通過する辺野古ゲート前で、本項冒頭でお伝えした座りこみの抗議活動が開始されたのです。その参加者のほとんどが、沖縄戦の経験者もしくは米軍支配下時代を経験された高齢者の方々です。戦後の米軍基地の歴史や、米軍人による事件・事故、沖縄県民への不当な扱いなどを知れば、この方々が座りこみをする理由が理解できるのではないでしょうか。そして、あのとき願った「核も基地もない平和な沖縄を」という想いもまちがいなく次の世代に引き継がれていくことでしょう。

26 米軍基地の環境汚染

〔島袋夏子〕

米軍基地が飲料水に深刻な環境汚染を引きおこしているといわれますが、どんな被害が、どれくらい広がっているのでしょうか。

沖縄の人たちが米軍基地に反対の声を上げる理由の一つに、米軍による環境汚染の問題があげられます。嘉手納基地や普天間基地周辺では戦闘機やヘリコプターの離着陸や訓練にともない、窓が揺れるほどの激しい騒音が発生し、人びとの会話や学校の授業が中断されることが日常的に起きています。また演習場として使われている山林は山肌がむき出しになり、火災も発生しています。

ここでは今最も深刻な飲料水の大規模汚染について紹介します。飲料水の汚染が発覚したのは、２０１６年1月18日のことでした。沖縄県企業局が、沖縄本島中部にある北谷浄水場の取水源（河川や地下水）が、有害物質で汚染されていることを発表したのです。しかも県民を驚かせたのは、汚染源が「米軍嘉手納基地にある可能性が高い」とみられていることでした。

汚染していたのはＰＦＯＳ（ピーフォス）、ＰＦＯＡ（ピーフォア）と呼ばれる有機フッ素化合物です。ＰＦＯＳ、ＰＦＯＡは、水や油をはじく性質から、焦げつかないフライパンや撥水加工が施されている衣類やじゅうたん、ファストフードの容器など生活のあらゆる場面で多用されています。しかし環境中で分解されにくく、人の体内にとりこまれると長く蓄積されることが分かっています。

ＰＦＯＳは「残留性有機汚染物質に関するストックホルム条約*」（ＰＯＰｓ条約）で、製造、使用、輸出入を制限すべき物質に、ＰＦＯＡは廃絶すべき物質にあげられています。

各国の国内での規制のための指針情報を提供するＷＨＯの外部組織・国際がん研究機関ＩＡＲＣは「動物に発がん性の根拠はあるが、ヒトへの発がん性については可能性にとどまる」との見方ですが、イタリアで疫学の専門家がＰＦＯＡをとりあつかう労働者を対象に実施した最近の調査では、肝がんや肝硬変の死亡率が高まっていることが指摘され、ヒトに発がん性を有する可能性がますます高まっています。また、国内外の多くの研究で発達毒性が指摘されていて、低体重児が生まれるリスクが高いことも明らかになっています。

しかしＰＦＯＳ、ＰＦＯＡについて、国内では２０１６年当時、規制する値が設けられていませ

＊２００１年５月採択、２００４年５月発効。日本は２００２年に受諾。残留有機汚染物質（ＰＯＰｓ）の減少を目的とし、製造・使用・輸出入の禁止・制限している。

んでした。そのため沖縄で発覚した取水源汚染への対応は遅れたのです。

汚染状況を、２０２０年に設定された国の規制値と比較してみます。沖縄県企業局によると、取水源の汚染は7市町村、45万人に影響するということでした。特にＰＦＯＳ、ＰＦＯＡの汚染が深刻だったのは、米軍嘉手納基地内を流れる大工廻川《だくじゃくがわ》です。大工廻川では２０１９年度の水質検査で、環境水指針値（50ng/L＝飲料水目標値も同じ）の約34倍（1675 ng/L）を記録していました。また大工廻川と合流する比謝川《ひじゃがわ》の比謝川取水ポンプ場では２０１８年度に指針値の約12倍（608 ng/L）、長田川取水ポンプ場では約14倍（684 ng/L）と高い数値が出ていました。

しかしなぜ、このような有害物質が米軍基地内から漏れだし、河川や地下水を汚染しているとみられていたのでしょうか。ＰＦＯＳ、ＰＦＯＡは軍事活動には欠かせない〝あるもの〟の成分あるいは成分原材料として使われてきたのです。

軍事活動には事故や火災のリスクがともないます。沖縄県によると、沖縄が本土復帰した１９７2年から２０２０年にかけて、米軍機（戦闘機やヘリコプターなど）の事故は、８２６件（うち墜落49件）に上っています。じつは、そんな軍事活動に欠かせないものとされてきたのが、ＰＦＯＳやＰＦＯＡを使った「泡消火剤」でした。撥水性撥油性に富んだＰＦＯＳ、ＰＦＯＡを使用した「泡消火剤」は、燃焼を抑える効果の高さから米軍が１９６０年代から重用してきたのです。

沖縄県企業局は河川や地下水のＰＦＯＳ、ＰＦＯＡ汚染は、米軍嘉手納基地内にある泡消火剤が地下水に漏れ出したためだと推測していました。ところがいざそれを確認し、除染に向けて取り組もうとした途端、沖縄県企業局は大きな壁に直面しました。

日米地位協定の環境補足協定では、有害物質などの漏出について通報が行われたとき、自治体は米軍基地内への立ち入りを「申請することができる」と定めています。しかし申請については「妥当な考慮を払う」「実行可能な限り速やかに回答する」としているだけで、受け入れ義務は課されていないのです。沖縄県企業局は米軍に対し、2016年と2020年に嘉手納基地内での立ち入り調査を求めましたが断られています。そして2021年8月現在も米軍は汚染源が基地内にあるとは認めていません。

PFOS、PFOAの流出は他の基地でも起きていました。2020年4月10日には普天間基地で22万7100リットル（水で希釈した量）もの泡消火剤が漏れだし、そのうち14万3830リットルが基地外に流れ出ました。しかも半年後に米軍が発表した事故原因は、兵士らが基地内でバーベキューをした際、近くにある格納庫の火災消火システムが誤作動したためだったというのです。

米国防総省は、米本国や海外にある651の米軍施設（2020年3月現在）でPFOSやPFOAが土壌や地下水を汚染した可能性を指摘し、除染や代替品との交換に乗りだしています。しかし沖縄では、地元の立ち入り調査も認めず、有害物質を含む泡消火剤が今も貯蔵され、ずさんに管理されていたのです。

一方、米軍基地として使用されていた土地では、深刻な土壌汚染も発覚しています。代表的な例が2013年、沖縄県中部、沖縄市の返還軍用地で発覚したドラム缶発掘事件です。この場所は約

14年間、サッカー場として使用されてきました。ところが改修工事の最中に古いドラム缶（全部で108本）が発掘されたのです。

ドラム缶の付着物からは、有害なダイオキシン*も検出されました。しかもそのダイオキシンを詳しく調べたところ、ベトナム戦争で使用された枯れ葉剤と同じ「最も強い毒」が検出されていたこともわかりました。枯れ葉剤といえば、ベトナムで今も約300万人を苦しめている病気や先天性奇形の原因とみられる化学兵器です。なぜそのような恐ろしい毒が沖縄の返還軍用地から検出されたのか。事件は、米軍の前線基地として、米国の戦争に深くかかわってきた沖縄の闇を浮き彫りにしました。

さかのぼるとベトナム戦争中の1967年5月には、嘉手納基地のジェット燃料が地下水に流れこみ、民間地の井戸水に火がつく「燃える井戸」事件が起きていました。また1974年には、浦添市にあるキャンプ・キンザーの海岸に野積みにされていた物資から有害物質が海に流れだし、魚が大量死する事件が起きていました。

これらの環境事故、事件は氷山の一角だとみられます。沖縄の米軍基地はベトナム戦争後も、湾岸戦争やイラク戦争など、いくつもの戦争にかかわってきました。沖縄の土地がどのように使われ、となりあわせに暮らす沖縄の人たちがどんな危険に晒されてきたのか。その全容は明らかにされていないのです。

*ダイオキシン類は、ポリ塩化ジベンゾパラジオキシン、ポリ塩化ジベンゾフラン、ダイオキシン様ポリ塩化ビフェニルの総称。これらは共通の構造をもち、発がん性・催奇性など類似した毒性を示す。

27 基地返還地の未来像

〔真喜屋美樹〕

現在の沖縄を代表する商業地域や商業施設となっている、那覇市のおもろまち、北谷町の美浜アメリカンビレッジ、北中城村のライカム、最近では、浦添市に建設されたパルコシティは、すべてアメリカ軍基地だった場所です。基地返還地はどんな未来像をもっていますか。

ここで、沖縄戦から戦後にかけての沖縄の土地の歴史をふり返ってみます。戦争直後の沖縄は、「鉄の暴風」と呼ばれる艦砲射撃によって、戦前とはすっかり地形が変わるほど破壊されていました。また、戦争が終わっても、占領接収によって多くの土地がアメリカ軍に占領されたままとなったため、人びとは帰る場所を失いました。

1950年頃になると、強制収容所から帰郷を許可された人びとが、戦後の新しい生活を始めます。しかし、1950年代の朝鮮戦争*や中台戦争の勃発、東西冷戦時代への突入という国際情勢の変化が、生活をとり戻しはじめた人びとの生活空間から、再び土地を奪うこととなりました。

アメリカ軍は、緊張する東アジア情勢への対応を目的に、沖縄の基地を強化し面積を広げる方針をとったのです。そのため、「銃剣とブルドーザー」と表されるように、沖縄の人たちに銃剣を突きつけ、ブルドーザーで家を破壊するという方法で強制的に土地をとり上げ、急速に基地を整備拡大しました。1950年代は、沖縄にあるアメリカ軍基地が、現在のように広大な面積を占有するようになった節目の時代でもあります。

このように、占領接収と強制接収により、小さな島に次々と大規模な軍事基地が建設されました。その結果、かつて人びとが暮らしを営んでいた平坦で使い勝手のいい空間の多くはアメリカ軍基地となり、故郷を失った沖縄の人たちは、新たに生活する場所を求めなければならなくなりました。

そんな沖縄の人びとにとって、基地を返還させて跡地利用をすることは、生活の再建そのものだったのです。たとえば、戦争直後の読谷村は、村面積の90％を米軍基地に占有されていました。そのため、読谷村の戦後の村づくりは、村人総出で基地を返還させる運動を行い、返還された跡地に新たに生活拠点を作ることからはじまりました。現在、読谷村役場がある場所も、かつてはアメリカ軍基地があった場所です。

読谷村と同じ沖縄本島中部にある北谷町や浦添市も、平坦な一帯を基地に接収されたため、戦後

＊朝鮮半島を分断するかたちで1948年に成立した大韓民国（韓国）と朝鮮民主主義人民共和国（北朝鮮）のあいだで生じた朝鮮半島の主権をめぐる紛争。1950年6月25日、北朝鮮軍の越境攻撃にはじまり、53年7月27日に休戦。現在も休戦（戦争）状態が継続している。韓国を支持するアメリカを代表する西側と北朝鮮を支持する中国・ソビエトの東側の代理戦争ともいわれ、およそ300万人の死者を出した。

の地域づくりに苦労した自治体です。基地が建設されたために故郷の土地を失った人びとは、基地周辺の狭隘な傾斜地に身を寄せるように家を建て、戦後の暮らしを始めました。

こうした経験をしてきた沖縄の人びとにとって、基地返還後の跡地利用は、故郷の土地をとり戻すことはもとより、生活空間をとり戻して暮らしを再建すること、すなわち、戦後の沖縄をつくることそのものでした。

1996年、日米両政府のあいだで交わされたSACO合意によって、県内の11施設、約5000ヘクタールが返還されることが決まりました。さらに、2006年、在日米軍の配置を再検討する米軍再編によって、沖縄本島中南部都市圏にある大規模な6施設の返還が発表されました。このうち2020年現在、予定されていた面積が返還されたのは7施設です。これから、ますます大規模な返還が計画されています。

沖縄本島中南部都市圏は、沖縄県の人口の8割と産業が集中するところです。こうした開発需要が高い、つまり、都市としての価値の高い地域に、SACO合意や米軍再編によって広大な空間が登場するということは、沖縄の未来の発展にとって非常に重要な意味があります。また、返還後の跡地利用によって、かつて軍事空間であった基地を、どのように平和に使うことができるのかにも大きな期待が寄せられています。

読谷村役場

では、以下で、跡地利用後の経済波及効果から跡地利用の成功例とされた、那覇市のおもろまち、北谷町の美浜アメリカンビレッジが、どのように変化したのかを見ることとしましょう。

① 那覇市おもろまち

おもろまちは、2005年に誕生した新しい街です。それ以前は、戦後30年あまりアメリカ軍海兵隊専用の「牧港住宅地区」でした。約195ヘクタールの空間は、1970年代に部分返還がはじまりました。その後、何度か部分返還を経て全面返還まで約20年を費やし、1987年に全面返還が完了しました。さらに、全面返還後に新しい街をつくる都市計画が完了するまでに約20年を要しました。そのため、全面返還された頃に約1800人いた地権者は、長期にわたり自分が所有する土地を活用することができず大変苦しい時間を過ごしました。

他方、こうした困難を乗り越えて誕生したおもろまちは今、那覇市の新しい都心の役割を果たしています。たとえば、国の第2地方合同庁舎や那覇市役所の一部、NHK沖縄放送局、日本銀行那覇支店、沖縄振興開発金融公庫、県立博物館・美術館のような行政施設や金融施設、文化施設などが建設され、活気のある街となっています。また、大型ショッピングセンターやDFSなどの商業施設、アパートやマンションなどの住宅も多数建設され、人口は大幅に増加し、那覇市が発展する活力となっています。

2015年現在のおもろまちの発展の様子を数字で見ると、次のようになります。基地が返還される前に、この地域から発生していた経済効果は年間52億円でしたが、再開発後は１６３４億円となり、返還後の経済波及効果は32倍に上昇していると試算されています。

② 北谷町美浜アメリカンビレッジ

昼間は、サンセットビーチで波と戯れる人たちが、夕暮れどきになると、観覧車のネオンや路上でのストリート・パフォーマンスに誘われるように人びとが集まってくる場所、美浜アメリカンビレッジ。ここは、かつてアメリカ軍基地があり、今も、基地に隣接するという独自の歴史と特徴を生かしてつくられた街です。アメリカンテイストの雰囲気があることで人気があり、一年中、地元の人たち、近隣のアメリカ軍基地に住むアメリカ兵やその家族、国内外からの観光客で賑わっています。

美浜アメリカンビレッジがある北谷町には、東アジア最大のアメリカ軍基地である嘉手納基地をはじめ、陸軍貯油施設、海兵隊施設のキャンプ・端慶覧、キャンプ・桑江という４つの軍事基地があります。１９７２年の本土復帰時点では、町面積の約65％を基地に占有されており、美浜アメリカンビレッジ一帯も、１９８１年までアメリカ軍海兵隊の訓練施設「メイモスカラー射撃訓練場」でした。

国道58号線の西側にあった「メイモスカラー射撃訓練場」は、海沿いの細長い土地でした。北谷町は、中南部都市圏にある町で、国道58号線沿いという交通の便がとてもいい場所にありながら、

https://www.chatan.or.jp/area/americanvillage/

北谷町が紹介するアメリカンビレッジのページ

4つの軍事基地が町を東西に分断するように位置していました。そのため、戦後は「町の顔」となる商業地をつくれませんでした。そこで、北谷町は返還された細長い跡地を、町を発展させる契機にしようと考え、跡地の効率的な利用のために、「メイモスカラー射撃訓練場」の背後の海を埋め立てて、美浜地区という約72ヘクタールの広い空間を造成しました。美浜地区となった跡地は、国道58号線沿いの西海岸にあるという地理的・景観的優位性を生かした都市型観光レクリエーションとして開発する計画が立てられ、1995年に美浜アメリカンビレッジが誕生しました。

軍事基地から海浜一体の都市型リゾート商業地として生まれ変わった美浜アメリカンビレッジは、多くの人たちの憩いの場となっています。2015年現在の美浜アメリカンビレッジの経済波及効果は、美浜アメリカンビレッジに隣接する他の跡地利用と合わせて、返還前の3億円から返還後は336億円と108倍に上昇したと試算されています。

この2つの代表的な跡地利用の事例から分かるように、沖縄県にとって、基地が維持されるよりも、返還を実現して跡地利用を行うほうが、高い経済波及効果があります。すなわち、基地が存在することによって発展の機会が失われる一方、基地返還後の平和的な跡地利用が、未来の沖縄の発展に寄与することは大いに期待できることなのです。

28 今もつづく「沖縄差別」〔白鳥龍也〕

近年、沖縄の人たちはなぜ「沖縄差別」という言葉を訴えるようになったのですか。沖縄の人たちが主張する「民族の自己決定権」とは何ですか。沖縄に対するヘイトスピーチとはどんなものですか。どういう解決策がありますか。

これまで解説してきたことのくり返しになりますが、日本国土の0・6％を占めるに過ぎない沖縄に、日本国内で米軍が専用に使っている基地の7割が集中しています。米軍が日本国内に基地をもって駐留することは日米安全保障条約で認められたことです。その安保条約に基づく、日米の「軍事同盟」関係は、いろいろな世論調査で今や日本国民の約8割が賛成しています。ならば、その基地から発生する事故や騒音などの迷惑は日本全体で分かちあわなくてはなりません。

沖縄に7割の米軍基地が集中するのはどうみても偏りすぎです。沖縄の人たちは、１９７２年の本土復帰によって米軍統治から解放され基地も少なくなると思っていたのですが、逆に沖縄に基地が増える結果を招きました。

なぜでしょう。防衛省は防衛白書などでその理由について、もしかしたら将来戦争が起きるかもしれない北朝鮮と韓国、中国と台湾という場所に近いこと、いいかえると「地理的優位性」を挙げています。その優位性のある沖縄に米軍基地があることが、東アジアの平和と安定を守る「抑止力」になるのだと。

しかし、地理的には朝鮮半島なら九州や中国地方のほうがもっと近い。九州はたしかに台湾からは遠くなりますが、沖縄と九州との距離は７００キロ程度です。戦闘機が飛行するなら10分ちょっとです。そこに「優位性」があるといえるでしょうか。

「抑止力」にしても、沖縄に駐留する米兵約2万６０００人のうち6割は海兵隊員（２０１１年６月現在）です。その海兵隊の実戦部隊はアジア・太平洋地域を回遊して訓練や人道支援活動を重ねており、沖縄にいる時間は1年のうち数か月といわれます。しかも、米軍は早ければ２０２４年から沖縄にいる海兵隊員の半数以上をグアムなどに移転させる計画です。沖縄に残る海兵隊員は数千人、もしかしたら１０００人以下になるともいわれます。これでは、中国や北朝鮮を相手に十分な「抑止力」となるともいえません。

沖縄に米軍基地が集中するのは、まったく別の「政治的理由」からです。沖縄の米軍基地を本土

https://www.pref.okinawa.jp/site/chijiko/kichitai/

沖縄県基地対策課

に移すとします。そこでは当然、反対運動が起きるでしょう。日本政府は、その反対運動を収めてまで基地を移転させる意欲がないのです。

２０１８年２月、当時の安倍晋三首相は衆院予算委員会で、沖縄の基地負担軽減について「日米間の調整が難航したり、移設先となる本土の理解が得られない」と述べました。地理的な条件ではなく、はっきりと「本土の理解が得られない」という政治的な理由を認めたのです。

一方で、沖縄でどんなに基地反対運動が広がろうと、すでにある基地を物理的に追い払うことはできない。だから、放っておけばいい、そういう考えなのです。米軍にとっても、日本政府が「どいてくれ」といわない限り、わざわざ手間をかけて基地を引っ越す必要もありません。沖縄での基地反対運動は、日本国内の問題として無視すればいい話です。

こうした日本政府の理屈を、沖縄県民は沖縄に対する「構造的差別」と呼んでいます。あらゆる差別をなくさなくてはならない政治が、沖縄に限っては基地の集中という地域差別を容認している。これは政治の大罪にほかなりません。

沖縄の人たちは、自分たちを「日本人」と思っているのでしょうか。日本の憲法の下で日本の法律に従い、外国に行くときには日本のパスポートをもって出かけるのですから「日本国民」であることはみな認めるでしょう。しかし、日本人である前に「沖縄人」あるいは「琉球人」であるとの意識があり、そのことを誇りにしています。沖縄語でいう「ウチナーンチュ」ですね。沖縄の人たちはよく本土のことを「ヤマト」、本土に住む人たちを「ヤマトンチュ」と呼びます。自分たちを日本人とは別と区別しているのです。「ヤマト民族」に対する「琉球民族」ともいえましょう。世界には、他とは異なる自分たちだけの歴史や文化をもつ「民族」が多数あり、その一つが「琉球民族」といえます。

たしかに、沖縄はかつて日本とは別の国「琉球国」でした。そこに住んでいた人たちは当然「琉球人」「琉球民族」です。琉球国は小さな島国なので、隣の大国である中国、日本から「貢ぎ物をせよ」「琉球国の王は中国の皇帝が認めて初めて王になれる」「琉球国の貿易は鹿児島の島津藩が管理する」など、さまざまな制約下にはありました。しかし、西洋の米国やフランス、オランダは琉球を独立した国と認め、国と国同士で正式な外交をするための条約も結んでいました。

ところが1879年、日本の明治政府は軍隊や警察を琉球に送りこみ「琉球処分」という侵略行為によって無理やり日本の一部の沖縄県にします。そして、沖縄の人たちを、日本の天皇陛下に仕える臣民（皇民＝こうみん）になるよう教育や文化の押しつけをします。琉球独特の方言「しまくぅとば」を話すことも禁じられます。

世界には琉球以外にもそうやって、独自に築いた歴史や文化を無理やり奪われた人たちがたくさんいます。

だいぶ時間は過ぎるのですが、国連は2007年、先にそこに住んでいた民族が後から来た他の民族に征服、服従させられた場合、先に住んでいた民族には、奪われた土地や物、文化をとり戻す権利が生まれるという「先住民族の権利に関する宣言」を決議しました。国連は「琉球民族」がその宣言に基づく先住民族であると何度も認めて、日本政府に対し、その権利を保護するようにと勧告しています。

国連の宣言を簡単に説明すると、先住民族は、自分たちの暮らしや土地、築いた財産、文化は誰にも奪われず、じゃまされてはならない、これからの暮らしの仕方も自分たちで決める権利をもっているということです。この権利は「自己決定権」と呼ばれます。沖縄で少女暴行事件が起き、米軍基地の集中が問題になった1990年代の半ばから、沖縄でも、基地問題は先住民族の権利に反して自己決定権が認められていないことだとの考えが芽生えてきました。次第にその考えは広まり、沖縄の人たちは、基地は要らないという自己決定権を日本政府に認めさせたいと願っています。自己決定権の裏づけになったのは、2019年2月に行われた県民投票でしょう。投票した7割以上の人が辺野古に新しい基地は不要だと意思表示しました。

ただ、日本政府はどうでしょう。沖縄の人たちを「先住民族」とは認めず、国連の度重なる勧告も無視したままです。日本政府が「先住民族」と認めているのはアイヌの人たちだけ。それも正式に認めたのは2019年。明治時代にアイヌの人たちが住む北海道を「わがもの」にしてから約150年も後です。日本政府には日本は一つの民族によって成り立っている国家（単一民族国家）との思いが強いのです。

もし、沖縄の人たちを先住民族と認めてしまったら、国連宣言や国連の勧告に基づき、米軍基地を撤廃してその土地を沖縄の人たちに返さなくてはなりません。アイヌの人たちはともかく、絶対に沖縄の人たちを先住民族と認めない理由がそこにあり、沖縄の悲運が続いています。

ヘイトスピーチとは、憎しみをぶつける言葉です。人種がちがう、民族がちがう、宗教がちがう、などが憎しみの原因になります。沖縄に対しては、先ほどから説明してきているように、民族のちがいがヘイトの一つの原因になっていると思われます。日本政府や本土の人たちは、沖縄も日本の一部で同じ日本人であり、米軍基地が沖縄に集中していることも日本の安全のためには当然だと考えたり、もっといえば無関心であったりします。が、沖縄の人たちの多くは沖縄と本土（ヤマト）のあいだに漠然とした「境界」を感じ、それゆえ沖縄に対する差別として基地を押しつけられていると感じています。本土のなかにはそれが気に入らないという人もいて、そんな人たちが「米軍基地は日本を守ってくれているありがたい存在だ」「それでも嫌だというのなら、日本からさっさと出ていき独立すればいい」「中国の一部になればいい」といったヘイトスピーチをぶつけるのです。

ウチナーンチュであっても日本国民である沖縄の人たちは、すぐに独立することを望んでいるわけではありません。その前に、日本国民として平等に、憲法が保障する基本的人権や、平和のうちに暮らす権利（平和的生存権）を認めてほしいと願っているのです。その気持ちを理解せずにヘイトスピーチをぶつけることは、やはり沖縄差別にほかなりません。在日韓国・朝鮮人や中国人に向けられるヘイトスピーチは、2016年にできた「ヘイトスピーチ解消法」*という法律で許されないとされています。沖縄の人たちは法律が対象とする外国人ではありませんが、地域的に差別することは同じように許されざる行為です。

＊2016年6月3日施行。「本邦外出身者に対する不当な差別的言動の解消に向けた取組の推進に関する法律」が正式名称。国会は「『本邦外出身者』に対するものであるか否かを問わず、国籍・人種・民族等を理由として、差別意識を助長し又は誘発する目的で行われる排他的言動は決してあってはならない」との趣旨の付帯決議をしている。

ひと⑫ すべては沖縄戦から 大田昌秀

〔伊佐眞一〕

大田さんは1925年に久米島で生まれ、2017年に亡くなりました。その92年の生涯をみて思うのは、沖縄戦の体験が彼の生き方に決定的な意味をもったことです。1945年の沖縄戦は、いわゆる「本土決戦」の前哨戦ともいうべきもので、日本軍と米軍が文字どおり死闘をくりひろげました。そのとき大田さんは、首里にある師範学校の生徒で、動員されて鉄血勤皇隊*に配属されました。情報宣伝部隊員ですから艦砲が雨あられと飛び交う戦火のなかを、軍司令部と行動をともにしながら、同級生たちの死ばかりでなく、凄惨さの極地ともいうべき、この世の生き地獄をみて、九死に一生を得ます。

戦後の始まりは、大田さん本人がいうように文字通りの「再生」であり、「新生」の第一歩でした。沖縄に戦後すぐできた沖縄文教学校と沖縄外国語学校で学んだときの初志は、早稲田大学をへてアメリカのシラキュース大学への進学に続きます。そして1956年、沖縄へ戻って琉球大学財団に就職した

＊沖縄で、防衛招集により動員された日本軍初の14～16歳の学徒で構成された少年兵部隊。沖縄戦で正規部隊に併合され多くの戦死者を出した。

のを機に同大学の教壇に立ちます。学者・研究者としての出発が始まったことになります。そのなかで転機となったのは、1963年に東京大学の新聞研究所で研究をしたことでした。沖縄戦に至らしめた沖縄近代史との取り組みがはじまります。

沖縄での戦禍がおさまって約20年、この間の年月は沖縄が米軍による直接軍事支配を肌身に焼きつけられる、まさに暗黒というしかない過酷な体験でした。アメリカ民主主義もなければ、日本国憲法の恩恵もほとんどゼロの世界だったわけで、このすさまじい現実が大田さんに、琉球・沖縄人はなぜ本土の日本人とはまったく異なる取り扱いをされるかの問いを発せさせたのです。1969年に出版した『醜い日本人』（サイマル出版会）がそれへの回答です。それと同時に、大田さんは近現代の沖縄の新聞をじっくりと読むことで、沖縄の人たちの行動様式、なかんずく日本人への事大主義と沖縄人の自己卑下のよってくるものを追究します。その成果が、1967年の『沖縄の民衆意識』（弘文堂新社）です。

そして1972年の施政権返還。沖縄の人びとが切実に求め続けた一番の願いは、日米両政府によって無視されたまま2度目の「沖縄県」が発足します。広大な軍事基地をかかえる沖縄は、ベトナム戦争や中国・北朝鮮に睨みを利かせる日米安保体制の最前線になります。そのことは当然に、沖縄戦体験者としての大田さんを、近代沖縄の矛盾が集約した結果である沖縄戦研究に向かわせることになります。今日まで数えきれないくらい沖縄戦にかんする著書や論文などが出版されていますが、大田さんは「反戦平和」「人権回復」「自治確立」

大田昌秀（写真・共同通信）

が「沖縄の心」だと明言しています。

その大田さん、1990年から2期8年間、沖縄県知事として内外にオキナワを発信します。沖縄最大の課題である基地問題では、日米両政府との交渉と裁判闘争などに忙殺されますが、こうした行動の根底には、「平和の礎」の建設が象徴しているように、教条的な理念ではなく、琉球・沖縄文化を生きてきた者としての、「命どぅ宝」の思いが、絶対に譲れない信念としてありました。それはまさに必死の叫びにも聞こえましたが、どうでしょうか。

【追記】 2022年は、いわゆる沖縄の日本「復帰」から、ちょうど50年になります。そこで大田さんが1971年11月（「復帰」の半年前です）に出版した『拒絶する沖縄――日本復帰と沖縄の心』（サイマル出版会）の「日本復帰の意味を考える（まえがき）」を読むと、その内容があたかもいまの琉球弧について書いたものではないかとの錯覚に陥ります。米軍が一段と機能強化を行う一方で、自衛隊が沖縄島や宮古、石垣、与那国の島々で、中国を標的にした軍事要塞化をすごい勢いで進めているのが今日の状況だからです。日本《ヤマト》にとって琉球・沖縄がどういう意味で重要なのか、これまでの沖縄近現代史が如実に証明していると思います。

ひと⑬
保革の対立を解消し、オール沖縄を実現した翁長雄志

〔島袋夏子〕

「売国奴」「琉球人は沖縄に帰れ」

2013年1月27日、東京銀座の街に激しいヘイトスピーチ＊が飛びかいました。浴びせられていたのは辺野古新基地建設反対、米軍普天間基地へのオスプレイ配備撤回を安倍総理（当時）に直訴しようと上京した沖縄の市町村長や議員ら約140人の要請団。その先頭を歩いていたのが、当時那覇市長だった翁長《おなが》雄志《たけし》でした。

翁長はかつて自民党沖縄県連幹事長も務めた人物で、普天間基地の辺野古移設にかんしては政府と足並みをそろえ、推進の立場をとっていました。そんな翁長が自民党を飛び出し、オール沖縄の立場で知事選に臨んだのは2014年のことです。

その頃沖縄では県民の反発をよそに、仲井眞《なかいま》弘多《ひろかず》県知事（当時）が名護市辺野古沿岸部の埋め立てを承認し、新基地建設が動き出そうとしていました。こうしたなか、翁長は「日本の安全保障は日本全体で負担すべき」「保守革新を乗り越え、県民が一つ

＊hate speech　人種・出身国・民族・宗教・性的指向・性別・容姿・障がいという自分で変えることが困難のことがらにもとづいて、個人、または集団に対して攻撃・脅迫・侮辱をする言動。

にならなければ、日米政府を相手に戦うことはむずかしい」「イデオロギーよりアイデンティティ」だと述べ、新基地建設阻止を訴えたのです。

しかしなぜ保守の重鎮だった翁長が態度を変えたのでしょうか。それは2007年、文部科学省の高校歴史教科書検定で沖縄戦の最中に起きた「集団自決」（強制集団死）における「日本軍の強制」の記述が削除されたことが転機とみられています。

糸満高校真和志分校校長を務めていた翁長の父・助静は身を寄せていた糸満市で、野ざらしになっていた沖縄戦犠牲者の遺骨を拾い集めて「魂魄の塔」を建立した一人です。自身も米国占領下に生まれ、日本国憲法も適用されず、人権も認められない暮らしを経験した翁長にとって、沖縄が歩んだ苦難の歴史を忘れ、将来も沖縄に負担を強いる政府のやり方は受け入れられなかったのです。

2015年4月、菅官房長官（当時）との会談では、沖縄の米軍基地が強制的に接収されたもので、沖縄が自ら差し出したものはないと強調したうえで、沖縄に新たな基地負担を求めたり、沖縄が拒否すると代替案はあるのかとくり返したりする政府の姿勢を「政治の堕落」だと厳しく批判しました。

また9月には国連人権理事会で「沖縄の人びとは自己決定権や人権をないがしろにされている」と国際社会に訴え、翌10月には前知事が行った辺野古の埋め立て承認取り消しに踏み切りました。

しかし強大な権力をもつ国家を相手に、新基地建設を止めることはできませんでした。それからは政府との法廷闘争が続き、1年後の2016年12月に

翁長雄志（写真・共同通信）

は最高裁判所の判決で沖縄県が敗訴。２０１８年7月27日、今度は辺野古埋め立て承認の撤回に向けた手続きをはじめると表明するも、この会見を最後に病に倒れたのです。

　志半ばでこの世を去った翁長ですが、生前語ったインタビューで座右の銘を語っていました。

「身を捨ててこそ、浮かぶ瀬もあれ」

「恐らく厚い壁があるのは、県民より私が承知している。もがき苦しむなら、もがき苦しむものも見てもらって、見てもらう中から新しい政治が生まれる」

　自分たち責任世代の役割は、次の世代を担う子や孫にしっかりとした沖縄を引き継ぐことだとくり返していた翁長。自身の人生と命をかけて、県民が一つになり声を上げていくことが大事だと訴えました。

QA文化

29 「しまくとぅば」とはなにか

〔伊佐眞一〕

琉球・沖縄の言葉は日本語のなかの「方言」でしょうか。それとも日本語と異なる言語なのですか。琉球・沖縄の「しまくとぅば」の特徴はどんなところですか。

「しまくとぅば」とは、「島言葉」を琉球の発音で読んだ表記です。いまの琉球・沖縄でよく流通している用語ですが、少し説明をしないと誤解を生むことになりかねません。というのは、現在、日本国にいる私たちは、通常は日本語を公用語として使っています。そのなかに青森弁とか、大阪弁など地方の「方言」がありますが、琉球・沖縄の言葉はそうした日本の地方にある方言のようなものなのでしょうか。この質問に答えるためには、どうしても琉球と日本の関係史をふり返ってみなければなりません。

1879（明治12）年、明治政府は軍事力をちらつかせて琉球王国を滅亡させました。その当時、日本語を話す日本人と琉球の言葉を話す琉球人のあいだにはコミュニケーションはまったく成り立ちませんでした。両方の言葉を理解できる者がいないと、それぞれの意思を相手に伝えることはできず、どうしても「通訳」が必要でした。よって、琉球を支配するようになったものの、日本政府は非常な困難のなかで琉球の統治を始めたのでした。日本から琉球に行く政治家や官僚、教師、警察官、商売人たちには、日本とはまったくちがう正真正銘の外国にはいりこんだという実感がありました。ですから言葉の壁をとり払うのが、日本政府が手をつけるべき最大の課題になったのです。

そこで明治政府がまっ先に行った取り組みが教育でした。学校教育をいちはやく始めて、日本語と沖縄語を併記した会話書（『沖縄対話』）を作りました。琉球の武力併合で沖縄県となった翌年のことです。この当時、琉球の言葉というのは、大変古い時代に日本語と琉球の言葉の祖先とでもいうべき「祖語」から出てきたもので、琉球の言葉は日本語と姉妹の関係だというのが学者の考えでした。どちらが姉か妹かはわかりません。この説を唱えたのは、東京帝国大学で言語学を教えたバジル・ホール・チェンバレン*というイギリス人で、日本語だけでなく、アイヌ語も沖縄語にも詳しい学者でした。そういう考えがスタートだったのです。それが、いつしか琉球の言葉は日本語から生まれ出たもの、つまり親子の関係に変化していきます。ヨコの対等関係からタテの上下関係になっていったのです。

その影響を受けて、戦後から長いこと、日本語を形成する二大方言——「本土方言」と「琉球

＊Basil Hall Chamberlain（１８５０〜１９３５）。イギリスの日本研究家。１８７３年から１９１１年まで、お雇い外国人として日本に滞在した。

https://shimakutuba.jp/investigate/what-s-shimakotoba/

しまくとぅばナビ

方言」――というふうに見なされてきました。しかし、現在では琉球の言葉は、琉球諸語と呼ばれ、北琉球語群のなかに奄美語、国頭語《くにがみ》、沖縄語があり、南琉球語群には宮古語、八重山語、与那国語があります。日本のなかの一地方語＝「方言」ではなくて、日本語とは一線を画した独立「言語」という認識です。そして、それぞれ6つの言語が話されている地域には、これまた数多くの地域特有の地域語＝「しまくとぅば」（その言語内の「方言」）が存在していることになります。『南琉球宮古語伊良部島方言』（下地理則著、くろしお出版、2018年）という学術書の表題は、それをよく示したものだといえるでしょう。

これら6つの琉球諸語も、琉球王国が日本国にとり込まれて以後は、日本語の圧倒的な影響によって、どんどん話せるひとが少なくなっており、沖縄戦後、とりわけ琉球諸語を自由にこなせた世代が少なくなっていくと、それらの言語を受け継ぐ世代も急速に減っていきました。2009年2月、ユネスコ（UNESCO：国際連合教育科学文化機関）が、琉球諸語は「消滅危機言語」*であると認定したのはご承知でしょうか。世界的な自然と環境の破壊が原因になって、生物の世界では「絶滅危惧種」といったような認定がありますが、ちょうどそれに似たものです。このまま何もしないでいたら、この地上から永遠に消えてしまいかねない危機的状況にあるというのです。それを受けて復興と再生を目的にした、さまざまな活動が行われているのが、琉球諸語の現在ということになります。

では、琉球諸語の特徴について、いくつか事例をあげながら説明したいと思います。でも、私の

＊世界には6000から7000の言語があるとされるが、英語、スペイン語など広範囲に使われる言語におされて使用人口が極めて少なく、母語話者がいなくなることで消滅の危機にさらされている言語のこと。例、ハワイ語、イディッシュ語、マプチェ語、ケチュア語など。

力ではとても6つの諸語を全部というわけにはいきませんから、沖縄島の中南部で使われている沖縄語のなかの、首里の言葉をしゃべるつもりで、以下に書きます。

特徴の第一は、首里だけではありませんが、日本語と較べて音韻がひじょうに多彩で豊か、微妙で複雑な発音が多いということでしょうか。文法の説明は省きますが、日本語に少ない長母音がこれまた、とてもたくさんあって、世界的にみてもすごく長い母音だそうです。たとえば、「君たちはどこに行こうとしているのか?」を、相手が同等以下の年齢、もしくは気安い関係のひとだと、こう言います。「いったーや、まーかい　行ちゅんち　そーが?」。音引きで伸ばした箇所は、いずれも長く引っ張って発音します。次に、「兄さんは家にいるか?」は、「やっちーや　やぁーん　かい　をぅみ?」と言います。「をぅ」は「Wu」と発音しますが、相手が年長者だと、「をぅみ?」の代わりに、「いめーん しぇーみ?」とていねいな言い方をします。ここにも長母音がありますね。これらの音韻は比較的発音しやすいものですが、琉球諸語の伝達で一番困るのは、それらの音韻をひらがな、カタカナ、漢字ではうまく表記できないことです。先ほどの「をぅ」もそうですが、それをピッタリと発音指示できる文字・記号がないのです。英語表記やローマ字表記のほうが都合がいいのもありますが、固有の文字がないと書籍による伝達と記録がうまくいきません。唇と舌を動かさないとできない音韻なので、日本語に較べると腹話術もむずかしいといえるでしょう。

そして特徴の第二は、首里語の場合、身分や階層によって異なる語彙や表現があって、相手の所属や年齢でうまく使い分ける必要があることです。それも使われなくなってきているのが現状ですが、首里とその他の地方とのあいだでは、首里王府との関係が人間の名称や語彙などの相違にもなっています。メディアですっかりポピュラーになった沖縄の「おじー、おばー」などの呼び方ですと、首里では父親と母親を「たーりー」「あやー」、地方では「すぅー」「あんまー」、おじいさんとおばあさんは首里が「たんめー」「んめー」で、地方が「うすめー」「はーめー」になり、兄さんと姉さんは首里が「やっちぃー」と「んみぃー」、地方が「あふぃー」と「あんぐゎー」になります。どうです、みんな長母音ですよね。

　第三の特徴は、こうした音韻の豊富さに関係するのですが、首里の言葉を含む沖縄語だけでなく、すべての琉球諸語を理解するには何といっても、その微妙な「音《おん》」（語彙）と、それらを使った文章といいますか、会話の言葉を聞きとる「耳」が何よりも大切になります。生活の現場、実用における具体的なＴＰＯの場面で相手の顔の表情やしぐさを見ながらでないと、身につけるのはなかなかむずかしいのではないかと思います。言葉は日々の生活のなかで使われているのですから、年月とともに、社会環境や人間の文化が変わるとともに、変化していくのは自然でありましょう。それでも、琉球古来の伝統的な「核」は残るはずだと思います。

30 琉球・沖縄研究の先駆者たち
〔伊佐眞一〕

琉球・沖縄研究と「沖縄学」は、どうちがうのですか。沖縄のアイデンティティーとか、琉球の日本からの独立とも関係があるのでしょうか。また、どんな研究者がいますか。

ある程度の文化が発達したところでは、かならず何らかその地域の歴史や文化について調べ、記録しようとすることが起こります。自分たちはいったいどんな民族であるのか、ほかの人間集団とどこがちがうのか、どっちがレベルが上か下か、など自己意識がつよくなっていくのです。琉球・沖縄の歴史においてもまったく同じで、琉球王国の時代には『中山世鑑《ちゅうざんせいかん》』という琉球の歴史書が編纂されていますし、『おもろさうし』*にも琉球の精神世界や宇宙に対する思いが表現されています。しかし、ここではそうした琉球王国時代のことではなくて、琉

＊おもろさうし　1532～1623年のあいだに首里王府によって編纂された。琉球王国の祭政一致体制を研究する手がかりになっている。『おもろさうし』（外間守善編、岩波文庫）。

球・沖縄が日本国家のなかに呑みこまれていった近現代、自分たちはこれからどうなるのかという不安や危機意識が生じた時代を、人物を通じて話そうと思います。

日本の一員として無理やり「沖縄県」にされた現実は、さてどうだったのでしょうか。琉球王国時代の政治リーダーや社会の指導者は新しい社会制度、つまり沖縄が日本と同じになると同時に、第一線から退いていきます。では、沖縄県を統治・運営したのは誰だったのか。沖縄県知事以下、県の首脳はことごとく琉球・沖縄出身者以外の者が独占します。政治だけではありません、教育も警察も民間の経済活動も、ほとんどがみなそうです。

こうして、沖縄をスムーズに統治するために、明治政府は日本とはまるで異なる政治制度や経済制度、土地制度、そして琉球の歴史や民俗など、沖縄を知ろうと努めます。敵を研究せずして支配はできないという態度です。内務省や大蔵省の官僚が実地調査するのは当然ですが、帝国大学をはじめとする学者や在野の研究者も大きな役割を果たします。

たとえば、言語学の上田万年《かずとし》、人類学の坪井正五郎《しょうごろう》と鳥居龍蔵、歴史学の幣原坦《しではらたいら》などですが、ここで特筆しておきたいのは、イギリス人のバジル・ホール・チェンバレン（Basil Hall Chamberlain）です。彼は日本語とアイヌ語にも精通していましたが、沖縄語についての論考は、まさに琉球・沖縄研究の先駆者そのもので、とりわけ、英語で書いた『琉球語の文法と辞書に関する研究』は、沖縄研究史上に燦然と輝く金字塔です。彼は上田たちとちがって、琉球人を叱咤激励していたのです。これらの先人が琉球・沖縄人をしてみずからの歴史と文化研究に赴かせる土壌をつくったといっても、まったく過言ではありません。

彼らの教えを受けたなかでまっ先に紹介すべき琉球人研究者は、何といっても伊《い》波《は》普猷《ふゆう》＊です。１８７６年の生まれですから、沖縄県の発足と同時に成長し、学校教育もすべて日本人教育のカリキュラムを吸収して育った世代です。他方で彼は琉球王国時代の歴史と文化が充満する社会の空気をも肺の底まで知っていました。琉球と日本の両方を熟知した彼の問題意識は、日本国家のなかで、日本とは異なる独自性をもっている琉球をいかに保持するかにありました。ですから、言語と文学が専門ではあっても、琉球の本質、アイデンティティーを知るには多分野の理解が必要との考えをもっていました。琉球に生まれ育った者として、琉球の郷土はどうあるべきか、どの方向へゆくべきかの燃えるような情熱が研究の根元にあったことが特徴です。「沖縄学」の名称には、琉球のソトから来て琉球研究を始める第三者的な人間とは決定的に異なる、琉球人たるものの独立心のパッションがあるのです。しかしながら、伊波の生きた時代には日本を離れて琉球が独立独歩の道を歩むという選択肢ははるか後方に退いていました。政治的力量だけでなく、それを支える経済的基盤が脆弱だったため、そういう思考に向かうことを許さなかったのです。この点は、伊波にかぎらず、ほとんどすべての琉球・沖縄の知識人に共通する認識といってよいでしょう。

古琉球人装束の伊波普猷（伊波普猷『古琉球』郷土研究社、1922年

＊伊波普猷（１８７６〜１９４７）民俗学・言語学者。『古琉球』（岩波文庫）、『をなり神の島』（平凡社東洋文庫）。作品の一部は、インターネット上の無料図書館・青空文庫にも収録されている。伊波と相互に影

それともうひとつ、琉球人の自己認識が近代になって王国時代と比較して大きく変化したことがあります。何かというと、琉球人の祖先と日本人の祖先は、ある同じ人間集団であると考える琉球人が、知識人を先頭にして続々と出てきたことです。この場合、琉球人と日本人は同じ親から生まれた姉妹の関係、ヨコの対等関係というのですが、それがいつしか琉球人は日本人から生まれたという親子の関係、つまりタテの上下関係に変化していきます。この考えを、「日琉同祖論」と言います。同祖は同祖でも姉妹の関係と親子の関係では、両者が政治的に、または経済的に向きあう場合、恐ろしいほどのちがいが生じます。琉球・沖縄研究をするとき、この問題をどう考えるかが、とても大事な試金石になります。

どういうことかといいますと、武力併合された琉球が、日本との関係を将来どうするのかを考えるとき、この同祖の問題を除外して、琉球・沖縄の未来、もしくは琉球・沖縄人の進む道を論議し、その方向を指し示すことはできないからにほかなりません。この観点から、これまでに名を成した研究者たちを見ると、琉球・沖縄の歴史と文化が彼らにとって何であるのかが、よく見えてきます。たんに外見の相違や面白さを追究しているのか、それとも個人の利益、あるいはヤマトの立場、またはヤマトのための研究なのかなど、その「寄り添い方」がわかるはずです。権力との距離がどうなのかも非常に大事で、沖縄研究者に御用学者がヤマトにも沖縄にも多いのはそうした理由からといってよいでしょう。

伊波以外にも太田朝敷《おおたちょうふ》*と末吉麦門冬《すえよしばくもんとう》*を、もし余裕があれば、ぜひ読んでほしいと思います。近

響を与えあった民俗学者・柳田国男の沖縄研究を集めた『海上の道』も各社文庫版のほか青空文庫にも収録されている。

*太田朝敷（1865〜1938）新聞・言論人。『太田朝敷選集』（第一書房）。

代沖縄のシマジマを足で歩いたジャーナリストと、琉球の芸能・文学・歴史などまさに何でもござれの博覧強記の新聞記者は皆さんを魅了すると思います。そして沖縄の戦後から現在までの歴史を学びたいのであれば、大田昌秀《おおたまさひで》*と新崎盛暉《あらさきもりてる》*を読んでみてください。沖縄戦をとことん考え、軍事基地化の現状を少しでも変革したいという在野の市民運動の具体的方策についてなど、汲めどもつきない学習ができるはずです。

最後に、これからの琉球・沖縄研究は、前途に大きな目標を掲げるのがとても大事で、その力量をみずから狭めるものであってはなりません。その際、新川明《あらかわあきら》*の著作は、「日本」に縛られた琉球・沖縄を解き放つ意思にみちていて、決して忘れてはならないものだと確信します。

参考文献

伊佐眞一『沖縄と日本《ヤマト》の間で——伊波普猷・帝大卒論への道』全3巻、琉球新報社、2016年

*末吉麦門冬（1886〜1924）ジャーナリスト・俳人。本名は安恭。論考に「組踊小言」など。

*大田昌秀 人物コラム参照。『醜い日本人』（岩波現代文庫）、『沖縄 平和の礎』（岩波新書）。

*新崎盛暉（1936〜2018）社会運動家・沖縄戦後史研究者。『戦後沖縄史』（日本評論社）ほか。

*新川明（1931〜）思想家・詩人、ジャーナリスト。『新南島風土記』（岩波現代文庫）。

31 遺骨盗掘問題
〔白鳥龍也〕

沖縄の人たちの祖先の遺骨が京都大学にあるそうですがなぜですか。京大はなぜ、遺骨を返還しないのですか。

１９２８年から29年（昭和3年から4年）にかけて、京都帝国大学（現在の京都大学）医学部助教授だった金関丈夫《かなぜきたけお》＊という人が、沖縄本島北部、今帰仁村《なきじんそん》にある百按司墓（「むむじゃなばか」または「ももじゃなばか」）から、風葬されていた遺骨をもち去りました。２００４年までの今帰仁村の調査で判明したのは、合計59体分の遺骨です。

百按司墓は、１４２９年に琉球国を統一した第一尚氏《しょうし》という王族、または王族に関係する貴族の墓として５００年以上前に造られたと考えられます。崖の中腹の自然の洞窟のなかに、木の棺《ひつぎ》に入れた遺骨をそのまま納めるといっ

＊（１８９７〜１９８３）、解剖学者・人類学者。１９３０年に「琉球人の人類学的研究」で京都帝国大学・医学博士号取得。後に台北帝国大学教授となる。

た「風葬《ふうそう》」の墓でした。金関氏は、自身の著書などで「人種学」のために沖縄を訪れ、遺骨をもち去ったと説明しています。人の集団を、骨格をはじめ皮膚や髪、眼の色などによる「人種」で区別し、どちらが優れているかを研究しようという学問です。別のいい方では「形質人類学」です。本土にとって沖縄は、遠い島国で明治の時代に日本の一部の沖縄県に無理やり編入したわけです。一般的な日本人であるヤマト民族とのちがいがあるかどうかは、大きな興味の対象だったのでしょう。＊このもち出しには、金関氏の当時の上司だった教授の指導があり「帝国学士院」という国立の学術団体から得た補助金も使われたといいます。決して金関氏個人の思いつきではなく、京都帝大医学部の組織的な判断に基づく行いだったといえます。

それにしても、人の姿形で優劣を分類するなど、今ではまったく受け入れられない考えです。その遺骨のうち、26体分が今でも京大に保管されていることが２０１７年の琉球新報の報道で明らかにされました。残りの33体は、台湾の国立台湾大学に置かれていました。台湾大学は、日本が戦前、植民地である台湾に設立した台北帝国大学が前身です。金関助教授が教授として同大学に転勤となったのにともない、遺骨ももちこまれましたが、台湾大は、沖縄の人たちの請求に従い２０１９年３月、沖縄県に遺骨を返還しています。しかし、京大は返還に応じません。

金関氏は、学術研究のために遺骨をもち出したといっており、現在の京大もその主張を続けています。では、学問のためなら、他人の墓を掘り起こし、遺骨をもち出しても許されるのでしょうか。

＊1904年に伊波普猷とともに沖縄にわたった民族学者の鳥居龍蔵は、琉球人の身体計測などを行っている。鳥居は、日本が植民地支配した台湾・朝鮮・「満洲」などでも調査を行っている。

金関氏は当時、沖縄県庁の学務課からもち出しの許可を得て、現地には警察署の巡査らを同行させたと記録しています。最も大きな問題は、墓のもち主の許可を得ていないことです。今帰仁村教育委員会の説明では、百按司墓は近年まで地元の人がかめに入れた遺骨を納めたり、今でも第一尚氏を慕う人たちが定期的に墓参りをしたりと、沖縄の人たちによって500年以上守られ、敬われてきた大切な場所です。一般的な「○○家の墓」とはちがい、明確なもち主はいませんが、第一尚氏の子孫や地域の人たちの許しを得るべきでした。

京大側は、役所や警察の了解を得たのだから違法ではないとの主張のようですが、当時の沖縄の役人や警察官は、日本政府の出先としての任務を求められており、国立大学だった京都帝大の先生の求めに応じないわけがありません。京大の主張の決定的なまちがいはそこにあります。

2018年12月、沖縄出身の松島泰勝・龍谷大学教授のほか第一尚氏の子孫たちが、京大を相手どって遺骨を返還するよう訴える裁判を京都地裁に起こしました。松島教授を団長とする原告団は、京大の行為を刑法などに反した「盗掘」と位置づけています。

京大は、裁判に至る前にも、遺骨の保管状況などにかんする松島

樹木が生い茂った崖の中腹にある百按司墓。自然の洞窟(右)の中に遺体を納めて「風葬」していました。明治の琉球処分後、沖縄県が墓を修復した際に洞窟の入り口は円形の石垣で囲われてしまいました=今帰仁村運天で

教授らの問い合わせに対して「個別の問い合わせには一切応じられない」と、かたくなな態度をとり続けました。

沖縄では、亡くなった人の魂は海のかなたの「ニライカナイ」という神の国に召され、守護神となって子孫を見守ってくれると信じられてきました。遺骨はこの世に残された守護神の一部として、とても神聖なものなのです。京大は当時も今も、その大切な遺骨を「物」として扱い、子孫の先祖を敬う気持ちなどないがしろにしてかまわない、との態度です。しかも、「学問のため」といいながら、京大は沖縄から集めた遺骨の研究成果を何ら公表していません。たんに、学問の権威を守るため、沖縄の人たちを見下してとった横暴な振る舞いは「学知の植民地主義」と批判的に呼ばれています。

32 昆布ロードと北前船

〔与那嶺功〕

琉球は昔から海洋貿易が盛んだったようですが、どこの地域とどんなモノをやり取りしていたのでしょうか。昆布が採れない沖縄で、なぜか北海道産の昆布の消費量が全国でも上位と聞きました。

物々交換や貿易は、お互いに必要なモノが交換されます。そのときには、モノだけでなく、人の交流によって、言葉や文化・風習なども伝わっていきます。

美しいサンゴ礁に囲まれた沖縄は、海の産物に恵まれ、近海では多種多様な貝を採ることができます。古来、貝殻は腕輪や首飾りなどといった装飾品や器に使われてきました。貝殻の内側は真珠のように虹色に輝くので、それが神秘的と感じられたのでしょう。沖縄の先史時代を、別名「貝の文化」といいます。

沖縄の貝は、２０００年以上昔から、黒潮に乗って行き交う人びとによって、九州から瀬戸内や玄海灘を通り、日本各地に運ばれていきました。驚くことに、2300キロ以上離れた北海道の礼文島から、沖縄で採れたイモガイを使ったペンダントが出土しています。

古墳時代には、イモガイが馬具の材料として九州や朝鮮へ、奈良時代にはヤコウガイが中国や日本本土へ運ばれ、工芸品の装飾に使われていたことが分かっています。この交易ルートは「貝の道」と呼ばれます。

ところで、北海道の昆布が、なぜ沖縄で食べられるようになったのでしょうか。

江戸時代中期、昆布は北海道から日本本土を経て、沖縄（琉球）や中国（清）まで貿易品として取引されました。その理由は当時、中国大陸内部で甲状腺が機能しなくなる風土病が流行していて、その予防と治療にヨードを多く含む昆布が効くとされ、昆布の需要が高まっていたことにあります。

ちょうどそのころ、日本海沿岸を西に向かい、下関から回って、瀬戸内海から大坂に至る「西廻り航路」が開かれました。大量の物を積むことができる北前船*によって各地の特産物が運ばれた「海のネットワーク」です。

北前船の拠点港を数多く抱えていた富山藩は、北海道を支配していた松前藩を通じて、大量の昆布を仕入れることができます。薩摩藩はそのルートに目を

北前船

つけ、琉球を通じて中国に転売して大きな利益を得ることができました。

一方、富山藩も中国との貿易を願っていました。富山は、「越中富山の薬売り」と称されるほど、昔から製薬で有名でした。中国から漢方薬の材料を安く手に入れることができれば莫大な利益を得ることができますが、外国との貿易がむずかしかった時代です。そこで、薩摩藩のもつ「琉球・中国ルート」を利用して、薬の材料を密かに輸入しました。現在でも、富山県で製薬業が盛んなのは、そのような歴史的な背景があるからです。

北海道を支配していた松前藩の昆布、富山藩の薬、中国の薬種。それらを運んだ北前船と琉球の船。儲けたのが富山藩と薩摩藩という構図です。アジアの海洋貿易の中継地として栄えていた琉球王国の貿易ルートと、北前船の「西廻り航路」という二つの物流網がお互いにつながったのです。その北海道から本州各地、薩摩、琉球、中国を結ぶ一大貿易ルートは、「昆布ロード」と呼ばれています。

1820年代以降、琉球から中国への積み荷の7割から9割を昆布が占めるようになります。これは、当時日本で生産された昆布の1割に当たるほどの量でした。那覇には昆布座と呼ばれる役所が置かれ、いわゆる「琉球併合」によって、中国への進貢貿易が途絶えるまで、昆布は主要な輸出品でした。

薩摩藩はまた、琉球・奄美から税としてとりあげた砂糖を、大坂で売り、巨利を得ていました。昆布・薬・砂糖の貿易で得た資金は、藩の近代化を後押ししたといわれます。幕末、開国を迫った

＊きたまえぶね　江戸時代から明治にかけて日本海海運をになった買積み北国廻船のこと。買積みとは、航行する船主が商品を買いつけ、それを売買すること。小説家の堀田善衛は、生家が廻船問屋であったために、幼少期から北前船がもたらした文化の交流、国際的な感覚を養うことができたとされ、作品にも深く反映されている。

西洋列強に対抗するため、薩摩藩は洋式の機械工場を建設し、ガラスや鉄、綿布などのほかに火薬、砲弾、大砲などの武器も製造するようになります。昆布と砂糖の貿易で稼いだ資金を原動力として、薩摩藩は倒幕の主力となり、明治維新を迎えることになりました。

琉球・奄美側からみれば、薩摩の砂糖貿易は「砂糖ロード」ともいえるでしょう。砂糖の原料であるサトウキビの栽培は、現地の事情や特性を無視した強制的なものでした。いわゆるプランテーション農業となって、歪んだ産業構造を生み、明治時代の不況時には深刻な食不足を招きました。「砂糖ロード」のその影の部分を忘れてはいけません。

さて、昆布と砂糖の流通は、取り扱う人びとの食文化にも影響を与えます。沖縄では、昆布を豚肉や野菜と炒めて食べる「クーブイリチー（昆布の細切りと豚肉の炒め物）」や、魚を昆布で巻いた「クーブマチ（魚肉の昆布巻き）」などといった昆布料理が発達しました。

同じく富山でも、昆布巻きなど、多彩な昆布料理があります。昆布貿易に携わったという共通の歴史的な背景があって、沖縄と富山は、昆布消費量が全国でトップクラスになったのです。

面白いことに、料理研究家が調べたところ、甘口醤油が好まれる地域は、沖縄・鹿児島などのほか、富山県など日本海沿岸、瀬戸内海などに点在し、いずれも江戸時代に北前船の寄港地だったことが分かりました。昆布を使った出し汁は甘口の醤油と相性が合います。砂糖を容易に手に入れられたので、甘口の醤油を造ることができたのです。「昆布ロード」、「砂糖ロード」は、ぴたり道筋が重なるのです。

ところで、「昆布ロード」と「砂糖ロード」の積み荷は、昆布だけではありません。「海の商社」「動く商社」と称される北前船は、ニシンや米・酒・衣料・焼物など各地の特産品を買いつけては、それを次の寄港地で売買して利ザヤを稼ぎました。北前船による西廻り航路の発展によって、日本国内は一つの市場になったともいわれます。

貿易では、モノのほかに歌や文学、食文化なども伝播していきます。

シベリアの少数民族がもっていた中国製の絹織物が、アイヌ交易で北海道に渡り、それが北前船によってさらに北陸各地に運ばれ、今も「蝦夷錦」として残っています。

琉球漆器も、松前藩の船によって、北海道に渡っていたことが、「昆布ロード」研究家によって確認されています。金箔で模様が描かれた提重（弁当箱）や硯箱で、沖縄県立博物館に収蔵されている漆器と同じ種類という貴重な品々でした。もともとその琉球漆器を手に入れたのは、松前藩の藩船の船頭を務めていた人物だったとみられています。その船頭の子孫が大事に保管していました。

昆布ロードによって運ばれた、琉球王国時代の珍しい工芸品が、かつての北前船の寄港地に、いまも人知れず眠っているかもしれませんね。*

＊読売新聞北陸支社編『日本海こんぶロード北前船』（能登印刷出版部）と、北日本新聞社編集局『海の懸け橋　昆布ロードと越中』（北日本新聞社）は、いずれも新聞連載をまとめたもので分かりやすい。

33 陶器と漆器、琉球ガラス

〔与那嶺功〕

沖縄では焼き物（陶器）のことを「やちむん」と呼ぶと聞きました。どのような産地がありますか。またお土産品店では、琉球漆器や琉球ガラスも人目を引きます。沖縄の工芸の特徴を教えてください。

　陶器や漆器などは食事や酒を入れる実用品として主に使われるので、食文化のあり方がその形や色彩、模様に反映されます。それに加えて、琉球では中国や江戸幕府への朝貢品として、また来島した使者らを迎えた供宴を彩る役目もあって、独特の装飾が発達しました。

　琉球の陶器は、南蛮（東南アジア）や中国、薩摩との交流のなかでさまざまな技法をとり入れてきました。たとえば泡盛のルーツは、シャム（現在のタイ）との南蛮貿易を通じて輸入した酒にあるといわれますが、その酒を詰めていた器が、琉球の陶器の原型と考えられています。

　室町時代に勘合貿易や朱印船貿易*が盛んになり、泡盛を入れた甕や壺が日本本土にもちこまれ、空になった壺などは茶道具として転用されるようになりました。「茶の湯」の流行によって、風流人たち（大名や茶人）から「南蛮モノ」「島物」として愛用されたといいます。釉薬をかけない素焼きの陶器は、日本人の「ワビ・サビ」に通じたのでしょう。

　沖縄の陶器が飛躍的に発展する転機となったのは、1682年に、琉球王府が当時の主な三か所の陶窯（生産拠点）を統合して、壺屋（いまの那覇市内）に官製の窯を造ったことです。それが現在の沖縄を代表する陶器「壺屋焼」の始まりになりました。

「琉球併合」によって王府が滅びると、琉球王府の保護下にあった壺屋焼の陶工らは職を失い、それぞれ独自の窯を構えます。同時に、それまでの買い手だった王府を失ったため、日本本土に市場を求めました。

　そのころの沖縄はまだ「遠い未知の異国」だったので、買い手の興味をそそるためにエキゾチックな模様が流行します。実際の沖縄には存在しないラクダや植物を描くなど、異国情緒を誇張した陶器が現れはじめました。また往来が自由になった日本本土から、多種多様な技法が導入され、装飾も派手になります。俗に「エジプト紋」と呼ばれるものです。この時期製作された陶器は「琉球古典焼」と名づけられ、大きなブームとなりました。なんと、第二次世界大戦前の中国・大連で、沖縄県物産展が開かれ、そこで琉球古典焼と琉球漆器の即売会も開かれています。

＊勘合貿易＝室町時代に、室町幕府と中国・明のあいだで倭寇などの海賊対策のために、勘合符を用いて行われた貿易。御朱印船＝近世初期、豊臣・徳川から異国渡航許可の御朱印状をもって東南アジア各国と貿易を行った船。

＊柳宗悦（1889〜1961）。思想家・美学者・宗教哲学者。しばしば「そうえつ」とも読まれる。「用の美」を唱え、民衆が日常使いする工芸品を収集・研究し、広めた。琉球のほか、朝鮮美術に深い理解を示したことで知られる。

商売のために発案された新商品なのに、「古典」と銘打ったところが、なんともいえない面白さがありますね。

一方、「民藝」も壺屋焼と深い関係があります。民藝は民衆的工芸の略称です。日本各地には、庶民の使う食器や織物などを作る無名の職人が存在します。大正・昭和期に、庶民の暮らしの中で使われてきた日用品のもつ美に注目した「民藝運動」が高まりました。

柳宗悦《やなぎむねよし》*（思想家）らが中心となった日本民藝協会のメンバーらはたびたび沖縄を訪れ、壺屋焼の技法を学ぶとともに、その素晴らしさを世の中に知らしめました。彼らが高く評価した金城次郎（1912〜2004年）は、沖縄で初めて人間国宝に認定されます。金城は生き生きとした魚の模様を描いたことで知られ、今にも飛び出てきそうな魚の姿は「魚が笑っている」と表現されたほどです。

さて、現在の壺屋焼は「荒焼《あらやち》」と「上焼《じょうやち》」に大別されます。

荒焼は、土に釉薬をほどんどかけないタイプ。土色の肌とごつごつ感が特徴で、水甕や酒瓶などが主です。色合いは地味ですが、土肌を彫刻刀などで削って凹凸感を出すことで、魚や花などの模様を付けていきます。

上焼は、釉薬で色とりどりの模様を描いたもので、食器や花瓶、厨子甕（お骨を入れる壺）などに主に使われます。

現在の壺屋は、人気観光スポットとして知られます。県指定文化財の登り窯・

壺屋の一角

南ヌ窯、国指定重要文化財の新垣家・東ヌ窯などがあるほか、古い集落の町並みが残る「やちむん通り」には、骨董店やカフェなどが立ち並んでいます。

実は1970年代に、市街地にある壺屋では、窯から出る煙が周辺住民に迷惑になるとして、多くの作り手が読谷村に移転しました。読谷村は沖縄島中部の西海岸に位置し、今でも村内に多くの米軍基地を抱えるところです。米軍の不発弾処理場だった広大な土地が返還されたときに、軍事基地を「文化の里」に生まれ変わらせようと、村が誘致しました。今では20近い工房が集まり、グループごとに大きな共同窯を構え、それぞれ新たな焼き物作りに挑戦しています。そこは「やちむんの里」と呼ばれ、ここにも多くの観光客が足を運んでいます。

壺屋焼
壺屋焼博物館

琉球漆器は、鳥や動物をかたどったキラキラ光る装飾が特徴です。貝殻の内側にあるキラキラした部分を薄く削って、いろんな模様に切り、それを漆器の表面に張り付けたもので、「螺鈿《らでん》」と呼ばれます。四方を海に囲まれ、貝類が豊富だった沖縄ゆえに発達した技法です。

漆器も、中国への進貢物、幕府や薩摩への献上品として発達してきました。王府は官製の漆器製作所「貝摺《かいずり》奉《ぶ》行所《ぎょうしょ》」を設け、職人らを手厚く保護しています。

琉球王府が滅びると、壺屋焼と同じく、職人らは民間の工房で生活の糧を得ることになります。沖縄戦後は、米軍人の土産品向けに、ワイングラスや食器が生産されるようになります。

琉球ガラスは、沖縄戦後に誕生した比較的新しい工芸品です。米軍基地の兵士や家族が飲んだ

http://www.edu.city.naha.okinawa.jp/tsuboya/

ビールやコーラの空き瓶が、大量に民間地に流れこみました。戦後の荒廃した物不足の時代ですから、地元の人びとは空き瓶の再利用を試みます。空き瓶の下半分を切ってコップにするほか、再び溶かして器を作りました。これに興味をもった米軍人ら向けに、ワイングラスや花瓶、水差し、コップ、ガラス製造花などが次々と考案されました。

沖縄観光が盛んになるにつれ、琉球ガラスがお土産品として注目を浴び、アクセサリーやインテリアとしても様々なタイプの製品が登場。空き瓶を材料とするだけでなく、新品のガラスを用いた、芸術性の高い作品も生まれるようになりました。

琉球ガラスの成形技法には、「宙吹き法」と「型吹き法」があります。「宙吹き法」は、空洞の棹の先端に溶けたガラスを巻き取り、口から棹に空気を吹いて流し込み、ガラスを膨らませる技法です。膨らませたガラスをハサミなどでカットしながら成形し、冷まします。

「宙吹き法」を応用したのが、「型吹き法」です。棹に巻きつけた溶けたガラスを枠型に押しこみ、棹から息を吹きこむと、枠型と同じデザインの製品ができあがります。

装飾では、ガラスの層を重ねた色彩法、金箔の付着といった技法が編み出されました。発泡剤を入れた「泡ガラス」も人気の商品です。

沖縄の陶芸、ガラス工芸とも、ライフスタイルの変化や流行をとり入れて、意匠を凝らした形、

琉球ガラス

デザインの工芸品が次々と生み出されています。

那覇市立壺屋焼物博物館が出している『やきものの不思議ふしぎ　壺屋焼をもっと見てみよう』は、初歩的な知識を網羅していて読みやすい。

天空企画編『琉球の伝統工芸』(河出書房新社)はカラー写真や図が豊富で、見て楽しめる。

小田静夫『壺屋焼が語る琉球外史』(同成社)は、考古学の視点から壺屋焼の歴史を知ることができる好著。東南アジア史と泡盛の流通経路を踏まえ、壺屋焼がどのようにして日本本土に渡っていったかを解き明かす。

34 琉球の染織・織物文化

〔石垣金星〕

琉球では各地に魅力的な織物や染織があると聞きますが、どのような織物・染織がありますか。どうして織物や染織が盛んなのでしょうか。

１４２９年、統一された琉球国が誕生し、首里王府を中心とした国づくりがはじまりました。琉球国は明国（中国）との交易を主とし、日本、東南アジア地域との交易によりさまざまな文物がもたらされ、琉球固有の染織文化が花開きました。宮古・八重山地域は１５００年に琉球国へと組みこまれました。各島々地域において染織物生産をになったのは主に女たちでした。これらの染織物は首里王府への貢納品（税金）として納めることが義務づけられていました。１６０９年、薩摩は武力により琉球を侵略しました。半ば薩摩の支配下にありながらも琉球国は存続しました。１６３７年、宮古・八重山地域に人頭《にんとう》税《ぜい》*という新たな税制度が設けられ、薩摩への貢納（納税）も義務づけられました。20歳から49歳までの女たちは各村々番所（役所）に設けられた織物工房に集められ、年間2反の貢納布を織りあげるために働きました。

今でこそ美しいと称賛される琉球染織文化はこのような女たちの苦労の上に築かれてきたのです。1879年、日本国明治政府により武力で琉球国は滅ぼされ、500年近く存続した琉球国の歴史は幕を下ろすことになりました。明治政府は琉球国を沖縄県として日本の一地方とし、現在に至ります。なぜか宮古・八重山地域は沖縄県の旧慣温存政策により人頭税は、1902年（明治35）まで続きました。これまでの現物納税から現金納税となり、税金として染織物を納めることはなくなりました。そして急速な日本の近代化により、着物から洋服へと変わり、染織文化は時代にふりまわされることになりました。女性たちは織機を家にもち帰り、家族のために、そして商売のために織り上げながら、各島々地域の染織文化の伝統は受けつがれていきました。

大きく時代がゆれ動いていた、1925年（大正14）に、日本の思想家、柳宗悦が民藝（民衆的工藝）という言葉を生み出し、1936年（昭和11）に日本民藝協会を発足させました。名もない民衆の作り出す工芸

*人口調査に基づいて賦課対象となる年齢別の区分を行い、それぞれに定められた割合を頭割りにして租税を課した。

紅型図案

品（織物、焼物、その他）を称賛し、新しい価値を与える民藝運動は日本各地域の工芸振興に大きな影響を与えました。柳は沖縄にも関心を寄せ、１９３８年～40年（昭和13～15）、日本民藝協会一行は沖縄を訪れ、織物、焼き物について調査しました。同時にたくさんの織物を購入してもち帰りましたが、それらは東京都駒込の日本民藝館に保管されています。翌１９４１年（昭和16）、日本は歴史上最悪悲惨な太平洋戦争へと突入し、１９４５年の沖縄戦により沖縄島は焼きつくされ、琉球国の伝統の染織物はすべて焼きつくされ消えさりました。日本民藝協会が収集購入してもち帰った染織物は、琉球国の伝統を受けついだ数少ない資料として、これからの若い人たちが手にとり学ぶべき貴重な染織物となっています。

　沖縄戦で５００年におよんだ琉球国の染織物伝統の中心地であった首里や那覇の街はすべて焼きつくされ、廃虚となりました。運よく生き延びることができた染織物の職人たちは、廃虚のなかから米軍落下傘の紐を拾い集め、それをほどいて糸をつくり、鉄砲玉のヤッキョウを紅型用道具にして伝統染織物の復活に取り組みました。「誠に絶賛・尊敬する素晴らしい方々がいた！」と思います。そして沖縄戦敗戦からまもない１９５３年に、このような高い志ある方々により琉球国伝統染織物を次の世代へと継承すべく、県立首里高等学校全日制に染織デザイン科が設置されました。

　次に首里高校染織デザイン科の設置と取り組みを、首里高校のホームページより紹介します。県立首里高等学校染織デザイン科は、１９５８年に全日制課程のなかに設置されました。２年次まで全生徒が染織工芸にかんする基礎的な共通科目を学び、３年次になると織物専攻と染色専攻に分か

https://mingeikan.or.jp/

日本民藝館

れます。染織デザイン科の卒業生は総数で2000名以上に上ります。〈実習〉科目として、1・2年次では「染め・織り・デザイン・色染化学」をローテーションで学び、3年次では、染めと織りに分かれて、卒業作品の制作を行います。

琉球各地の染織物として次のようなものがあります。久米島紬、宮古上布、読谷山花織、読谷山ミンサー、琉球絣、首里織、与那国織、喜如嘉の芭蕉布、八重山ミンサー、八重山上布、琉球びんがた、知花花織、南風原花織。

現在、沖縄各地産地で使われる織機は通称「高機・たかはた」と称されており、木製（キャンギ&チャーギ&イヌマキ）織機が使われています。沖縄には自動織機が一台も導入されていません。

次に織物の糸について紹介します。糸は通称「ブウー」（苧麻・いわゆる麻）と呼ばれる植物からつくられます。たとえば、宮古上布、八重山上布がそうです。

沖縄島の大宜味村にある喜如嘉の芭蕉布は、糸芭蕉の木から繊維をとり出して糸にして織り上げた布です。糸芭蕉は古く（1400年代）頃、福建省（中国）方面から導入されたと伝えられています。今でも中国の福建省でも、盛んに喜如嘉と同じような、糸芭蕉が織物として使われています。琉球国時代において奄美諸島、沖縄諸島、宮古諸島、八重山諸島で糸芭蕉の栽培が奨励されまし

琉球かすり

http://okinawacrafts.sakura.ne.jp/fabric.html

沖縄の工芸品　織物・染織

た。その糸芭蕉は現在までたくましく生き延びてきました、人々はその糸芭蕉を手入れし糸を取り出し織り上げ芭蕉布を復活させました。大宜味村喜如嘉は沖縄を代表する芭蕉布の里として有名です。八重山諸島においては竹富島と西表島において芭蕉布が織られています。サンゴ礁に囲まれた八重山諸島の自然環境を活かし織り上げた芭蕉布は海を抱いており、海晒《うみざら》しと称して真夏の太陽と海水に晒します。青く美しくきれいな海の不思議な力により美しい布が生まれます。喜如嘉の芭蕉布に見られるように、繊細な糸で織り上げた芭蕉布は世界でも唯一のものであり沖縄の織物を代表して世界に誇るべき宝物です。そして織り上げた芭蕉布の染料を浸透させるための独特の「海晒し」は世界でも八重山固有の技法として極めて貴重です。それは八重山の青く美しい綺麗な海があればこそ現在まで継承されてきた伝統技法なのです。

絹糸（シルク）は、蚕の繭から糸を引き出して作ります。絹織物は最上級の布とされています。首里織、与那国織などは絹糸で織りあげられた織物です。久米島紬は、繭から作り出される「つむぎ糸」によって織られます。近年まで日本は世界的な絹糸生産国でしたが、近代化の波とともに養蚕業が衰退し、今やほとんど絹糸は中国から輸入するようになりました。

木綿糸から織られる織物には、八重山ミンサー、読谷山ミンサーがあります。それぞれの「ミン

うーはぎ・糸芭蕉

サー」という名称は、「綿の細帯・ミンサー」に由来します。その「綿の細帯」は、もともと着物をつけたときに腰で結ぶ帯を意味していました。綿糸の材料である綿花は、現在、日本ではほとんど栽培されておらず、綿糸はほぼ輸入に頼っています。

次に染料について述べます。本来は天然染料（植物染料）を用いて染色が行われていました。青色系の代表的染料は琉球藍（やんばる藍）であり、それは沖縄島本部半島にある伊豆味で栽培されています。琉球では八重山諸島だけでインド藍（ナンバンコマツナギ）が古くから栽培されてきました。黄色系の代表的染料は福木の皮から作られますが、それで染めた黄色は鮮やかな色彩を放ちます。赤色系の代表的染料は蘇芳（すおう）ですが、沖縄には自生せず、古くから東南アジアから輸入されてきました。八重山上布の赤茶色は、紅露（くうる）という植物を用いて染色されますが、沖縄では石垣島と西表島にだけ紅露は自生しています。八重山諸島の隣に位置する台湾にも紅露が存在しており、台湾原住民族もこの紅露を染料として使っています。

琉球に今も残る織物や染織を探しに、ぜひ現地をたずねてみてください。

海晒し

35 琉装と普段着

〔松島泰勝〕

琉球の伝統的な服装はどのようなものですか。かりゆしウェアはどういう由来をもっていますか。

琉装とは、琉球国時代の成人男女の装束であり、髪型と着物の独自性と美しさが際立っています。琉装の髪型は、男性が「カタカシラ」、女性は「カラジ」と呼ばれています。カタカシラは、頭の中央部を剃ったうえで、その周囲を短く切り、まわりの髪を頭の頭頂部で束ねて卵形に結い上げ、二本のジーファー（簪）で固定します。琉球人男性は13歳になると、カタカシラを結って成人式を行います。それとともに、按司《あじ》（士族）以上の身分の人びとは、位階毎に色分けされた冠と、「御殿」という称号が琉球国王府から与えられました。

琉球人女性のカラジと同じような髪型が、東南アジアのタイ民族、ラオ民族に見られます。

髪を結い上げて、簪を髷の後方から前方に向けて差します。貴族や士族の女性は正装のときに、副簪を本簪と交差させ、頭頂部において真正面に向けて髪を結い、簪も正面方向に差します。他方、庶民は、髷を頭の後頭部で結い、頭に物を載せて運ぶことができるようにし、髷や簪の方向も真正面を避け、左右どちらかに大きく逸せました。

男性の着物の身丈*は、くるぶしを覆う程度の長さであり、裾を地面に引くことはありません。袖は広袖で風通しがよく、亜熱帯の風土に適しています。女性の着物も表衣をまとうだけで、帯をしめないので風通しが良い作りになっています。

琉球着物の染織方法は多様であり、各島や地域ごとに独自性があります。染物としては、色鮮やかな「琉球びんがた」が有名です。「びん」とは色、「がた」は模様という意味です。鳳凰、龍、鶴などの古典的な紅型とともに、琉球（沖縄）の自然や風物もデザインとして使われます。染織物としては、八重山上布、宮古上布、芭蕉布、与那国織、首里織、琉球絣、読谷山花織、南風原花織、知花花織、読谷山ミンサー、八重山ミンサー、久米島紬等があります。また琉球国時代の士族の男女が夏に着ていた桐板《とうんびゃん》という「幻の布」があります。その原料は中国で栽培された苧麻であることが分かり、人間国宝の宮平初子*さんらによって復元されました。

近年、琉球藍染も大きな関心を集めています。琉球藍の原料はキツネノマゴ科の多年草です。その原産地は、タイ、インド、台湾などですが、日本では琉球で栽培されています。藍には防虫効果があり、琉球の青い空と海を思い起こさせる、深い青の色彩が人気を集めています。

＊30琉球・沖縄研究の先駆者たち、伊波普猷の写真参照。

＊沖縄の織物・染織分野の人間国宝。与那嶺貞（読谷山花織）、玉那覇有公（紅型）、宮平初子（首里織）、平良敏子（芭蕉布）

また、ドゥジン（胴衣）という腰丈までの長さの上着が、琉球在住の女性のあいだで注目されています。琉球国時代の士族女性がこれを礼装として身につけました。帯をしないで、ゆったりと羽織るように着衣するので、亜熱帯の島の生活に適した衣装だといえます。今は普段着としてドゥジンを着る人が増えています。

琉球の人びとは、趣味として琉球の舞踊、民謡、三線等を習うことが多いのですが、これらを人前で披露するときに琉装をします。また誕生、七五三、成人式、結婚式、カジマヤー（97歳の生年祝い）の記念写真撮影の際にも琉装をします。琉装が、琉球の過去と現在の文化をつなぐ役割を果たしています。また、観光客も、琉装をレンタルで着て国際通りを歩き、写真を撮るとともに、染織の体験をする人が増えています。

ハワイのアロハシャツのように、琉球の人びとが日常的に身につけているのが「かりゆしウェア」です。「かりゆし（嘉利吉）」とは、しまくとぅば（琉球諸語）で「めでたい」「縁起が良いこと」を意味します。それは、1970年に沖縄県観光連盟が、観光振興を目的にして「おきなわシャツ」の名称で販売したことにはじまります。それは、暑い夏を快適に過ごし、島々を訪れる観光客を温かく迎え、琉球のイメージアップを図るために考案されました。

1990年の「めんそーれ沖縄県民運動推進大会」において、このようなシャツの推奨基準と、新たな名称を広く募集することが決定され、同年5月に名称の募集が行われた結果、「かりゆしウェア」に確定しました。2000年の九州・沖縄サミット*で、各国首脳がかりゆしウェアを着用

＊第26回主要国首脳会議。2000年7月21～23日、名護市の万国津梁館で開催。20世紀最後のサミットになった。

したことから、その認知が広がりました。現在、沖縄県内の民間企業、官公庁でも、かりゆしウェアを身につける人が増えました。

　かりゆしウェアの裾はズボンやスカートから表に出して、身体に風がはいり、涼しく過ごすように着こなしています。ウェアのデザインとしては、八重山ミンサー、琉球紅型、琉球絣、壺屋焼などの伝統工芸の柄や、パイナップル、ヤシの木、シーサー、ゴーヤー、ハーリー（舟漕ぎ競争）、バイビスカス、デイゴといった琉球の風物をモチーフにしたものが多く用いられています。

　かりゆしウェアは開襟型のほかに、上までボタンが閉まるもの、詰め襟型、ボタンダウン型のものもあります。現在、多くのバリエーションが生まれ、女性用の七分丈もあり、若い女性の着用者も増えています。また喪服として黒色かりゆしウエアもあり、冠婚葬祭でも着用されています。さらに伝統工芸産地組合等が伝統的な染織の素材を活用したウェアを製造、販売しています。月桃（ゲットウ：熱帯地方に自生する多年草）の茎を使った繊維や、風化サンゴを混ぜた繊維、サトウキビで染めた繊維、高瀬貝のボタンなど琉球の天然素材を使ったウェアも生産されています。

　現在、沖縄県では4月から11月までを「かりゆしウェア着用推進期間」とし、県知事をはじめと

かりゆしウェア

https://www.pref.okinawa.jp/site/shoko/shoko/kogyo/18500.html

沖縄県特産品かりゆしウェア

して地方自治体の各職場で、かりゆしウェアの着用が推奨されています。沖縄県議会は１９９９年の９月定例会から議場内での着用を認め、大部分の議員が着用するようになりました。

「かりゆしウェア」という言葉は沖縄県工業連合会によって商標登録されています。その名称の使用にあたって、同工業連合会の委託を受けた沖縄県衣類縫製品工業組合は次のような条件で認定を行っています。①沖縄県内で縫製されたもの（布地は県外で生産されたものでも可）、②琉球らしいデザイン。ウェアについているタグは、同工業組合がかりゆしウェアであることを証明したものですので、それを確認して購入してください。

かりゆしウェアは、島内各地の観光土産品店でも販売しています。沖縄県衣類縫製品工業組合の調べによると、２００４年の出荷枚数は約31万枚でしたが、２０１４年には約49万枚、２０１９年には約43万枚になりました。

近年、このように琉装、かりゆしウェアが日常的に広く着用されるようになった社会的要因として次の諸点をあげることができます。琉球の観光業が大きく発展したこと、琉球の歴史や文化に対する関心が高まったこと、琉球人アイデンティティの広がりと深化があります。

36 沖縄の芸能

〔多嘉山侑三〕

「芸能の島」と呼ばれることもあるそうですが、沖縄にはどのような芸能がありますか。

　これまで芸能界では、多くの沖縄出身の歌手や俳優の皆さんが活躍してきました。最近では２０２２年度前期に放映予定のＮＨＫの連続テレビ小説「ちむどんどん」の主役に、糸満市出身の黒島結菜さんが抜擢されました。いわゆる「ＮＨＫ朝ドラ」ですが、同じく２００７年度前期の「どんと晴れ」ではうるま市出身の比嘉愛未さんが、そして２０００年代の沖縄ブームの火つけ役となった「ちゅらさん」では那覇市出身の国仲涼子さんが、それぞれ主役を務めました。また、歌手として全国の若者を中心に圧倒的な支持を得て活躍したのが、那覇市出身の安室奈美恵さんです。１９９２年に15歳でデビューし、２０１７年に40歳で引退するまでの

25年間、つねに第一線で活躍しつづけ、一時はそのファッションなどから「アムラー」という社会現象まで巻き起こしました。

ほかにもさまざまな沖縄出身の歌手や俳優が活躍していますので、「沖縄は芸能人が生まれやすい」という印象をおもちの方も多いかもしれません。その起源を遡ると、かなり古い時代から琉球沖縄の人びとは、日常生活で経験したできごとを即興詩にして歌っていたといわれています。表現をすることが昔から生活の一部になっていたのですね。そこから唄三線《うたさんしん》や音楽、踊り、歌劇、芝居など、激しく移り変わる時代のなかで独自の芸能文化を発展させてきました。本項では、そのような琉球沖縄の独自の芸能文化について紹介していきたいと思います。

まずは三線と音楽について。詳しくは「38沖縄の音楽」で触れますが、14世紀後半から15世紀初頭にかけて、中国から三線が伝えられました。そこから、それまでの即興詩に三線の旋律で歌う技法が加わります。そうやっていわゆる「唄三線」の原型が生まれ、琉球沖縄の芸能はここから発達していきます。その後、8・8・8・6音の表現方法*（琉歌）が確立して、哀愁を帯びた独特の音楽が作り出されていきました。

つづいては琉球舞踊について。その起源は諸説ありますが、17世紀半ば頃から冊封使をもてなすための宮廷の芸能の一つとして確立されてきたといわれています。そしてその種類は現在では大きく4つに分けることができます。首里王府の保護のもとで完成した古典舞踊、各地域で継承されてきた民俗舞踊、琉球併合後に庶民の暮らしのなかから生まれた雑踊、戦後の伝統芸能の活動から生

＊沖縄本島を中心に生まれた叙情歌で、8・8・8・6の30音の定型短歌。仲風と呼ばれる和歌の音数（5・7）が混じったものや、8音を連ねて最後を6音で結ぶ長歌もある。成立は、15～16世紀にさかのぼるとされている。

み出された創作舞踊、この4つです。現在も沖縄の結婚披露宴などお祝いの席で披露される「かじゃでぃ風」は、沖縄県民にとって馴染みのある踊りですが、こちらは古典舞踊に当たります。これらの琉球舞踊は、歌舞伎などの日本芸能から受けた影響が大きいといわれています。

さて、これまで紹介した唄三線と舞踊、つまり歌と踊りその両方の要素をもちあわせた伝統芸能があります。組踊《くみおどり》です。組踊とは、琉球舞踊と同様に冊封使をもてなすために作られた歌舞劇です。音楽と舞踊、それに韻文の台詞で構成された、いわば琉球独自のミュージカルで、18世紀初頭に玉城朝薫*によって制作されました。1719年の冊封式典のときの初演は琉球の古伝説を題材にしていますが、その様式や演出は、能や狂言、歌舞伎などの影響を受けています。玉城朝薫によって作成された有名な演目5つは組踊五番と呼ばれており、現在でも浦添市にある国立劇場おきなわなどで上演されています。また組踊は、ユネスコの無形文化遺産に指定されています。

そして、琉球沖縄の伝統芸能のなかで現在最も知名度があるのは、エイサーではないでしょうか。エイサーは今でこそ、お祭りや運動会などさまざまな行事のなかで太鼓を叩きながら勇ましく踊るもの、というイメージがあるかもしれませんが、元々は先祖の霊を供養するために踊られる念仏踊りのことをいいます。旧暦の7月15日の夜、各家庭でうーくい（精霊送り）を済ませた後、村の青年たちが各家を巡回して踊ります。その起源は諸説ありますが、1603年から06年にかけて当時の琉球王「尚寧王」知遇を得た浄土宗の「袋中上人」*が仏典を踊りながら唱える念仏踊りを伝え、沖縄独自の仏典踊りの形態であるエイサーへと発展したといわれています。

https://www.nt-okinawa.or.jp/

国立劇場おきなわ

＊ひと②参照

＊念仏を唱えながら踊る芸能で日本全国に分布する。その起源は仁和2年（886年）、菅原道真が讃岐守を務めたときに行った雨乞いの踊りといわれる。

このように琉球王国時代にさまざまな伝統芸能が誕生してきましたが、1879年琉球併合により琉球は滅び、沖縄県が強制設置されます。しかし、その後に生まれた芸能ももちろんありました。その先駆けが沖縄芝居です。沖縄芝居はもともと宮廷芸能にたずさわっていた士族の芸能家が、琉球併合によって職を失い、生活のためにはじめた商業演劇からおこりました。その様式は沖縄語（うちなーぐち）による台詞劇と歌劇の2種類で、沖縄語による文体が未発達だったこともあり、脚本が書かれることは少なく、あらすじが決まると細かいセリフは口立てという即興で演じられました。大正期には、本土の演劇の影響を受けながら沖縄芝居としての様式を確立し、庶民の娯楽として親しまれました。

その後1945年の沖縄戦で住民をまきこんだ激しい地上戦が行われ、沖縄は焦土と化してしまいました。当時の県民の4人に1人が亡くなり、劇場などほとんどの建物が焼きはらわれ、もはや芸能活動どころではありませんでした。それから沖縄は日本から切り離されて27年間におよぶ米軍支配下に置かれます。そのなかで少しずつですが人びとの生活が落ち着いてくると、伝統芸能もじょじょに復活していきます。また、新たな傾向として、米軍がもたらしたジャズやロックも多くの若者に受け入れられていきました。

1972年の日本復帰後は伝統芸能の継承に加えて、音楽界においては米軍のロックや日本の歌謡曲の要素をとりいれながらそこに三線のアレンジを重ねる、いわゆる沖縄ポップスと呼ばれる独自のジャンルが確立されていきます。その先駆けとして1970年代にデビューした喜納昌吉（以下、敬称略）の「花」はアジア各国で歌われ、さらにはりんけんバンドの登場で沖縄ポップスは全国的に人気を博するようになりました。1990年代には、ネーネーズ、BEGIN、ディアマンテス、パーシャクラブなど戦後の第三世代が続々と登場し、活躍の場を広げていきます。また、伝統的なエイサーに現代的なリズムをとりいれた「琉球國祭太鼓」のような新しい沖縄芸能も国際的に注目されはじめました。そして冒頭でとりあげた安室奈美恵が沖縄ポップスにとらわれないニューミュージックで全国の若者の圧倒的な支持を受け、それを皮切りに、MAX、SPEED、DA PUMP、石嶺聡子、kiroro、Cocco ら若いアーティストが1990年代後半に次々とメジャーデビューして活躍し、2000年代に入るとMONGOLE 800 やORANGE RANGE、HY など、さらに新しい世代が活躍していきました。

また俳優界では、冒頭で挙げた方々以外に、仲間由紀恵、新垣結衣、満島ひかりなども2000年代に入ってからさまざまなドラマで活躍をし、2010年代後半からはタレントのりゅうちぇるがバラエティ番組を中心に活躍しています。

このように、琉球沖縄では独自の伝統芸能が発展・継承されながら、常に新しい芸能文化もとりいれられてきました。こういった歴史的背景からも、芸能が育ちやすい土壌があるのではないでしょうか。また今後も、沖縄出身の歌手や芸能人がどんどん輩出されていき、活躍の場を広げていくことが期待されるでしょう。

エイサー（名護市観光協会なごむん）

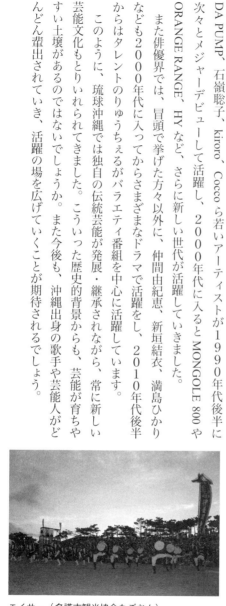

37 活躍するスポーツ選手たち

〔多嘉山侑三〕

スポーツ界には沖縄出身で活躍する選手も多いといわれますが、どんなスポーツ選手がいますか。

沖縄では１９７２年の本土復帰以降、若者のスポーツにおける全国的な活躍が目立ってきました。１９９０年と91年に沖縄水産高校が夏の甲子園で続けて準優勝し、春の選抜高校野球大会では１９９９年と２００８年に沖縄尚学高校が全国制覇を果たし、２０１０年には興南高校が春・夏連覇を成しとげました。また、興南高校ハンドボール部も１９９９年に全国選抜大会で優勝し、その後もインターハイや全国選抜大会で優勝を重ねています。

このような活躍は高校生の全国大会だけでなく、プロスポーツの世界でも同様です。本項では、ボクシング、ゴルフ、プロ野球、サッカーなど、沖縄出身で活躍するプロスポーツ選手を紹介していきたいと思います。

　ボクシングでは、石垣市出身の具志堅用高選手（写真①）がＷＢＡ世界ジュニアフライ級チャンピオンとなり、1976年から81年まで実に13度の防衛を果たしています。具志堅氏は現在ではすっかりテレビタレントとして認知されているかもしれませんが、地元石垣市にご本人の記念館が建てられるほどの偉大なボクシング選手でした。具志堅氏以後も、渡嘉敷勝男選手や平仲明信選手など次々と世界チャンピオンが誕生し、沖縄はボクシング王国と呼ばれました。

　プロゴルフでは、東村出身の宮里藍選手（写真②）が2005年の女子ワールドカップゴルフの初代チャンピオンに輝き、2010年には世界ランキング1位を11週間キープしたりと大活躍しました。2017年に引退を表明するまで、日本女子ゴルフ人気を牽引してきた選手でした。また、同世代で名護市出身の諸見里しのぶ選手も2006年に国内ツアーで初優勝を飾ったり、2009年

写真①具志堅用高選手

写真②宮里藍選手

写真①②　共同通信

にはメジャー2勝を含む年間6勝を挙げたりするなど活躍をしました。近年では、うるま市出身の新垣比菜選手が2018年に19歳で国内ツアー初優勝を飾っています。

プロ野球では、興南高校が夏の甲子園で春・夏連覇を成しとげた2010年以降に、沖縄出身の選手が急激に増えていきました。2019年時点でその数は27名で、人口比率では全国1位です。そのなかでも、那覇市出身で埼玉西武ライオンズ所属の山川穂高選手が、2018年と19年に2年連続で本塁打王のタイトルを獲得しました。また石垣市出身で同じく埼玉西武ライオンズ所属の平良海馬選手が、最速160キロの豪速球を武器に中継ぎ投手として活躍し、2020年に新人王のタイトルを獲得しました。

サッカーでは、那覇市出身の我那覇和樹選手が川崎フロンターレに入団した1999年に優秀新人賞を獲得し、Jリーグで日本人選手最多の18ゴールを上げた2006年に日本代表に初選出され、さらに代表戦6試合で3ゴールの結果を残すなどして活躍しました。我那覇選手はその後様々なチームを渡り歩き、40歳となった2021年現在も現役選手としてプレイしています。

このように、沖縄出身のプロスポーツ選手の活躍が年々増えてきています。また沖縄は年間を通して温暖な気候でもあり、プロ野球の多くの球団にキャンプ地として利用されています。それに加えて近年では、プロサッカーのFC琉球やプロバスケットボールの琉球ゴールデンキングス、そしてプロ卓球の琉球アスティーダなど、数々のプロスポーツチームも誕生しています。沖縄は今後もますます「スポーツ王国」として盛りあがっていくことでしょう。

38 沖縄の音楽

〔多嘉山侑三〕

沖縄をたずねると、近くから三線の音が聞こえてくることがあります。どのような特徴をもっていますか。

沖縄の音楽といえばどのようなイメージがあるでしょうか。恐らく、誰が聴いても日本の音楽とは少しちがう独特な雰囲気を感じると思います。また、沖縄の音楽もさらに細かく分けると、伝統的な古典や民謡から現在ではポップス、ロックまでさまざまです。ここではそういった沖縄の音楽の特徴や背景についてお伝えしていきます。

まず、沖縄の音楽には大きな特徴が二つあります。一つ目は琉球音階*。二つ目は三線という楽器です。

琉球音階は別名「レラ抜き音階」ともいわれ、ドレミファソラシドのなかからレとラを抜

*「ドミファソシド」の5音階（ペンタトニック）は、沖縄だけではなく、インドネシアのガムラン、中国雲南省、ブータンなどにも存在する。

いた音階です（図）。もし何か楽器をおもちの方は、ドミファソシドと順番に弾いてみて下さい。たちまち沖縄のような雰囲気になるはずです。それは、沖縄の民謡の多くでこの琉球音階が使われているためです。代表的なのは「てぃんさぐぬ花」という歌で、この曲のメロディーもほとんどが琉球音階で成り立っています。

沖縄の音楽のもう一つの大きな特徴である三線。その音色を聴いただけで沖縄をイメージする人が多いほど、沖縄の音楽にとってなくてはならない楽器です。その構造を簡単にお伝えすると、音を共鳴させる胴の部分に蛇の皮が張られており、そこから棹の先まで三本の弦を張って、その弦を弾いて*音を出す仕組みになっています。同じ弦楽器でもギターのように和音（コード）を弾くことは少なく、主に単音でメロディー部分を中心に演奏します。

続いて、三線の歴史とともに沖縄音楽の歴史もたどってみたいと思います。沖縄で三線が生まれたきっかけは、沖縄がかつて琉球国という独立国家であった時代、14世紀末頃だといわれています。当時の琉球国は地理的特性を活かして東アジア周辺の国々と古くから交易を盛んに行っていました。そのなかで、中国から三線の原型となる三絃（さんすぇん）が、もちこまれたのです（写真）。15世紀になると当時の琉球王・尚真により士族の教養の一つとして奨励されるようになり、17世紀初頭になると、琉球国は三線を宮廷楽器として正式に採用し、歓待などの行事に使用するようになりました。

その後1879年の琉球併合（琉球処分）により、三線の担い手だった士族たちがその地位を失

＊日本の三味線はイチョウの形に似たバチで弦を弾いて音を出すが、琉球の三線は爪を大きくした形のバチを使って弦を弾く。

図　琉球音階

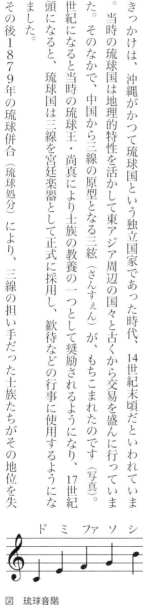

い、地方に下って行きます。もともと三線は宮廷に使える士族で裕福な人しかもつことのできない高級な楽器でしたが、これをきっかけに庶民にも伝わっていきます。やがて村の祭事や村芝居などで用いられるようになり、広く普及していきました。やがてそこから数々の沖縄民謡が生まれていきます。

しかし、１９４５年の沖縄戦では、多くの人の命とともに三線など多くの文化財が失われてしまいました。激しい地上戦を生き抜いた人びとの大半が、米軍の捕虜として収容所での生活を余儀なくされており、物資なども少なく、先の見えない暮らしが続いていました。そのなかで生まれたのが、いわゆる「カンカラ三線」でした。米軍から支給されるコンビーフやミルクなどの空き缶を胴にして、そこに棹用の木材を通して弦を張り作った三線です。戦後の貧しく精神的にも不安定な暮らしのなか、人びとを支えたのは唄とカンカラ三線の音色だったといわれています。

その後１９７２年の本土復帰を迎え、少しずつ物資も豊かになり、伝統的な三線とカンカラ三線の両方が人びとに愛され、現在に至るまで弾きつがれています。

このような歴史から、沖縄の音楽の伝統的なジャンルが大きく二つに分けられます。冒頭でも触れた古典と民謡です。琉球国時代の宮廷音楽として演奏されていたものを古典、または琉球古典音楽といいます。それに対して、１８７９年、沖縄県強制設置以降に士族から庶民に三線が伝わり、庶民のあいだから生まれた音楽が民謡、または沖縄民謡といいます。

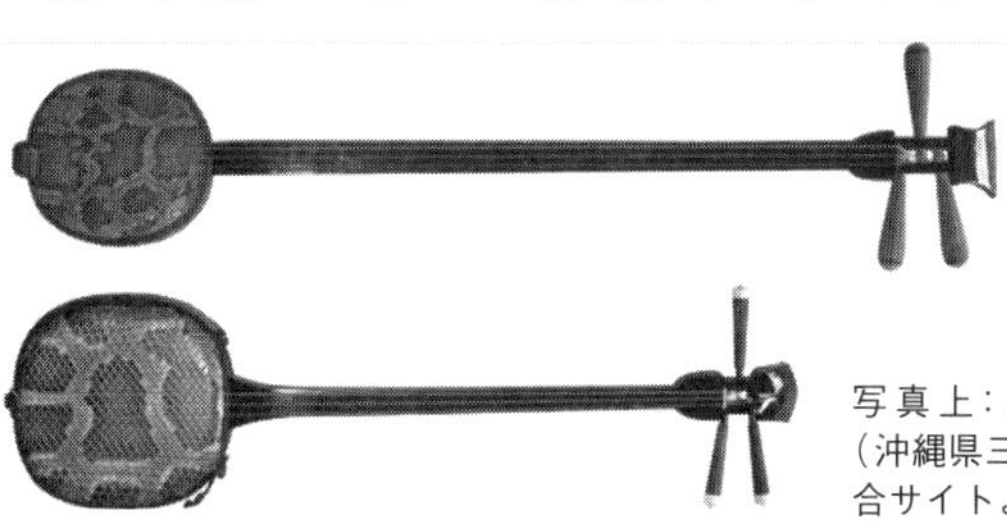

写真上：三絃　下：三線
（沖縄県三線製作事業協同組合サイトより）

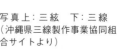

また、戦後は三線を中心とした古典や民謡以外にも、新しい音楽が沖縄に根づいていきます。まずはロックです。米軍統治下時代に米兵向けのクラブで演奏されることが多かったのがアメリカンロックでした。その影響を受けて１９７０年にコザで結成されたのが「紫」というロックバンドです。紫は現在もオキナワンロックのレジェンドとして語りつがれていますが、１９７０年代は日本もフォークや歌謡曲が全盛の時代だったため、沖縄だけでなく日本のロック界でも尖鋭的な存在だったといわれています。

そして１９７２年の本土復帰以降は日本の音楽からも影響を受けて、沖縄ポップスが生まれてきます。１９７０年代は南沙織やフィンガー5、喜納昌吉&チャンプルーズ、１９８０年代にりんけんバンドが誕生し、活躍します。そして１９９０年代に入ると、ネーネーズ、安室奈美恵、ＢＥＧＩＮが、２０００年代以降はMONGOL800、ORANGE RANGE、HYなども活躍していきます。恐らく、現代の日本人が抱く沖縄の音楽のイメージの多くは、こういった沖縄出身のアーティストによる沖縄ポップスではないでしょうか。

このように、沖縄の音楽は琉球音階と三線という大きな特徴をもち、琉球古典音楽、沖縄民謡が生まれ、現在まで受けつがれています。さらには日本とアメリカの影響も受けながらポップスやロックなども発展してきました。その歴史は必ずしも明るいものばかりではないですが、常に琉球沖縄の人びととの生活とともにあります。今後もその伝統を受けつぎながら、チャンプルー文化の下、新しい独自の音楽も生まれていくでしょう。

https://okinawa34.jp/

三線製作事業協同組合

39 食文化、どこからどこへ

〔与那嶺功〕

レストランや食堂をのぞいてみると、洋風とも和風とも異なった独特の料理をよく見かけます。看板も「琉球料理」と「沖縄料理」の表記があるのですが、何かちがいがあるのでしょうか。

食文化*という言葉があるように、食はそれぞれの地理的条件を基に、歴史的な背景が加わってできあがっています。豆腐やゴーヤー（にがうり）、麩や野菜などを具材にしたチャンプルー料理はもっともポピュラーな沖縄料理ですが、「チャンプルー」の語源は、インドネシア語で「混ぜ合わせる」を意味する言葉だといわれています。中国や日本、東南アジアの国ぐにとの長い交流のなかで培われたチャンプルー文化が沖縄の食文化の礎になったといえるでしょう。

琉球が中国やアジア諸国と盛んに交流していた「大交易時代」（14〜16世紀）は、中国の王朝

＊歴史家だった外間守善の『沖縄の食文化』（新星出版）は、海外外交の中で、どうやって琉球の料理が形づくられたかが分かる好著。日本や中国、東南アジア諸国の歴史の流れを踏まえながら、易しい言葉で説明している。

が代わるたびに、中国皇帝の使者が琉球を訪れる儀式がありました。一度に４００～５００人がやって来て、半年ほど滞在します。歓迎の宴で中国人使者の嗜好に合う料理を提供する必要があったので、琉球の料理人を中国に派遣して修行させ、また中国人料理人を招いてつくらせることがありました。

中国料理では、豚肉が重要な食材とされているので、中国人使者の歓待のために養豚が奨励され、その影響で豚肉料理が発達します。豚足を醤油で煮込んだ「アシティビチ」、豚肉を甘く煮込んだ「ラフテー」、豚肉と白味噌の汁物「イナムドゥチ」といった琉球料理が生み出されました。薩摩藩の在番奉行所が那覇に置かれた１６０９年以後は、彼ら役人の口に合う料理を用意する必要があったので、琉球の料理人を薩摩に送って日本料理を学ばせました。このような外交政策によって宮廷料理が洗練され、「琉球料理」は最高のもてなし料理として完成されました。

琉球王府が滅んだ後は、職を失った宮廷の料理人が街中の料亭などで働くようになり、やがて宮廷料理が一般にも広がっていきます。もともとイモを主食にしていた庶民も、社会が開けるにつれ、宮廷料理を口にする機会が増えていきました。豊かになった現在では、庶民的な食堂でも「アシティビチ」を食べることができます。

一方、「沖縄料理*」とは、琉球併合によって沖縄県が設置された後に考案された料理を含め、現在の沖縄で一般的に食べることのできるメニューの総称と理解していいでしょう。わかりやすくいえば、日本やアメリカから影響を受けて形づくられたものです。

＊テレビの人気料理番組のコメンテーターとして活躍した岸朝子の『沖縄料理のチカラ』（ＰＨＰエル新書）も、写真やグラフが多く使われていて読みやすい。著書の父は、牡蠣の養殖で世界的に知られた宮城新昌。家族のエピソードや古里の思い出も織り交ぜながら、食文化だけでなく沖縄の苦難の歩みも教えてくれる。巻末の簡単レシピも便利。

明治のころ、日本本土と沖縄を往来する人びとが増え、日本風の料理が広まりました。いままで沖縄で栽培されていなかった植物がもちこまれ、それが食材にとりいれられるようになります。沖縄そばは、もともと「支那そば」と称されていたものがルーツとみられ、明治になって、広く食べられるようになりました。「そば」の名称がつけられていますが、本土で使われる蕎麦粉ではなく、小麦粉を練った麺を使っているのが特徴です。

沖縄戦後は、戦勝国であるアメリカの強い影響を受けました。ハンバーガーやサンドイッチ、ステーキ、フライドチキン。コーラ片手に食する米兵らの「アメリカン・スタイル」は、またたくまに広がりました。そのなかで、アメリカ製缶詰のポークランチョンミート（沖縄では「ポーク」と呼ばれています）を使った料理が生み出されます。焼いたポークと卵焼きを組みあわせた「ポークたまご」は、安くて手軽に食べられる食堂の定番メニュー。さらに進化して、白米にポークを載せて海苔で巻いた「ポークおにぎり」（おにポー）は、コンビニの商品棚にも並ぶようになりました。

ユニークなのが「タコライス」。タコス（メキシコ料理）の具材（チリコンカルネ）を、白米の上にのっけた沖縄発祥の料理です。米軍基地近くの歓楽街で生まれた「タコライス」は、安くてボリュームがあるので、若く大柄な米兵らに好まれました。やがて地元の人びとにも人気となり、いまではファストフードのメニューにもとりいれられています。

ゴーヤーチャンプルー

中国・日本・米国の食文化を柔軟にとりいれて育った沖縄料理ですが、受け身だったわけではありません。海外には沖縄系移民のコミュニティーが点在し、特に米国には沖縄駐留経験のある米軍兵、米兵と結婚した沖縄女性などが数多く住んでいて、彼らが食べる沖縄料理が次第に現地の人びとにも知られるようになっています。日米文化のミックスともいえる「ポークおにぎり」は、沖縄移民が多いハワイやグアムでも売られています。

ところで、沖縄ではアイスクリームの消費量が全国最下位レベルって、知っていましたか。南国ゆえに冷たいアイスが飛ぶように売れるイメージがあるかと思いますが、その理由は「ぜんざい」の人気が根強いからです。

日本本土では、冬に食べる温かい「ぜんざい」が一般的ですが、沖縄では、暑い日に食べるおやつです。砂糖で煮詰めた豆を器に入れて、その上にかき氷を山盛りに載せます。シロップや練乳、フルーツをトッピングしたタイプもありますが、砂糖をまぶしただけのシンプルなメニューは、根強い人気があります。

観光施設でも「ぜんざい」を扱っていますが、お勧めは地元の人になじみの食堂やパーラーで食べること。広告ののぼりを立てかけて、小さなテーブルを置いてあります。夏の日差しのなか、シャキシャキの氷をほおばると、頭の芯まで冷たさが伝わってきます。オジイやオバアから小さな子どもまで、誰にでも愛されている庶民のおやつです。

沖縄物産公社　わしたポーク

さて、沖縄の酒といえば泡盛。蒸した米を黒麹菌で発酵させ、それに熱を加えて蒸留させたものです。琉球王朝時代からの伝統があり、タイや中国にルーツがあると見られています。

有人島には、それぞれ地元の泡盛醸造所が存在します。島ごとに個性があり、それぞれにファンがいます。泡盛を甕に3年以上入れて熟成させたものをクース（古酒）といい、まろやかな舌触りと深みのある味わいが特長。長く貯蔵すればするほど熟成度が高まるので、家庭でいくつもの甕にいれた古酒を保存しておいて、お祝いのたびに甕を開けては、少しずつ嗜む愛好家もいます。

40 島ごとに異なる文化や歴史

〔松島泰勝〕

沖縄県というと、単一の文化・歴史をもっているように思いますが、島によって文化も歴史も異なると聞きました。どういうちがいがありますか。

「沖縄」と「琉球」という言葉は、どのように異なるのでしょうか。奈良時代に日本へ渡来した唐僧・鑑真《がんじん》*について書かれた『唐大和上東征伝』（779年）に「阿児奈波」の文字が見えます。『平家物語（長門本）』（鎌倉時代）に「おきなわ」のひらがな表記が出て、「阿児奈波」、「悪鬼納」の文字も使われました。江戸時代に新井白石が著した『南島志』で「沖縄」の文字が当てられました。1879年の琉球併合後、日本の植民地になった琉球を「沖縄県」と名づけたのは日本政府でした。歴史的にみると、「沖縄」は日本との歴史的関係が強い言葉であるといえます。

*（688〜763）。唐から日本に渡った僧。唐の揚州に生まれ、14歳で得度し、後に長安で律宗・天台宗を学んだ。戒律を伝えるために日本に渡った。

「沖縄」は沖縄島という1つの島の名称でもあることから、沖縄島中心の見方になりかねません。沖縄島を「沖縄本島」と呼ぶ人もいます。沖縄島は琉球弧（琉球列島）のなかで最も面積が広く、国の主要機関、県庁、大学等が置かれ、広大な米軍基地もありますが、「琉球の中心」ではなく、多くの島々のなかの一つです。現在、宮古・八重山諸島の人びとは沖縄島に行くときに、「沖縄に行く」という人が多いようです。「沖縄」が琉球を公的に指す名称として使用されたのは、日本による統治時代である、1879年~1945年、1972年~現在までの115年程度であり、三山国時代から始まる琉球国の長い歴史に比べたら、ほんの一部でしかありません。

『隋書』* 流求国（656年）で、琉球または台湾として「流求、琉求、瑠求」の文字が使われました。14世紀に中山王・察度が明朝に入貢したとき

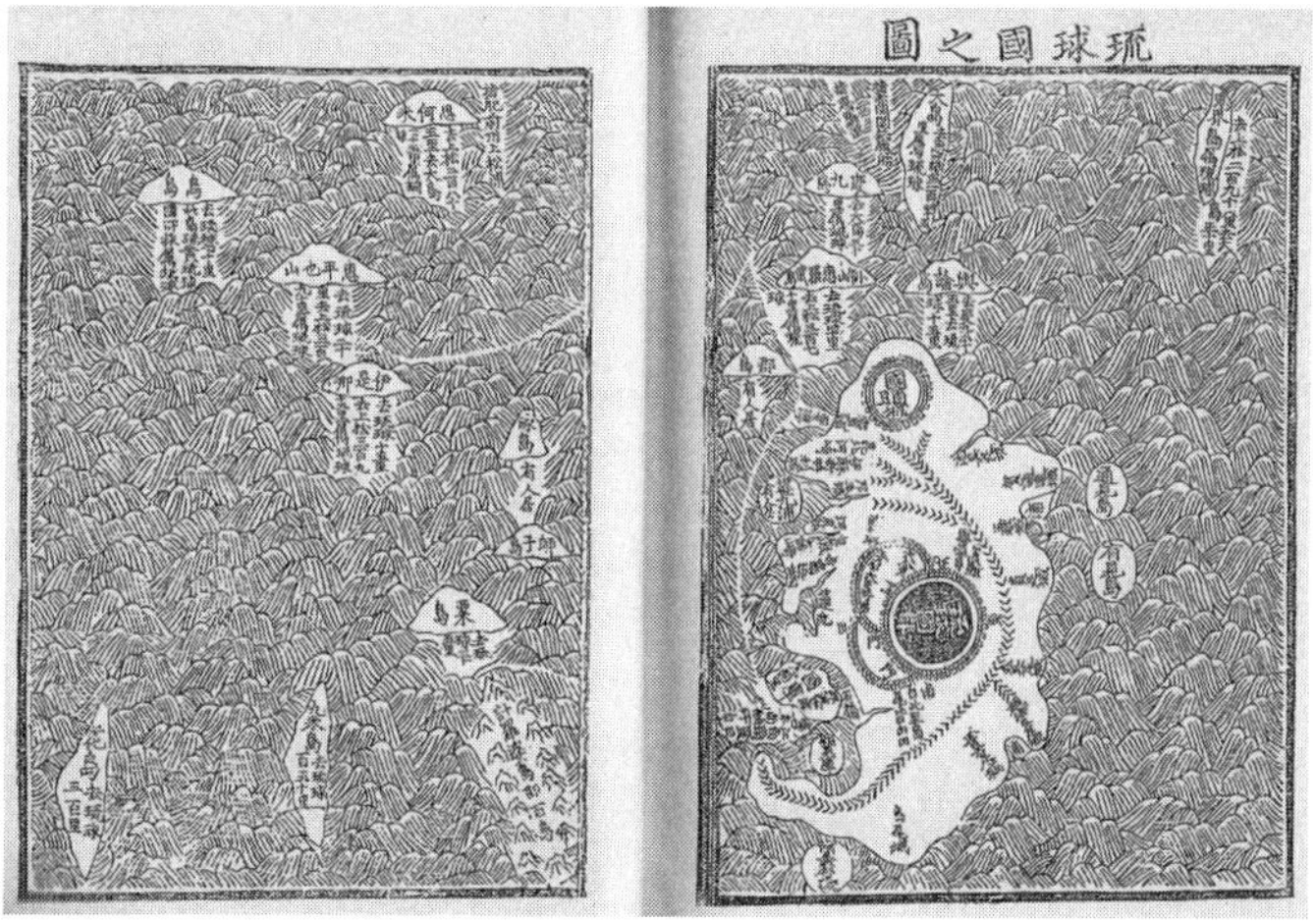

申叔舟『海東諸国紀』琉球国之図

＊中国24史のひとつで隋代を扱った。東夷伝のなかにヤマト政権、高句麗、新羅、百済のほかに琉球についての記述がある。

から「琉球」の文字が使用されました。「琉球」は中国に由来する言葉であるとともに、ポルトガル人からレキオ、レキオスと呼ばれ、欧州人が描いた地図でもLoochooと記載されるなど、国際的に琉球国が認知されていたことを明らかにする言葉です。

『古事記』『日本書紀』等に記されているように、日本には天照大神による国生みの神話がありま す。天照大神は歴代の天皇の始原として位置づけられ、その存在に不可侵性が与えられてきました。他方、琉球国王府が作成した『中山世鑑』(1650年)によると、アマミクという神が琉球の島々をつくり、一組の男女を住まわせ、三男二女をもうけました。長男は国王となり、天孫氏と称し、次男は按司、三男は農民、長女は大君、次女はノロとなったとされています。大君やノロは琉球の祭祀を司る女性です。琉球の島々では、それぞれの島生みの神話や伝説が継承されています。

琉球の言葉は、「琉球諸語」または「しまくとぅば」*といい、島ごとに言葉がちがいます。たとえば、「ありがとう」は、沖縄島では「ニフェーデービル」、宮古島では「タンディガータンディ」、石垣島では「ミーファイユー」、与那国島では「フガラッサ」といいます。

次に島々の地理的なちがいについて述べましょう。琉球の島々は、古期岩類や火山岩類からなる「高島」と、サンゴ礁性の石灰岩からなる「低島」に大きく分けることができます。高島には、沖縄島、伊平屋島、伊是名島、慶良間諸島、久米島、石垣島、西表島、与那国島等があります。低島には粟国島、伊江島、与勝諸島、宮古諸島、竹富島、黒島、波照間島、大東諸島等があります。沖縄島の場合、その北部地域が国頭帯(砂泥岩類)の高島と、中・南部地域が島尻帯(琉球石灰岩)を

*29「しまくとぅば」とはなにか、参照。

主体とした低島に分けることもできます。

高島は酸性の赤黄色土（国頭マージ）が、低島は中性から弱アルカリ性の石灰岩土（島尻マージ）と泥岩未熟土（ジャーガル）が多く分布しています。琉球の島々は亜熱帯気候に属し、サンゴ礁（イノー）が発達しており、イノーを中心にした海浜資源を利用した「サンゴ礁文化」が営まれてきました。

八重山諸島には、次のような島々があります。石垣島、竹富島、小浜島、黒島、新城島（上地島、下地島）、西表島、由布島、鳩間島、波照間島（有人島では日本最南端の島）、与那国島（日本最西端の島）。行政区分では、石垣市、竹富町、与那国町からなります。島々の内湾や河口域にはマングローブ林が発達しています。また、カンムリワシ、サキシマハブ、イシガキケブトハナカミキリ、イリオモテヤマネコなど、固有種が多く、生物多様性を学ぶことができます。

1500年、石垣島の領主であったオヤケアカハチが琉球国への朝貢を断ったために、尚真王によって侵略され、八重山諸島は琉球国の支配下に入りました。1637年には、負担の大きな人頭税が八重山諸島と宮古諸島に導入され、1903年に廃止されるまで島民を苦しめました。宮古・八重山諸島では1657年に人口の増減と無関係に定額人頭税となりました。与那国島では人頭税にかかわる悲惨な伝承があります。人減らしのために、ティング田と呼ばれる場所でドラを鳴らし、鳴り終わるまでにその場所に行けない人びと、つまり働いて納税できない人びとを殺害したとされます。またクブラバリと呼ばれる岩の裂け目の上を妊婦に飛ばせて堕胎させ、人減らしをしたとも伝えられています。これらは証明された事実ではありませんが、悲惨な島々の歴史をうかがうことができます。

1771年、マグニチュード7・4の地震が「明和の大津波」を発生させ、八重山諸島では約9000人、宮古島では約2000人が死亡しました。それから百年間に、飢饉、疫病、麻疹、マラリア等で人口が約40％減少しました。

太平洋戦争のとき、連合軍が八重山諸島に上陸することはありませんでしたが、空襲や艦砲射撃で178人の人びとが死亡しました。また、当時の人口3万1681人のうち、マラリア罹患者が1万6884人に上り（罹患率は53・29％）、マラリアでの死者は3647人となりました。犠牲が大きくなった原因は、マラリヤが蔓延する山岳部に住民を日本軍が強制的に疎開させたことにありました。石垣島生まれの私の母も戦中、マラリアに罹患し、そのときの苦しかった体験を私に話してくれたことがあります。

宮古諸島は、隆起サンゴ礁からなる平坦な島嶼群です。宮古島市には宮古島、池間島、大神島、伊良部島、下地島、来間島があり、多良間村には多良間島、水納島があります。宮古諸島には、ハブ類（ハブ、ヒメハブ、サキシマハブ）が生息していません。各島とも平坦であるため、過去の海進の際にハブが水没したためと考えられています。宮古島では大きな山や川がないので、地下ダムを作って飲料水や農業用水を住民に提供しています。

中国の古書である『元史』所収の『温州府志』には、元朝時代の1317年（延祐4年）に「密牙古人」が漂着したと記録されており、これが宮古諸島の人びとが歴史書に登場した最初とされています。1390年、宮古島の与那覇勢頭豊見親（真佐久）が中山王察度に初めて朝貢しました。真佐久は沖縄島の言葉を解せず、これは宮古島と沖縄島とが異なる文化圏であったことを示唆しています。1474年に仲宗根豊見親が宮古諸島を統一しました。

沖縄諸島は、沖縄島、同島周辺の島々、伊江島、伊平屋島、伊是名島、慶良間諸島、粟国島、渡名喜島、久米島、硫黄鳥島等からなります。沖縄島に形成されたグスクを支配する按司（アジ）たちの興亡の過程で、グスク時代、三山時代、琉球国時代の歴史が展開されました。沖縄島の東方海上約400キロに位置する大東諸島（北大東島、南大東島、沖大東島）は、地理的に沖縄諸島に含まれませんが、行政的には沖縄島南部の島尻郡に属しています。大東諸島はもともと無人島でしたが、1900年代以降、八丈島の人びとと琉球人が移住して、製糖業関連の労働者、農民として働くようになりました。現在、南北大東島には琉球文化と八丈島の文化が融合した独自な文化が残っています。

41 琉球の世界遺産

〔喜友名智子〕

琉球・沖縄にはどのような世界遺産がありますか。消失した首里城の再建はどのようにすすめればいいでしょうか。

２０１９年10月31日、首里城正殿・北殿・南殿が火災により焼失しました。その約半年前に起きたパリ・ノートルダム大聖堂の火災の記憶もまだ残るなか、「沖縄でも世界遺産が焼失した」との衝撃が大きかったことはもちろんです。しかし再建を目指した力強い動きがはじまり、世界中から寄付金が寄せられています。そこから改めて琉球の歴史を学びなおそうという県民の機運も高まっています。

沖縄での世界遺産は「琉球王国のグスク及び関連遺産群」です。５つのグスク（首里城跡、今帰仁城跡、座喜味城跡、勝連城跡、中城城跡）と４つの関連遺産（玉陵、園比屋武御嶽石門、斎場

https://www.okinawastory.jp/feature/heritage/top

沖縄遺産

御嶽、識名園）が2000年に文化遺産として登録されました。沖縄各地に残るグスクは優美な曲線を描く石積みで、琉球王国以前のグスク時代の面影を今に残し、再建に向かう首里城正殿は沖縄の太陽の光と空気に映える、鮮やかな弁柄《べんがら》色＊を基調に琉球王国の歴史を伝える象徴となっています。

＊赤味をおびた茶色。土中の鉄が酸化した酸化第二鉄を主成分とする。

首里城を知ることは、王国の宮廷文化だけではなく琉球・沖縄の中世と近現代を知ることであり、グスク群を知ることはその土着の歴史を知ることとなのです。

それでは、グスクと関連遺産群について簡単に紹介します。

●首里城正殿：世界遺産として登録されているのは首里城基壇の遺構で、建物を支える土台の一部が石積みとして残っている部分をさしています。首里城が初めて築かれたのは14～15世紀頃。現在の鮮やかな弁柄色に赤瓦の首里城になったのは4代目の首里城の特徴で、それ以前は黒っぽい高麗瓦＊だった時代があることがわかっています。正殿の左右にある建物は、右側が薩摩の役人を接待した日本式の南殿、左側の中国式の北殿には冊封使が滞在し、それ以外では王府の役人が使っていたといわれます。

●今帰仁城跡：三山時代を築いた城の一つ。他のグスクは琉球石灰岩が使

再建中の首里城

われていますが、今帰仁城は古生石灰岩を自然石のまま野面《のづら》積みで造られています。「今帰仁村歴史文化センター」では朝貢貿易で栄えた時代の出土品から、近代の民芸品まで展示が充実しています。

●座喜味城跡：読谷村にあり、15世紀初め頃に武将・護佐丸により建てられました。他のグスクのように御獄がなく、軍事要塞としての特徴が強いグスクです。

●勝連城跡：丘陵地形の高低差を活かした造りで、出土品から勝連按司（豪族）による海外貿易の歴史がうかがえます。10代目城主の阿麻和利が有名で、善政で民から敬われていたものの、首里王府への反逆者とされてしまいます。近年、地元の子どもたちによる「現代版組踊」で地元の英雄として再評価されています。

●中城城跡：グスクに見られる野面積み・布積み・相方積みの3種類を見ることができ、裏門はペリー探検隊が「エジプト式」と評したアーチ門です。中城村では小中学校の授業で、中城城跡と地域の英雄・護佐丸について学ぶ「ごさまる科」を実施しています。

●玉陵《たまうどぅん》：第2尚氏王統の第3代王である尚真王が、父である尚円王の遺骨を風葬するために築きました。墓室内に入ることはできませんが、併設の資料館「奉円館」にて、墓内部や厨子甕（骨壺）、映画「洗骨」でも知られた琉

＊こうらいがわら　高麗の瓦工から造瓦技術を受けついだ琉球人によってつくられた。琉球と朝鮮の交流を示している。

座喜味城の石垣

球・沖縄独特の葬送についても知ることができます。

●園比屋武御嶽石門《そのひゃんうたきいしもん》：1519年に築かれた石造りの門で、首里城から国王が出かける際に、道中の安全祈願をしたと伝えられています。

●斎場御嶽《せーふぁうたき》：琉球王国時代から「最高の聖地」の名高い御嶽で、「神の島」とされる久高島*を望む場所にあります。琉球の始祖アマミキヨがつくったとされ、王国時代には王の妃や親族女性が就く最高神女である聞得大君らが祈りを捧げる場所でした。

●識名園：琉球王家の別邸・庭園で、中国と琉球の折衷様式で造られ、尚温王の1799年に完成とされています。王族の保養や冊封使のもてなしなどに使われていました。赤瓦の木造建築である御殿《うどぅん》、池の周りを歩く廻遊式庭園、池に浮かぶようにして造られた六角堂と、琉球・中国・日本の様式が組み合わされています。

日本ユネスコ協会連盟によると、世界遺産は「現在を生きる世界中の人びとが過去から引き継ぎ、未来へ伝えていかなければならない人類共通の遺産」です。

10項目の登録基準のうち「琉球王国のグスク及び関連遺産群」は、「ある期間、あるいは世界のある文化圏において、

＊くだかじま　琉球開闢の祖アマミキヨが天から舞い降りて国づくりをはじめたという琉球の聖地。

斎場御嶽から久高島を望む

建築物、技術、記念碑、都市計画、景観設計の発展における人類の価値の重要な交流を示していること」「現存する、あるいはすでに消滅した文化的伝統や文明に関する独特な、あるいは稀な証拠を示していること」などに合致すると認められました。

今回の再建に向けた議論で特徴的といえるのは、より沖縄側が主体となるべきだとの県民からの要望が根強いことです。そのなかでも注目されるのが正殿前の「大龍柱の向き」です。焼失前は相対向きでしたが、正面向きが正しいのではないかと、新しく発見された資料とともに改めて議論されています。また沖縄戦で第32軍司令部壕として使われた地下坑道の保存公開を求める活動も活発です。

首里城は琉球・沖縄の歴史の複雑さを伝える最たる建築の一つといえます。

今回の火災で首里城正殿が国所有だったことを知った方も多いでしょう。所有権ひとつとっても、琉球・沖縄の歴史と直結した複雑な経緯をたどっています。1992年の首里城の復元も、2019年の焼失からの再建も、国主体で進められています。日本国内の他の城と比べても稀な仕組みの事業です。1992年復元では国の事業として県が「協業」する形がとられ、沖縄戦で灰塵となった首里城を復元させたことで、過去の資料の収集と目に見える形での「琉球文化」の舞台ができました。その経験を活かし、今度の再建で少しでも多くの部分を沖縄県が担うことは、自らの歴史と文化を沖縄が引き継いでいくのだという大きなメッセージになるのではないでしょうか。

最後に、首里城はじめグスク群を訪ね歩くときは、琉球の古語と言われる『おもろさうし』にも想いを寄せたいものです。ここでは勝連城跡と首里城にまつわる「おもろ」をご紹介します。琉球の自然、建築空間、言葉を一体として知ることで、歴史と文化を引き継ぐ世界遺産の意味がより増すのではないでしょうか。首里城正殿には、琉球の言葉で「からふぁーふ（唐破風）」「うむんだすぃうどぅん（御百浦添御殿）」の呼称があります。固有名詞を大切にし、地元で受け継がれる呼称を用いることも文化復興には欠かせません。文化的伝統・思想・芸術・文学とも結びつけ、琉球世界の再興につながる再建にしていきたいものです。

勝連《かつれん》は　てだ　向《むか》て　門《ぢやう》　開けて
真玉《まだま》　金《こかね》　寄り合う　玉の御内《みうち》
［訳］勝連は太陽に向かって門を開けて、真玉や黄金が寄り合って、栄える勝連よ

しよりもり（首里杜）　のぼて（上て）　いけば　よのあけて（世の明けて）
てだの　てりよるやに（照り居る様に）　また　まだまもり（真玉杜）　のぼて　いけば
［訳］首里杜、真玉杜に登っていくと、首里杜は、夜が明けて太陽が照っているように、輝かしく栄え給うていることだ

42 琉球諸島の生物多様性

〔松島泰勝〕

沖縄島北部（やんばる）、西表島が奄美大島や徳之島といっしょに世界自然遺産に登録されました。琉球には、ヤンバルクイナやイリオモテヤマネコなど、絶滅が心配される希少種がいますが、生物多様性はどのように守られていますか。

琉球諸島は生物種の多様性に富んでおり、多くの固有種が生きています。同じ種であっても異なる遺伝子を保持していることで、形態、模様、生態などで多様な個性を確認することができます。琉球諸島は亜熱帯性の気候帯に属し、森林、河川、マングローブ、干潟、砂浜、サンゴ礁など、多様な生態系のなかで、それぞれの動植物が相互につながりながら生息しています。琉球の生物多様性は次のような特徴をもっています。①動物が海に阻まれて島嶼間を移動できなかったため、それぞれの島において独自

＊毒ヘビのハブは琉球列島のすべての島に生息しているわけではない。たとえば、宮古島、与那国島、波照間島などではハブの生息は確認されていない。

な生態系が形成されました。*②大陸とつながったり切り離されたりしたという、太古の地殻変動により、複雑な種の分化が発生し、島ごとに固有種や近縁種が存在するようになりました。③島嶼内で生物同士が相互に関係しながら共生しています。④湿潤な亜熱帯性気候のなかで多様な生物が生息しています。⑤琉球の生物多様性は繊細で壊れやすいという脆弱性を特徴としています。

沖縄島北部の山原《やんばる》の森には、ヤンバルクイナ、リュウキュウヤマガメ、ヤンバルテナガコガネなどの多くの希少な動植物が生息しています。西表島のマングローブ林が広がる汽水域、海岸や河川沿いの湿地帯、山地の原生林に、イリオモテヤマネコ、カンムリワシ、ヤエヤマセマルハコガメなどの希少な動植物が生きています。

2017年2月、日本政府は奄美・琉球諸島の世界自然遺産登録を目指して、国連教育科学文化機関（ユネスコ）に推薦書を提出しました。しかし、その後2019年2月、日本政府は推薦をとりさげた上で、あらためて沖縄島にある米軍北部訓練場返還地を推薦地域に加え、奄美大島、徳之島、沖縄島北部、西表島の4地域を登録対象とし、推薦理由を「生物多様性」に絞って推薦書を再提出しました。2021年7月、世界遺産委員会は、同地域の世界遺産登録を決定しました。登録地域の面積は日本の国土全面積の0・5パーセント未満ですが、維管束植物は1819種、陸生哺乳類は21種、鳥類

西表西部地区

は394種、陸生爬虫類は36種、両生類は21種が生息・生育しています。

自然遺産に登録された島々のなかには、外来生物であるマングースや野良ネコなどによる捕食、ロードキル（交通事故）、密猟、盗掘、環境の悪化、観光開発などにより、生物多様性が損なわれている地域もあります。また今回の自然遺産登録に伴い、オーバーユース（過剰利用）による自然環境の劣化が懸念されています。そうならないように、観光利用上の適正な管理、利用者マナーの向上、保全活動運動の拡大などが必要になってくるでしょう。観光客も琉球の生物多様性を学び、癒されることができますが、それとともに、自然保護に向けた責任も問われてくるのです。

自然遺産の登録対象地には米軍北部訓練場跡地が含まれています。2016年12月に同訓練場の約4000ヘクタールの部分が返還されましたが、今でも約3000ヘクタールが残っています。同訓練場の跡地から、米軍が廃棄した可能性の高い金属製の電子部品から放射性物質（コバルト60）や、同部品に付着していた紙や布から人体に有害なPCB（ポリ塩化ビフェニール）が検出されました。米軍廃棄物の発見現場の周辺には、沖縄県民の水源地となっているダムがあります。また自然遺産登録地には米海兵隊の訓練場が隣接しています。米軍ヘリコプターの騒音や振動が絶えず、これまで訓練場周辺では米軍ヘリの墜落事故や炎上事故が発生したこともあります。動植物にとって、必ずしも静かで安全な生活の場所であるとは言えません。

米軍北部訓練場跡地から大量の銃弾（空包や実弾）、ドラム缶、夜戦食等の米軍廃棄物を発見した、昆虫研究家の宮城秋乃さんは、次のように述べています。「世界遺産にして守ろうというのはわかるんですけど、でもその守るべき動物を守れてない状況があるのに、世界遺産に登録するっていうのはおかしいので、やっぱりちゃんと自然保護が出来る状態で、初めて世界遺産に推薦して、堂々とやるべきじゃないかなと思います」。２０１６年の米軍北部訓練場の一部返還後、日本政府防衛省は日米地位協定に基づいて廃棄物の撤去を行ったはずでした。しかし実際は、今でも廃棄物が残り、その返還跡地も世界自然遺産に登録されたのです（「やんばるの森に残された米軍廃棄物」琉球朝日放送２０２１年7月26日放送、https://www.qab.co.jp/news/2021072614007.html）。

現在、日本政府によって在日米軍基地の建設が強行されている名護市辺野古や大浦湾も生物多様性が高い海域として有名です。大浦湾には２６２種の絶滅危惧種を含む５３３４種もの生物が確認されています。日本政府は、米軍基地を建設するために辺野古海域のサンゴ礁を埋め立てていきます。その埋め立てのために、沖縄島南部から戦没者の遺骨を含む土砂を投入しており、国内外から大きな批判を受けています。サンゴ礁を埋め立てると、海洋生物の生息場所が失われ、その個体数も大きく減少してしまいます。同海域には、世界的にも希少生物であるジュゴンが埋め立て工事前まで生息していました。日本政府は、世界自然遺産の登録を進めながら、一方では米軍基地建設のために貴重な自然を破壊しているのです。

43 宗教・神話と国家的な神女組織・制度

〔石垣直〕

沖縄の神話や宗教では、女性が活躍することが多いのでしょうか。御嶽信仰、ニライ・カナイ信仰とはどのようなものですか。ユタとはどのような人びとですか。

17世紀初めに琉球（沖縄）を訪れた袋中上人（陸奥国磐城郡出身の浄土僧）が記した『琉球神道記』や、後に琉球王府が編纂した歴史書である『中山世鑑』『中山世譜』『球陽』には、琉球の創世・人類誕生神話が記されています。それぞれの文献で記載内容に多少の異同はありますが、その基本的な内容は、次のようなものです。「天帝」から遣わされた「阿摩美久」、あるいは「志仁礼久」（男神）と「阿摩弥姑」（女神）が、海上に島々を作った。そして、この二神あるいはこれとは別に遣わされた天帝の子から生まれた兄弟姉妹が、この島々の住民（たとえば、天孫氏（王統の始まり）／按司（諸侯）／平民／高位の神女／その配下の神女）となった。お気づきのように、その内容は、基本的に、古事記や日本書紀に描かれるイザナキとイザナミによる日本の国生み神話と類似の構成をもっています。

他方で、琉球の神話には、日本神話と異なる要素も含まれています。たとえばそれは、特に宮古諸島や八重山諸島にみられる、人類は地中から出現した、あるいは人類の祖先は動物であったといったものです。これらの要素については、東南アジアや太平洋の島々の神話との関係性が指摘されています。日本神話にある、穀物が天界からもたらされたという穀物起源神話は、琉球でもみられます。しかし、同じく日本でも知られる穀物起源神話のひとつで東南アジアや太平洋の島々にも広く分布する「ハイヌヴェレ型神話」（女神・女子の遺体からの穀物の出現）が琉球ではほとんど聞かれない、といったちがいもあります。こうした神話に含まれる諸要素の異同からは、一方で日本と深いつながりをもちつつも、それとは異なる神話群を保持してきた、琉球独自の歴史をうかがい知ることができます。

琉球の穀物起源神話にも登場する重要なモチーフの一つとしては、「ニライ・カナイからの穀物（種子）の到来」というものがあります。穀物の種子は、しばしば東方に同定される海の彼方（場合によっては地の底）の「ニライ・カナイ」（ギレー・カネー、ニレー、ニローとも呼ばれる）からもたらされたと考えられました。

斎場御嶽

先に述べたように、穀物（の種子）が天界からもたらされるという内容は、日本神話にもみられるものです。しかし、興味深いのは、琉球ではそれが天界だけではなく海の彼方からもたらされたという点が強調されていることです。さらにこうした観念は、神話としてのみならず、穀物の種子だけでなく「カミ」（来訪神）さらには「ユー」（世　幸福・豊穣）を海の彼方にある「ニライ・カナイ」から招く儀礼行為として、さまざまな年中行事のなかにしばしば登場します。

　豊穣や幸福あるいはそれをもたらす神を「シマ」（島・村落）に招来しようと願う行為は、ときに爬竜船競漕*（海上→海岸）をともなって実践されることもあります。よく知られるように爬竜船競漕自体は、屈原説話*に代表されるように中国に由来するものです。しかし、それが琉球では「競漕」にとどまらず、「神迎え」・「世迎え」としても活用されているわけです。私たちはここに、周辺地域とも共通する要素を独自にアレンジしている琉球の神話や儀礼の特徴を見てとることができます。なお、豊穣や幸福をシマに招き入れ引き寄せるという観念や儀礼行為は、琉球各地の年中行事でも頻繁に行われる綱引き行事のなかにも、再三にわたって登場します。

　こうした海の彼方あるいはシマの外からの豊穣や幸福の到来を願う考え方がある一方で、琉球の島々には、地域にある「御嶽」（嶽、森、など）に対する信仰もみられます。「御嶽」は「ウタキ」あるいは「ムイ」「オン」「スク」などとも呼ばれます。それは通常、村落の内部や周辺に位置します。そこには拝殿が設けられている場合もありますが、その核心となるのは、神が鎮座するとされる「イビ」（イベ）です。拝殿などはなく、樹木や自然石のかたわらに香炉などが置かれているだ

＊沖縄のハーリーで使われる船。舳先に竜頭、艫に竜尾の装飾がつけられている。

＊中国戦国時代の楚の政治家・詩人であった屈原は、その高潔な志が王や臣下に理解されず国を追放された。後に汨羅江に身を投げて水死した。屈原を悼んで、その霊を慰めるために龍船を浮かべて競漕する行事が行われたという故事。

けという御嶽も少なくありません。

琉球各地の「御嶽」で祀られた神々およびそれに関連する年中祭祀については、琉球王府が領域内各地からの報告をもとに編纂した『琉球国由来記』（1713年）に、その概要が記されています。これらの御嶽の主要な起源としては、かつての墓・屋敷・集落の跡であるといった説があります。また、村人（子孫）たちは、御嶽に守られるように、それを「クサティ」（腰当＝守護的な存在）として、その前方に家々を建てていったのではないかとも考えられています。なお、日本の戦国時代に先立ち13～14世紀には巨大な石積みの城郭を備えるようになった琉球各地の大規模「グスク」（城）の内外にも、さまざまな御嶽が存在します。こうした御嶽の存在は、琉球の大規模グスクが戦闘に備えるための城というだけではなく、儀礼的・宗教的要素を強くもった存在であったことを示しています。

琉球各地に点在する御嶽は、「根屋」（ニーヤー）などと称される村落の創設とかかわる家などから選出される「根神」（ニーガン　女性）や「根人」（ニッチュ　男性）、そしてそれを補佐する神役らによって祭祀されてきました。ここで重要なのは、神々に対する祭祀で主たる役割を果たすのは女性神役であり、通常、男性は補佐的な役割に留まるという点です。

琉球の祭祀における「女性の（霊的な）優位」という特徴は、村落レベルだけにとどまりません。琉球王国には、複数の村落を儀礼的に統括し、地域の神役たちを従えた公的な祭司として、王府から任命された「ノロ」（ヌル）が存在しましたが、それはみな女性（神女）でした。また、各地域のノロたちを統括する存在としての「大阿母」（ウファム）、そしてより高位の「大阿母志良礼」（ウフアムシラリ）などの神女がいましたが、これら高位の役職には、前者の場合は名家出身の、後者の場合は王族の女性が就任しました。こうした王国領内各地の神女たちを全体として統括していたのが、古くは国王の姉妹あるいは母などが担当した「聞得大君《チフィジン》」（きこえおおぎみ）でした。聞得大君は、国王の長命、王家の繁栄、国家の安寧、五穀豊穣、航海安全など、さまざまな国家的祭祀を司りました。

　姉妹（オナリ）が兄弟（エケリ）を霊的に加護するという「オナリ神信仰」は、按司の時代にも遡ると考えられています。そして、琉球王国の中央集権化が進められた第二尚氏王統の第三代・尚真王の時代（15世紀後半～16世紀初頭）に、聞得大君を頂点とする国家的な神女組織・制度が整えられました。しかし、17世紀初頭の薩摩・島津氏による侵攻後に王国の立て直しを図った羽地朝秀の一連の改革（羽地仕置）によって、高位の神女の権限が制限されることになりました。それでも、「姉妹が兄弟を霊的に加護する」、「祭祀においては女性が重要な役割を果たす」という「オナリ神」あるいは「女性の霊的優位」という理念は、その後も継承されていきました。

　女性がもつ霊的な能力を認める考え方は、古代の日本だけでなく、世界各地でもしばしばみられるものです。しかし、それを基礎として国家的な神女組織・制度を整えたことは、琉球王国の重要な特徴の一つです。なお、17世紀半ばの羽地朝秀そして18世紀前半の蔡温による改革では、トキ（時）と呼ばれる祭日選び・占師や霊能者としてのユタ（巫女）が取り締まりの対象となりましたが、主として女性であったユタへの人びとの関心や畏怖は、現代にも受け継がれています。ここにも、女性の霊的な力を重視する琉球文化の特徴の一端が表れているといえるでしょう。

ひと⑭
「日本《ヤマト》」への憧憬と沖縄 山之口貘

〔伊佐眞一〕

山之口貘《やまのくちばく》の詩を読んだことがあるでしょうか。深い理解はともかくとして、彼の詩は読めば誰でもわかるような平易さがもち味です。本名は山口重三郎《やまぐちじゅうざぶろう》といって、1903年、明治36年に那覇区の東に、4男3女の5番目、3男として生まれ、60年後の1963年に東京で亡くなりました。彼が出生当時の沖縄は、日本国の一県になってまだ20年あまりで、やっと土地の制度やそれを基本にした税金を納める方法が日本（ヤマト）と同じになった時代でした。ですから、もともと資本主義経済制度の基盤が弱かったこともあって、沖縄は日本に較べると非常に生活レベルの低い貧しい社会でした。そんななかで貘は中学に進学していきます。

沖縄県立第一中学校に入学したとき、すでにこの時分から詩や絵が好きで、また女性にも人一倍熱をあげる感受性のつよい少年でした。他方で、日本語の標準語励行運動に反発して、わざと沖縄語を使って、「方言札」の罰をもらったり、校長や教師を批判するなど、反骨心のある行動をします。その彼がはじめて東京へ行ったのは、中学を退学してあとの1922年でした。日本美術学校に入ったものの長続きせず、翌年、関東大震災*に遭遇します。山之口貘の筆名を使うのはこの頃からです。いったんは帰郷して、1925年に再度上京したときは22歳になっていました。父の事業が失敗し、家計はとうてい余裕がありませんでしたが、このころの沖縄は県の経済が入超に落ちこみはじめ、県外出稼ぎが増えていき、他方でソテツの実を食するまでに生活が困窮するほどになっていきます。

　沖縄の政治や経済と併行して、文化状況も暗いどんよりした低迷に打ち沈むことになります。そうした鬱屈《うっくつ》した島社会から一刻も早く脱出したいとの気持ちも、貘にはあったようです。しかし東京での生活は苦しく、職を転々と変えざるをえません。書店の発送係を手始めに、暖房屋、ダルマ船仕事、汲み取り屋、化粧品の通信販売など、安定とはほど遠い生活のなかで、彼はどんな詩をつくったのでしょうか。1935年には安楽が物悲しいという「座蒲団」、沖縄出身だとハッキリいえない心情の「会話」ができ、天と地が逆転した不安を表白した「天」が発表されています。沖縄にいたころの彼とは別人ではないかと思うほど、詩のスタイルがちがっています。貘独特の口調がすっかり定着しているのです。

座蒲団

土の上には床がある
床の上には畳がある
畳の上にあるのが座蒲団でその上にあるのが楽
といふ
楽の上にはなんにもないのであらうか
どうぞおしきなさいとすすめられて
楽に坐ったさびしさよ
土の世界をはるかにみおろしてゐるやうに

＊1923年9月1日に発生した南関東と隣接地で大きな被害をもたらした地震災害。死者・行方不明者は推定で10万5000人。また、地震の混乱のなかで流言によって多数の朝鮮人が官憲や民間人の手で殺された。

住み馴れぬ世界がさびしいよ

彼が念願した結婚は1937年ですが、個人のつつましい暮らしはもうそれだけで平和というわけにはいかない暗雲が社会に覆いかぶさっていました。日本詩人協会の主要メンバーとして、戦時体制にかかわらざるをえないところに立ちます。『思辨の苑』（1938年）と『山之口貘詩集』（1940年）には、それが映しだされています。窮屈な世上に対する市民としての違和感が、つい口から洩れはするものの、明確な批判を支える基盤が欠けていました。

なお、山之口貘の詩は、日本の詩の幅を一段と広くしたと高く評価されています。うれしいことにはちがいありませんが、しかし彼のいう日本語は、琉球諸語の母体という位置づけをされていたことも忘れてはなりません。憧れの「祖国」日本と、その枠内に生きる琉球・沖縄です。貘のかかえた日本への「同化」が、琉球固有の歴史と文化、自立にどう影響を及ぼしたのか、この問題は琉球・沖縄人にとって、きわめて現在的な問題であり続けています。

参考文献
高良勉編『山之口貘詩集』岩波文庫、2016年
伊佐眞一「詩人は戦中をどう生きたか――山之口貘の軌跡」『琉球新報』2003年12月10～12日

山之口貘

ひと⑮
琉球が抱える矛盾を描いた小説家 大城立裕

〔波平恒男〕

大城《おおしろ》立裕《たつひろ》（1925〜2020）は、戦後沖縄文学を代表する小説家です。沖縄がまだ米国統治下にあった1967年、米琉親善の欺瞞を暴いた短編小説「カクテル・パーティー」で、沖縄の作家として初めて芥川賞を受賞しました。かつて伊波普猷は、日本語と琉球語の大きな隔たりを奄美・南九州間の海の難所「七島灘」に譬え、日本語で著述しなければならない郷土の若い世代にその不利の克服を慫《しょう》慂《よう》しましたが、大城の受賞は当時、「言語の七島灘」を乗り越えた歴史的快挙として称えられました。

大城は1925年に沖縄本島中部の中城村に生まれました。旧制の県立二中を卒業後、中国の上海にあった東亜同文書院*に進学しましたが、日本の敗戦で本土へ引き揚げざるをえず、しばらく熊本県に滞在した後、46年11月、米軍の直接占領下にあった沖縄に帰ってきました。敗戦に伴う「祖国喪失」をテーマに翌47年に戯曲「明星」を執筆、以後、七十余年にもわたる作家活動を始めます。

＊1901年、東亜同文会が上海に設置した学校。45年廃止。日本の中国進出のための中堅幹部を養成する機能を担った。

沖縄に戻った大城は、「軍作業」やその延長のような仕事、2年間ほどの高校教師を経て、49年に（後の琉球政府の）公務員に就職、主に経済畑の官僚としてキャリアを積んでいます。米軍との接触は主にこの時代に体験し、「カクテル・パーティー」執筆にも生かされました。芥川賞受賞後は公務員研修所長、沖縄史料編集所長*を経て、86年県立博物館長を最後に定年退職しました。定年までは公務員と作家の二足わらじの生活でした。

大城が戦後沖縄を代表する作家と評される所以は、華々しい受賞歴だけによるのではありません。沖縄の作家には概して寡作の人が多いのですが、大城はその多産性という点でも抜きん出た存在でした。創作への情熱は最晩年に至るまで衰えることなく、コンスタントに作品を発表、膨大な作品群を残しました。

また、創作のテーマとして、琉球・沖縄への拘りという点でも一貫していました。沖縄の歴史と文化を掘り起こし、沖縄（人）のアイデンティティを生涯問いつづけました。歴史小説としては、琉球併合を取り扱った『小説 琉球処分』や明治期の沖縄を描いた『恩讐を超えて』、戦後については『日の果てまで』『まぼろしの祖国』などの大作を残しました。

これらの大部の歴史小説とは別に、大城は実に数多くの短編小説を書き残していますが、なかでも先述の「カクテル・パーティー」と「亀甲墓」の2作は傑出した作品と評されました。アメリカ統治下の沖縄を題材とした「カクテル・パーティー」は、芥川賞の権威もあって、戦後沖縄を扱った特権的テキストとして読まれてきたといえます。また、それに劣らず高い評価を受けたのが沖縄戦に巻き込まれた老夫婦の戦中行動を描いた「亀甲墓」であり、伝統と近代の相克、日米という大国と小さな沖縄との矛盾と葛藤に満ちた共存、そうした苦難の歴史の底辺に生きる庶民の姿など、大城が重視したテーマが鋭

＊1967年設立。琉球歴史、沖縄県史の情報センターで86年に県立図書館に併合された。97年に県公文書館管理部・史料編集室に引きつがれた。刊行書籍に『沖縄県史』がある。

く描きだされた作品でした。大城自身も、より自分らしさが出た作品であると評価していました。
晩年の大城は、琉球王国以来の伝統である組踊にも取り組み、20篇余の新作組踊を発表、琉球語の旋律の美しさを追求するなど、最後まで琉球・沖縄に寄りそった作家人生でした。

参考文献
『カクテル・パーティー』岩波書店、2011年
『小説　琉球処分』講談社文庫、2010年

大城立裕（写真・共同通信）

ひと⑯
琉球(沖縄)のガンジーと呼ばれた米軍基地反対運動家 阿波根昌鴻

〔松島泰勝〕

戦前、阿波根昌鴻《あはごんしょうこう》（1911～2002）は「農業はこの世で一番の宝」と考え、伊江島の北西部の土地を買い集めました。その土地は草しか生えず、海水もかぶっていましたが、阿波根が丹念に土地を育て、10年後には野菜が育つようになりました。面積の狭い島に適した、小規模農業の教育を行う、デンマーク式農業学校の設立を阿波根は準備していました。しかし、その完成を目前にした頃に沖縄戦が始まりました。1944年に日本陸軍が伊江島飛行場を建設しましたが、それが存在したために島は攻撃の標的とされ、多くの住民が犠牲になりました。

ヌチドゥタカラの家の前の阿波根昌鴻さん

戦後、米軍は島全体を軍の飛行場にしようとしました。米軍が銃剣で住民を脅し、家屋や畑に火が放たれ、追い出されて基地がつくられました。軍人に抵抗すると逮捕され、住民を殺した軍人も無罪放免になりました。人間が人間として扱われない島でした。1953年、米国民政府（米軍が支配する現地の統治機関）は、琉球（沖縄）全体に対して「土地収容令」を公布して、琉球人の土地を強制的に奪い取りました。それに対して琉球人は、「土地を守る四原則」（一括払い反対、適正補償、損害補償、新規接収反対）の実現を求めて「島ぐるみ闘争」を始めました。その発火点になったのが、伊江島での反基地闘争なのです。

1955年、完全武装した米兵約300人が上陸用船艇で伊江島にやってきて、「この島は米軍が血を流して、日本軍から奪った島だ、君たちに発言権はない」といい捨て、阿波根の家屋をブルドーザーで押しつぶしました。1961年に「伊江島土地を守る会」の代表となった阿波根は、島内にある「団結道場」を拠点にして米軍による土地奪取に抵抗しました。阿波根は「土地は万年、金は一時」と唱えて、「復帰」後も日本政府から支給される軍用地代の受け取りを拒否しました。

次の言葉は、伊江島の真謝地区、西崎地区の地主が署名捺印した宣誓書からの抜粋ですが、それは阿波根によって起草されました。

「一、集合し米軍に対応するときは、モッコ、鎌、棒切れその他を手に持たないこと。一、耳より上に手を上げないこと。（中略）一、人間性においては、生産者であるわれわれ農民の方が軍人に優っている自覚を堅持し、破壊者である軍人を教え導く心構えが大切であること」（阿波根昌鴻『米軍と農民』岩波書店、1973年、51ページ）

反基地運動は非暴力的に行われ、生産者としての誇りに基づいていました。面積が限られた島嶼における生産や生活にとって、土地は必要不可欠であり、基地建設のために土地が奪われ、生産や生活の基盤が奪われてしまうという危機感が運動の背景にありました。伊江島の人びとは自らの主張を訴え、運動資金をえるために沖縄島を「乞食行進」し、「島ぐるみ闘争」において指導的役割を果たしました。阿波根を中心とした反基地運動の結果、伊江島の基地面積は大きく縮小しました。

阿波根は「ヌチドゥタカラの家」を設立し、伊江島の土地を守る闘いに関する歴史資料を展示し、来島者に戦争や基地の愚かしさ、平和の大切さを訴えました。米軍から土地を奪回して農業学校を再建する希望を捨てないまま、2002年に101歳の生涯を閉じました。

参考文献

松島泰勝『沖縄島嶼経済史——12世紀から現在まで』藤原書店、2001年

フィールドワークのすすめ

Field Work ①

琉球(沖縄)のグスク、百按司墓、渡久地古墓群

〔松島泰勝〕

グスクとは「グシク」、「スク」とも呼ばれる石造の構築物です。琉球列島に300~400のグスクが分布しています。グスクは、「聖域」「領主の居住」「防御」として利用されました。防御としてのグスクは13世紀ごろから築城され、14世紀末~15世紀中期には完成しました。大きなグスクには地域の領主である按司《アジ》が生活していました。小高い丘や中腹など、眺望がいい場所にグスクが設置されましたが、砂丘、岩島、岩崖、墓をグスクと呼ぶ場合もあります。多くのグスクは、村の拝所としての役割を果たし、村の遠祖や一族の祖先の墓場、祖先の霊を祀る村の拝所、一族の聖地となりました。首里《しゅり》城《ぐすく》、中《なか》城《ぐすく》城《ぐすく》、今帰仁《なきじん》城《ぐすく》のように城郭の形態をなすグスクは、王や按司の居城となり、防御機能が施され、その内部には御嶽《うたき》や拝所が配置されています。また倉庫としての御物城《おものぐすく》、防御用としての屋良座森《やらざもい》城《ぐすく》もあります。

2000年に、首里城跡、中城城跡、座喜味《ざきみ》城《ぐすく》

跡、勝連城《かつれんぐすく》跡、今帰仁城跡のグスク、その関連遺産（園比屋武御嶽《そのひゃんうたき》石門、玉陵《たまうどぅん》、識名園《しきなえん》、斎場御嶽《せーふぁーうたき》）が、「琉球王国のグスク及び関連遺産群」として世界遺産に登録されました。そのいくつかを紹介します。

首里城において世界遺産登録の対象となったのは、「首里城跡」であり、復元された正殿等の新しい建築物や石積は含まれません。首里城は、琉球国王の居城でしたが、1879年の琉球併合により国王は東京に連行され、城は日本政府に奪われました。1945年の沖縄戦では、日本軍が首里城の地下に司令部を置いたために連合軍の攻撃を受け、全壊しました。1992年にいったん再建されましたが、2019年10月31日の火災により、首里城の正殿などが焼失しました。現在は焼失した建物をのぞく部分が見学可能になっています。城内の一角に、琉球国がアジアの海洋国家として活躍したことが記された「万国津梁の鐘」（原物は沖縄県立博物館に所蔵）が展示されています。

読谷村にある座喜味城は、15世紀初期に護佐丸《ごさまる》＊という人物によって築かれたと伝えられています。石垣のアーチ門や曲線が美しく、城からの景色は絶景であり、残波岬、恩納村の海岸、那覇市や慶良間諸島まで望むことができます。

阿麻和利《あまわり》が居城した城と伝えられる勝連城は、沖縄島東部にある勝連半島の高台にあります。阿麻和利は護佐丸を滅ぼし、琉球統一をめざして首里城を攻めましたが、1458年に大敗して滅びました。2016年、勝連城の遺構から、3～4世紀に製造されたローマ帝国のコインが4点、17世紀頃に製造されたオスマン帝国の貨幣が1点発見されました。日本国内で、ローマ帝国やオスマン帝国の貨幣が発見されたのは初めてでした。勝連城が海外との交易の拠点であったことがわかり、注目されています。

今帰仁城は三山時代において北山国王の居城でした。中国大陸や東南アジアの国々との交易も盛んに行われ、発掘調査では陶磁器などが出土していま

＊（生年不詳～1458）、15世紀琉球国の按司。恩納村出身。第一尚氏王建国の功臣。6代の王に仕えたが晩年に謀反を疑われて自害し、忠節をまっとうしたと伝えられる。

す。また、琉球の門中（モンチュウと呼ばれる親族集団）が今も行っている聖地巡礼である「今帰仁上り」の拝所が城内にあり、門中の方々が手を合わせている姿を今でも見ることができます。同城入り口近くにある今帰仁村歴史文化センターにおいて、同グスクを含めた今帰仁村の歴史や文化の資料を見学することができます。

斎場御嶽は琉球の始祖「アマミキヨ」が作ったとされ、琉球最高の聖地であり、現在もパワースポットとして多くの人びとが訪問しています。琉球の最高神女であった聞得大君《きこえおおきみ》の就任式はこの場所で挙行されました。

玉陵は、1501年、尚真王が父尚円王の遺骨を改葬するために築かれ、第二尚氏王統の墳墓となりました。同墳墓に付属する資料展示室で墓の内部構造や歴史、石棺などを見学することができます。

次に近年注目されている琉球の墳墓を紹介します。今帰仁村にある、百按司《むむじゃな》墓*は、崖の中腹、自然岩壁を利用してつくられており、初期の墳墓の形式を留めています。同墓には、北山国王の王族、1429年に琉球国を統一した第一尚氏の貴族の遺骨、またの地域住民の遺骨が葬られてきました。百按司墓は「今帰仁上り」の祭祀場の一つであり、琉球人の精神世界において大変大切な場所です。1929年、百按司墓から金関丈夫・京都帝国大学助教授は遺族の了解を得ることなく琉球人遺骨を盗みました。遺族の了解なく遺骨をもち出すことは当時の刑法でも違法です。現在も京都大学は同墓の遺骨26体を保管しており、2017年以来、私は遺骨に関する情報や、その返還を求めていますが、「個別の問い合わせには応じない」として京大は私との「対話」を拒否しています。

＊31遺骨盗掘問題参照。

勝連城

本部町にある渡久地古墓群からも、1933年に三宅宗悦・京都帝国大学講師が琉球人遺骨38例を遺族の了解なく盗みました。京都大学は、2020年11月に同遺骨の保管を認めました。同遺骨の遺族が京大に対して遺骨の返還を求めましたが、京大は返還を拒否しました。渡久地古墓群のなかにある「大米須親方の墓」から琉球人霊媒師が2つの石棺を盗み出し、2021年2月に逮捕されました。石棺を盗掘したら逮捕されましたが、遺骨を盗んでも逮捕されず、京大が窃盗物を保管しつづけることが許されるのは不正義ではないでしょうか。

　琉球墳墓の特徴は、亀甲墓、破風墓のように、親族が共同で葬られることです。清明祭《しーみー》、十六日祭のように、多くの親族が墓の前庭で先祖の霊と飲食をともに行います。先祖の遺骨が「骨神《ふにしん》」となって、子孫を見守ってくれるという先祖崇拝が今も続いています。それを研究者が遺骨を「学術資料」と勝手に決めて、遺族の了解もなく、もち出してしまうと、先祖と子孫との精神的なつながりが絶たれてしまいます。

　琉球人は国連も認める先住民族です＊。戦前、世界の他の先住民族も研究者によって、多くの遺骨が奪われました。「先住民族の権利に関する国連宣言」という国際法では、先住民族による遺骨返還権を保障しています。京大は、遺族の了解を得るという研究倫理に反しているだけでなく、国内法、国際法にも違反しているとの批判を受けています。京大が研究のために、盗掘し、保管している琉球人遺骨は、琉球の島にある元々の墓に戻し、子孫や地域の人びとの供養を受けるべきなのです。それは人として当然のことであり、研究教育機関である京大は琉球人の声に真摯に向きあわなければなりません。

　グスクや墳墓を通じて、琉球の人びとの生活、先祖とのつながり方を「自分事」として考え（「自分のご先祖の遺骨が墓から盗まれたら」）、固有の信仰や慣習、独自な国であった歴史を学んでください。

＊22 国連は琉球（沖縄）をどう見ているか参照。

参考文献
松島泰勝・木村朗編『大学による盗骨――研究利用される琉球人・アイヌ遺骨』耕文社、２０１９年
松島泰勝・山内小夜子『京大よ、還せ――琉球人遺骨は訴える』耕文社、２０２０年

Field Work ②

戦跡、慰霊碑、平和祈念資料館等を通じて戦没者の「死の意味」を考える

〔松島泰勝〕

兵士または住民を国家のための戦闘に従事させるために最低限行うべきこととして、国家による戦没者の遺骨収集と供養があるとされてきました。現在も厚生労働省が国内外の戦没者の遺骨収集を行っているのも、そのためです。しかし今、琉球において防衛省は、戦没者の遺骨を建築資材にして、新たな戦争のための拠点を作ろうとしています。

２０２０年、防衛省は、辺野古新米軍基地建設の見直し計画を提出しました。１９９６年に同基地の建設が発表され、２０１４年には完成する予定でした。しかしその後、建設予定地の地下が軟弱地盤であることが判明し、急遽、膨大な埋め立て土砂が必要になりました。その土砂全体の約70％が糸満市を中心とする沖縄島南部地域から投入される予定です。

糸満市は、埋め立て土砂採掘のために市内米須地区にある熊野鉱山開発の届け出を沖縄県に提出しました。採掘予定地の近くには、「魂魄の塔」があります。終戦後、旧真和志村の住民を中心にして遺骨

収集活動が行われました。現在、琉球には多くの戦争慰霊の塔がありますが、魂魄の塔は、戦後最初の慰霊塔であり、今日でも、毎年の慰霊の日（6月23日）には、多くの住民がこの塔に集い、戦没者を供養しています。

　熊野鉱山から辺野古基地建設のために投入する土砂を採掘することに反対して、2021年3月1日から6日まで、ガマフヤー（「ガマを掘る人」という意味の琉球諸語。戦没者遺骨の収集者）の具志堅隆松さんが県民広場においてハンガーストライキを行いました。具志堅さんは次のように述べています。「戦争で亡くなった人の血や肉が染み込んだ土と石を新たな軍事基地に使用するのは人間のすることではない」

　沖縄戦の全戦没者数は20万656人ですが、そのうち一般県民は9万4000人、沖縄県出身軍人軍属が2万8228人、他都道府県軍人軍属が6万5908人、米軍人が1万2520人です。（沖縄県生活福祉部援護課編『沖縄の援護の歩み』沖縄県生活福祉部、1996年）沖縄県出身軍人軍属とは、防衛隊、学徒隊として現地徴兵された人びとです。約12万人の沖縄県民が犠牲になったのであり、沖縄戦の最大の戦没者は住民でした。沖縄島南部でまだ収集されていない遺骨の大部分は住民のものです。

　具志堅隆松さんは、終戦後、名護市辺野古に「大浦収容所」が設置され、収容所内で死亡した住民の遺骨が今でも同地に眠ったままであると指摘しています。琉球人遺骨の上に、米軍基地のキャンプ・シュワッブが建設され、遺骨収集がなされないまま、今、新たな基地が建設されているのです。

　琉球では、戦後76年たった今でも遺骨収集が行われています。遺骨片は小石と同じ形状をしてお

沖縄県平和祈念資料館

り、完全に収集できたとはいえないと、40年以上、琉球の現場で遺骨収集をされてきた具志堅隆松さんは述べています。沖縄戦では住民だけでなく、日本軍人、米軍人も死亡し、今でも遺骨収集されず、土砂に埋められた状況のままの遺骨が少なくありません。

次に平和学習として特に訪問してほしい場所を紹介します。

「平和の礎」は、国籍、民族、軍人、民間人の区別なく、沖縄戦などで亡くなられたすべての人びとの氏名を刻んだ記念碑です。「平和の礎」は、太平洋戦争・沖縄戦終結50周年を記念して1995年6月23日（慰霊の日）に完成しました。沖縄県出身者については、1931年の満州事変から始まる15年戦争の期間中に、県内外で戦争が原因で亡くなられた方々が刻銘されています。刻銘の方法は、それぞれの母国語で表記し、国別、都道府県別になっています。刻銘者数は毎年慰霊の日に合わせて追加・修正等されてきました。慰霊の日になると遺族、親族が刻銘された名前の前に、重箱や花をたむけて戦没者のマブイ（霊魂）に手を合わせる姿を見ることができます。

「魂魄の塔」は、糸満市米須集落の南方300メートルの海岸寄りにあります。ここは沖縄戦最後の激戦地です。戦後間もなく、旧真和志村の住民は米軍に対して、沖縄島糸満市米須集落を中心にした遺骨収集を求めましたが、反米活動や皇軍主義に結びつくとして許可されませんでした。しかし住民が開墾すると遺骨が次から次に出てくるため、1946年2月、米軍は遺骨収集を認めました。住民、日本軍人、米軍人、朝鮮人等、沖縄戦で死

平和の礎

https://heiwa-irei-okinawa.jp/

県営平和祈念公園

亡した約3万5000人の遺骨が葬られました。これらの遺骨の大部分は1979年に完成した、摩文仁が丘の国立沖縄戦戦没者墓苑に移されました。
「沖縄県平和祈念資料館」では、沖縄戦にいたるまでの琉球の歴史、住民の視線からみた沖縄戦の悲惨さ、戦後の米軍統治時代がパネル展示、映像、沖縄戦体験者の証言等によって説明されています。「ひめゆり平和祈念資料館」は、「ひめゆりの塔」に隣接しています。沖縄戦に看護要員として動員された「ひめゆり学徒隊」の戦争体験を伝えるために設立されました。ひめゆり学徒227名の遺影や遺品、生存者の証言映像や手記が展示されています。「ひめゆりの塔」のそばのガマ（伊原第三外科壕）の実物大模型もあります。

　戦跡ではないですが、沖縄戦の実相を知るために訪問してほしい場所が「佐喜真美術館」です。丸木位里・俊作の大きな「沖縄戦の図」が展示されており、館長の佐喜真道夫さんから沖縄戦のお話も聞くことができます。同美術館は米軍基地跡地に建設され、屋上からは普天間基地が間近に見えます。

モデルコース

・魂魄の塔、ひめゆり平和祈念資料館、沖縄県平和祈念資料館、平和の礎、韓国人慰霊塔、南北之塔（沖縄戦に徴集された元アイヌ兵士の弟子豊治と地域住民が建立した慰霊碑）
・那覇市内にある対馬丸記念館、小桜の塔
・石垣市内にある八重山平和祈念館
・佐喜真美術館、嘉数高台公園展望塔、京都の塔、青丘の塔（朝鮮人386人を追悼した塔）、日本軍のトーチカ跡

https://www.himeyuri.or.jp/JP/top.html

ひめゆり平和祈念資料館

韓国人慰霊塔

Field Work ③

沖縄島北部エコツアー

〔松島泰勝〕

山原《やんばる》と呼ばれる沖縄島北部地域はその豊かな自然が認められ「世界自然遺産」に登録されました。山原にはこれまで人が住んでいなかったから貴重な自然が残されたのではなく、長いあいだ、人と自然が共生した生活をしてきたから現在まで希少な自然が残されてきたのです。これまで貴重な自然が残された理由を知るには、住民がどのように自然との関係を築いてきたのかを知る必要があります。エコツーリズムとは、地域の環境を体験し、学び、楽しむ観光です。住民と環境との関係のあり方を知ることも、エコツーリズムであると思います。

琉球の村落が保有している相互扶助の機能を利用してつくられた施設が共同店（または共同売店）です。最初の共同店は１９０６年に設置された、国頭村奥区の共同店です。その

奥共同店

後、共同店は、大宜味村、東村等、他の北部各村にも設立されました。共同店は次の諸点を理由にして設立されました。①村人が山林に対し平等な収益権を保持し、共同体の基盤が強固でした。②琉球王国時代から村は船を所有しており、それを共同店が引きつぐ形で利用できました。③１９０３年まで村人は耕作地を共有しており、土地の私有制が実施された後も村人には貧富の格差がほとんどなかったため、村人が共同店経営に平等な立場で参加できました。④灌漑用水の共同利用、堰の構築や取壊し、用水路の掃除や補修を村人は協力して行っており、そのような相互扶助が共同店に受けつがれました。ブー、イーマール、カシィーと呼ばれた各種の共同作業も、村の人びとの団結力を強くしました。

共同店の設立に必要な株は一人一株を原則とし、永住者に限り加入が認められました。共同店は主に次のような活動を行いました。奥共同店の場合は、消費物資の販売、林産物や農産物の村外への売却、預金や貸し出し、茶の生産等です。茶の生産量をみると沖縄県全体の生産量の約30パーセントに達した時期もありました。このような活動だけでなく、護岸工事への融資、区の行事費に対する貸しつけ、児童が上級学校に進学する際に必要となる教育費に対する無利息貸しつけ等の幅広い活動を行った共同店もありました。村人は村の内部に埋めこまれていたさまざまな相互扶助の方法を利用して共同店を設立することにより、村の経済自立を促し、生活全般の安定化をはかろうとしました。それが結果的に、山原の豊かな自然を大規模開発によって破壊するのではなく、自然と共生した形で生活の営みを続けることができたのです。

共同店は北部以外の他の琉球の地域にも広がり、一時期は全体で約２００店になったときもありました。現在でも約70店が主に小売店として経営を続けており、電話のとりつぎ、地域や住民への貸しつけ、掛け買い、地域で生産された特産物の販売など

https://kyodobaiten.org/aboutus/

共同売店ファンクラブ

も行っています。共同店は、地域の協同性、持続可能な発展を現代に引きつぐ拠点になっています。

次に「やんばる」と呼ばれる、沖縄島北部地区の国頭村、東村、大宜味村でのエコツーリズムのモデルコースを提案いたします。

現在、北部地区で活動している共同店のマップとリストについては、「共同売店ファンクラブ」のウェブサイト（https://kyodobaiten.org/aboutus/）、その他のオンライン情報を参考にしてモデルコースを検討して下さい。事前に各共同店に来訪を連絡し、地域の歴史や文化、自然との関係についてのインタビューをお願いしてみましょう。

国頭村のモデルコース

奥共同店、楚洲共同店、安田協同店、安波共同店、辺戸共同売店、宜名真共同店、与那共同店、伊地共同店、奥間共同店、桃原共同店、浜共同店等。

やんばる野生生物保護センター、比地大滝遊歩道、森林セラピーロード、国頭村森林公園、やんばる学びの森、辺戸蔡温松並木保全公園、大石林山、ヤンバルクイナ生態展示学習施設、国頭村森林散策路。

国頭村におけるエコツーリズムに関する情報は国頭村のホームページを参照して下さい（http://kunigami-kikakukanko.com/itiran/index.html）。

東村のモデルコース

宮城共同店、平良共同売店、慶佐次共同売店、有銘共同売店等。

福地ダム（沖縄県最大のダムであり、周囲には展望台や遊歩道があります）、ながはま海岸、東村ふれあいヒルギ公園、福地公園、ウッパマビーチ、東村村民の森つつじ園、東村立山と水の生活博物館、福地ダム資料館、東村文化・スポーツ記念館、又吉コーヒー園、東村民の森つつじエコパーク、福地川海浜公園。

http://kunigami-kikakukanko.com/itiran/index.html

国頭村ホームページ

東村では、エコツーリズム、漁業や農業などの体験学習ができる民泊事業を活発に展開しています。東村での民泊についてはNPO法人東村観光推進協議会のホームページを参照して下さい（https://higashi-kanko.or.jp/minpaku/）。

大宜味村のモデルコース

田嘉里共同売店、謝名城共同売店、喜如嘉共同売店、大川共同店、大保共同売店等。

長寿の森ぶながやの里、大宜味の石灰岩の山と森散策道、喜如嘉の七滝、大宜味村立芭蕉布会館、

大宜味村では「いぎみ民泊体験」として民泊事業を広く展開しています。大宜味村の民泊体験についてはNPO法人おおぎみまるごとツーリズム協会のホームページを参照して下さい（https://ogimi-tourism.com/）。

東村観光推進協議会

おおぎみまるごとツーリズム協会

Field Work ④

西表島 エコツーリズム

〔松島泰勝〕

西表島エコツーリズムの「産みの親」ともいえる、石垣金星・昭子夫妻の実践活動を紹介します。石垣金星さんは沖縄島で教師をしていましたが、日本「復帰」の頃、生まれ島である西表島の土地が開発業者により買収されている状況に居ても立ってもおられず島に戻って、「島おこし運動」をはじめました。金星さんによれば、「島おこしとは、倒れ掛かった島を起こすこと」であるといいます。金星さんを中心に「西表を掘り起こす会」が結成され、島人の足元にある歴史や文化を学び、学んだことを生活に活かす活動が始まりました。アイガモ農法による「西表安心米」や有機コーヒーの栽培も行われました。自然環境と観光との調和をめざして、1996年、金星さんを中心に西表島エコツーリズム協会が設立されました。同協会は、海岸でのゴミ拾い等を行う環境部会、島人文化祭を開催する文化部会、海や島の観察会を実施する山の部会や海の部会等から構成されていました。

https://www.iriomote-ea.com/

西表島エコツーリズム協会

金星さんは「大自然こそが大産業」といいます。西表島の大自然が人間を活かしてくれるのであり、大自然を開発し破壊してしまったら、人間は生きる知恵や場所を失ってしまうのです。金星さんは、西表島の大型リゾート開発に反対する住民運動のリーダーになり、大自然を人間の短期的な経済利益のために開発することは止めるべきだと訴えてきました。金星さんは、山、川、海に自ら分け入り、自然のなかで人間が生きていく方法を大自然から学び、祭りを通じて大自然の恵みに感謝しているといいます。また、金星さんは台湾と西表島との交流にも熱心であり、三線を弾き、島唄を歌いながら台湾の原住民族との文化交流も活発に行っています。

石垣昭子さんは西表島の天然素材を活用する、染織作家です。西表島の山には入会権が設定されており、織物組合の組合員が山で染色の素材をとっています。天然素材には紅露（クール、染物芋で山芋の一種）、ヒルギ、アカメガシク、クチナシ等がありま

す。紅露は猪が食した部分を使います。クチナシはヒヨドリが食べる頃の実を染料として使用します。動物が植物を食べる時期に染料を使うとちょうどいい色が出るといいます。動植物の生活のリズムに学びながら、人間の手仕事が営まれているのです。染色作業の過程には、布を海で洗う作業である、「海ざらし」があります。「海ざらし」ができるのは西表島の海が健康である証拠でもあります。一人で染織の全工程をやり、手抜きがないため、品質のいい作品が完成するのです。分業や海外生産によって大量生産をめざすのではなく、地元の土、空気、水で育てられた素材を用い、少量でも品質にこだわり、作り手の顔が見える作品

浦内川のカヤック

になっています。作品の買い手も、作品を通して西表島の大自然に直に触れることができます。昭子さんの工房には日本全国から染織の技術とともに、西表島の大自然の豊かさを学びたいという若者が集っています。

私が工房で染色体験をしたとき、昭子さんは「西表島はトータルで自給できる。木工、陶器、ガラス、和紙の工房もある。衣食住の自給によって文化力が高まる」と語ってくださいました。資本の力、分業、効率性を拒否し、自然と人間の生命が織りなす、文化力によって生きようという人びとが担い手となって西表島の内発的な発展がくり広げられています。

次に、西表島の文化体験についてお話しします。西表島の古見、祖納、干立等の地区には長い歴史をもつ公民館があり、地域の自立活動の基盤になっています。年間を通して公民館における最大の仕事は祭りの運営です。祖納や干立地区の節祭のように、広く観光客に開放するとともに、日本列島からきた学生が祭りの準備にも参加しています。

干立の節祭では次のような興味深い場面を見ることができます。八重山諸島の祭りではしばしば登場するのがミルク神です。たいていのミルク神の仮面は笑顔ですが、干立のミルク神は笑っておらず、緊張した面持ちです。ミルク神とともに登場するのが、オホホと呼ばれる人物です。オホホの仮面には丸い口ひげが描かれ、西欧人風の顔をしています。オホホは大きな袋を担ぎ、住民をカネで惑わそうとしているかのように動きまわります。ミルク神は厳しい視線でオホホから村人を守ろうとしているのではないかと思われます。祭りを通じて、人びとはカネよりも大切なものを学んでいるのではない

祖納部落、節祭りの夜間練習

でしょうか。

他方、古見地区の豊年祭では、観光客を含めて祭りを見る人は、携帯電話、筆記用具、カメラの持参が禁じられ、一定の場所から祭りを見学することが求められます。西表島の近くにある新城島の豊年祭も同じような厳粛さで執り行われています。祭りがコンテンツとして記録され、コピーされ、商品化され、大量生産されていくことを村人が強く拒んでいるのです。地域の文化を守りたいという住民の強い意思を感じることができます。

いずれの祭りにおいても、地域住民が大自然の豊穣を神に感謝し、次の年の実りと家族の健康、地域の平和や繁栄を祈り、住民の団結を強めていることでは共通しています。

モデルコース

1　西表島エコツーリズム協会において担当職員から、西表島の自然、エコツーリズム、環境問題について説明を受けます。

2　島の海岸で漂着ゴミの収集活動を通じて、今の島が抱えている環境問題を考えます。

3　浦内川をカヤックで移動しながら、エコガイドから島の自然について説明を聞いて、マングローブ、その他の植物を観察します。

4　紅露染め、ヒルギ染めの体験。パイン農家でパイナップルの収穫などを体験し、収穫物を食べてみます。島の伝統的な民具作りを体験します。

5　2~3年ごとに開催されている「西表島（しまぴとぅ）文化祭」に参加します。同文化祭では、島内作家による手工芸品の展示・販売、島の文化や自然に関するパネル展示、ワークショップ、紙芝居、島の舞踊・唄などが披露されます。

染色体験

6　新盛家住宅（祖納集落にある、沖縄県最古の木造茅葺民家（築約１５０年）を訪問し、伝統的な島の生活を体験します。

7　宇多良（うたら）探鉱跡を歩きます。同地は、浦内川の支流ウタラ川近くにあり、１９３５年から43年まで稼働していた炭鉱の跡地です。沖縄県で唯一の炭坑であった西表炭鉱のなかで代表的なものです。坑夫の宿舎、集会所、食堂、医務室、売店などがあり、数百人が生活していました。

8　西表島の古見、祖納、干立等で行われる祭りを見学します。祭りの準備段階から参加し、祭りの担い手となり、島の歴史と文化を体験します。

節祭り

Field Work ⑤

南風原文化センターと沖縄陸軍病院南風原壕群20号

〔平良次子〕

「場所は記憶をもつ」といわれています。その場所は、時代を超えて、その記憶を現在・未来へと発信できるのです。ここにも、多くの人に伝えたい記憶を収めた場所があります。

南風原《はえばる》文化センターは、那覇市に隣接し、沖縄県で唯一海に面していない市町村で、沖縄本島南部の中央に位置する南風原町にあります。標高85メートルの黄金森の麓にあり、1989年に開館した博物館です。

黄金森は、昔から南風原町民の「クサティ（腰当て・地形的に村を包むようにまた人びとが安心して背もたれるような存在）」として、拝所や古い墓がある森です。そして黄金森には今なお、戦争の記憶を留める「沖縄陸軍病院南風原壕」が残されています。

南風原文化センターの常設展示

南風原文化センターの常設展示室は、「南風原と沖縄戦」「戦後・ゼロからの再建」「移民」「人びとの

https://www.town.haebaru.lg.jp/docs/2013022800327/ https://www.town.haebaru.lg.jp

南風原文化センター

暮らし」の4つのコーナーに分かれています。

まず平和学習をご希望でしたら、南風原文化センターで沖縄陸軍病院に関するDVD（約20分）や常設展示を見学することをおすすめします。基本的な知識を得た上で20号壕に入れば、より深い追体験ができ、充実した平和学習になると思います。

「南風原の沖縄戦」は、沖縄陸軍病院南風原壕の再現、奉安殿、忠魂碑、学童疎開、移民と戦争、県内の戦争遺跡、南風原平和の礎等を中心に紹介しています。

壕内を再現した展示では、体験寝台や手術台、町内の戦跡から出土した遺物が展示されています。その他、黄金森の壕の地形模型、壕関係年表等もあり、当時の様子がより理解しやすいように工夫されています。奉安殿や忠魂碑も模型で紹介していま す。町内に所在した「穴の空いた砲弾の塀」も移設し、その他、砲弾に打ち抜かれ穴の空いた着物やカバン、焼けただれたガラス瓶などが展示されています。また町内全戸調査の様子や、戦争当時の南風原の人たちの県外、海外でのようすなどの資料も数多く紹介し、沖縄戦の動きを広く理解できるようにしています。

「戦後・ゼロからの再建」は、収容所のテントのイメージの入り口からはじまります。政治や社会の動きだけでなく、庶民のたくましい暮らしや、映画やマンガ、オモチャ等の娯楽も紹介しています。戦後のスタートである収容所からはじまり、年表、写真、実物を多く展示しています。年表は県・町だけでなく字の出来事も紹介し、写真は、米軍の事件事故、（本土）復帰闘争、庶民の暮らしや実物資料は、スクラップとしての戦車の残骸、米軍のボンベを再利用したムラヤー（公民館）の鐘、Aサイン（米軍の飲食店等の立ち入り許可証）、ジュークボックス、マチヤグヮー（小売店）

南風原文化センター

等で親しみのあるように工夫しています。さらに、アメリカ統治時代の言葉やオキナワンイングリッシュ・高等弁務官や政治家の言葉等も紹介しています。ゼロからスタートし、米軍統治下の様子、復帰運動など自らの手で勝ちとった、戦後のたくましい歩みを知っていただきたい場所です。

「移民」のコーナーでは、ハワイ、北米、ペルー、ブラジル、アルゼンチン、ボリビアへの移民を紹介しています。第一回ハワイ移民やブラジル移民、そして現在の各国の南風原町人会のようすを展示しています。貧しい時代に、大志を抱いてはるかなる国に渡って行った、南風原の先輩達の苦労や努力、故郷を思う気持ち、その子孫である2世・3世が世界中にいることを忘れてはなりません。

「人びとの暮らし」コーナーでは、物の乏しい時代に、父母や祖父母が生きた暮らしの知恵や工夫のようすを紹介しています。まず、人が生まれてから成長し、亡くなるまでの儀礼を「人の一生」として豊かな絵で表現しています。また、カヤブチャー（茅葺き家）で、床の間（一番座）や、仏壇の間（二番座）、土間（トングァ・台所）等を再現、さらに、フル（豚小屋）やヒージャヤー（山羊小屋）には、剥製の豚や山羊をリアルに展示し、家畜のいる暮らしを紹介しています。カヤブチャーの庭には、ガジ

南風原壕の再現

ゼロからの再建
——沖縄戦後史コーナー

移民コーナー

マル（榕樹）の大木やアシビナー（遊び庭）、井戸、屋敷内畑（アタイグヮー）を配し、暮らしの範囲を広げています。年中行事では、字兼城の実物の綱引き綱や火を吹くジャー（龍）等も紹介し、迫力ある展示となっています。壁全面には時間とともに変わる空や、かつての田舎の風景、また黄金森の豊かな自然も色彩豊かに表現しています。「人びとの暮らし」は祖先たちの豊かな知恵や工夫が学べます。

沖縄陸軍病院南風原壕群20号

1944年に南西諸島一帯を襲った空襲（十・十空襲）で、沖縄陸軍病院は、那覇から南風原国民学校に移ってきました。地上戦目前の翌年3月下旬から近くの黄金森周辺に掘られた壕に移動しています。黄金森周辺には、いくつもの壕が掘られ、患者や病院関係者、そこで働いていたひめゆり学徒の凄惨な記憶をもつ場所です。そこで約2か月間活動が行われました。1990年、これらの壕は「戦争を語る負の遺産」である「沖縄陸軍病院南風原壕群」として南風原町の文化財指定を受け、太平洋戦争・沖縄戦にかんする戦跡を全国で初めて文化財として位置づけられました。考古学的調査を重ね、2007年には、20号壕が一般公開されています。見学には予約が必要で、必ずガイドが案内いたします。壕の長さは約70メートル、巾、高さは約1・8メートルです。かつて連結した19号や21号とつながるところで十字路になっています。現在では当時の「臭い」を小瓶に入れて再現し

人びとの暮らしコーナー

たものを嗅ぐことができます。戦争について学ぶとき、知識だけではなく、観る、嗅ぐ、感じることを通した学び（追体験）を追求したいと思います。

〈沖縄陸軍病院20号壕リーフレット参照〉

黄金森周辺戦跡案内

黄金森には、公開された20号壕ばかりではなく、埋没した壕、炊事で使われていた井戸、兵十埋葬地、交通壕（通路）、慰霊碑など、周辺の戦跡関連の場所があり、平和ガイドの皆さんが案内しています。見学の際は予約をお願いしています。

陸軍病院20号を追体験できる

〈沖縄陸軍病院南風原壕屋外戦跡案内リーフレット参照〉

https://www.d-library.jp/haebaru/g0102/libcontentsinfo/?conid=2

黄金森周辺ガイドブック

沖縄陸軍病院南風原壕群周辺案内図

南風原文化センター
〒901-1113
沖縄県南風原町字喜屋武257
Tel 098-889-7399
Fax 098-889-0529

Field Work ⑥

伊江島での民泊による生活体験

〔松島泰勝〕

伊江島の民泊は、住民の家庭で寝食をともにした生活のなかから学ぶ教育を特徴としています。このような「教育民泊」により、住民の方々と直接のふれあい、交流を通じて、島の歴史、文化、社会を学ぶことができます。ホテルと観光地との往復では得られない、生の住民の声に接し、一生忘れられない思い出を作ることができます。

２００３年から、伊江島では沖縄県内において初めて体験型観光として、修学旅行生を受け入れる教育民泊がはじまりました。空き部屋になった子ども部屋などに修学旅行生を受け入れる民家数は現在、１３０軒をこえています。観光客と観光業者との「ゲスト－ホスト」というビジネスライクな関係ではなく、同じ家で寝食をともにする家族同士の温かい関係を体験することが民泊の魅力です。

このような観光業の形態を「ヒューマンツーリズム」と呼ぶ人もいます。かつて沖縄観光といえば、大勢の観光客が大型バスに乗って、首里城、美ら海水族館、戦跡などの観光スポットを訪問する「マス・ツーリズム」が主流でした。最近は、個々の観光客が求めるニーズの内容も多様化しており、沖縄島だけでなく他の島じまをも訪問し、見学だけでなく「体験する観光」への需要が増えてきました。たとえば、農業を体験する「グリーンツーリズム」、漁業を体験する「ブルーツーリズム」、健康食を食べ、医療や療養ケアを受ける「ウェルネスツーリズム」、トライアスロン大会やマラソン大会等に参加する「スポーツツーリズム」等、観光客のニーズに応じて多様な観光形態が登場しています。伊江島の民泊も、新しい体験型観光の一つなのです。

同じ家で生活するなかで、生活態度がよくない生徒に対しては、受け入れ家族が厳しく教え諭すこともあるようです。「沖縄の人たちの優しさ」を生活のなかで実感するときがきっとあるはずです。民泊によって、建前の人間関係ではなく、本音の関係が生まれ、深い信頼関係を築き、民泊終了後も、受け入れ家族と継続的な関係を続けているケースもたくさんあります。「伊江島のお母さん、お父さん、お婆さん、お爺さん、兄弟姉妹」となるような方々との出会いが生まれるかもしれません。

そのような温かい人の絆を象徴しているのが「離村式」です。生徒たちが民泊を終えて港から船で伊江島を離れる前に行われる離村式では、多くの子どもや受入家族が涙を流し、別れを惜しんでいます。「さよなら」ではなく、「いってらっしゃい」、「いつか帰っておいでね」といって子どもたちを送り出しています。再会を互いに願いながら、島での生活、体験をふり返り、船で伊江島を離れます。

伊江島で出会った家族の方々との交流を通じて、伊江島が「もう一つのふるさと」になるのです。

米軍に告ぐ

その後、個人的な観光旅行をするときに、伊江島を滞在先に選び、島に「帰る」という「リピーター」が多いのも民泊の特徴です。

島の方々と一緒に食事を作り、仕事をし、文化活動を体験し、平和学習をすることで、人の優しさ、文化の豊さ、生活の厳しさ、基地問題、沖縄戦の歴史を「他人事」としてではなく、「自分事」として学ぶことができます。なぜなら、民泊によって滞在先の家族の一員として物事を考える視点を得ることができるはずだからです。

伊江島でもそうですが、琉球の小さな島には高校がない場合が多く、自分の子どもたちが島を出て寂しい思いをする家族の方々が少なくありません。そのため、民泊のために来島する生徒たちを暖かく迎えたい、自分の子ども、孫、兄弟姉妹のように楽しく交流したいと、多くの住民は願っています。

住民は過酷な歴史を経てきたことも忘れてはいけません。太平洋戦争中、伊江島は戦場になり、多くの住民が戦争に巻きこまれました。アハシャガマに避難した約150人の住民は、日本軍によって強制的に集団死に追いこまれました。そのご遺骨は芳魂之塔に合祀されています。戦後は米軍が住民の土地を奪い、基地を建設しました。それに抵抗するために、阿波根昌鴻《あはごんしょうこう》＊さんを中心として「伊江島土地闘争」と呼ばれる米軍基地反対運動が行われました。それは米軍による強制的な土地接収に反対する住民の平和的な闘いであったと、評価されています。伊江島での戦争、平和を求める活動を学ぶことができる場所として、平和資料館「ヌチドゥタカラの家」があります。そこでは戦争中の住民の生活品、武器、戦後の反基地運動の資料などが展示されています。

島の中央部にある山が、172

＊ひと⑯参照。

ヌチドゥタカラの家

メートルの「伊江島タッチュー」であり、伊江島を象徴しています。山の中腹には、航海の安全と健康を祈願する御嶽《うたき》や祭場があり、頂上から島全体や沖縄島を眺めることができます。

島の産業としては、葉タバコ、黒毛和牛、島らっきょう、菊等の農業、延縄漁・ソデイカ漁・養殖業等の漁業が盛んであり、多くの島の方々が第一次産業で働いています。生徒たちも受け入れ家族の生活の営みを直接体験することが民泊の大きな魅力です。

また生徒たちは家族とともに食事を作り、食べながら、島の生活、歴史や文化のお話を聞きます。民泊によって24時間、自分の身体全部を使って、島の生活、自然、経済を体験し、学ぶのです。生徒たちは、伊江島住民の強い相互扶助の関係を通じて、人の心の温かさ、人を信頼することの大切さを実感し、人間として成長することができるのではないでしょうか。

民泊のモデルコース

入村式後、生徒は各家庭へ移動し、さまざまな体験を行います。

たとえば、

① 島ニンニクやサトウキビを収穫し、芋掘りを体験します。馬に餌を与え、ヤギの飼育体験をし、「島魚」の釣りをします。

② サーターアンダギーを受け入れ家族とともに作り、おやつとして食べます。琉球の家庭料理を家族とともに作り、会話をしながら食事をとります。

③ 綺麗な海浜を散策したり、伊江島タッチューを登ります。

④ ストラップを作り、琉球衣装を着てみたり、貝殻でシーサーを作ります。

⑤ パーランクー（琉球の小さな太鼓）を使ってエ

日常食のひとつ　沖縄そば

イサーを踊り、三線（琉球の弦楽器）の弾き方を学びます。

⑥島内の戦跡、ガマを巡り、沖縄戦を学びます。「平和資料館ヌチドゥタカラの家」で、戦争や米軍基地関連の資料を見学し、館長の謝花悦子さんから、「沖縄のガンジー」と言われる阿波根昌鴻さんによる平和活動のお話を伺います。「伊江島はにくすに郷土資料館」で島の歴史を学びます。

最後に、離村式で再会を願いながら島を離れます。

http://wabiai.holy.jp/

わびあいの里（平和資料館ヌチドゥタカラの家などを運営）

Field Work ⑦

普天間・辺野古でのピース・スタディー

〔多嘉山侑三〕

宜野湾市にある普天間基地と、その移設先とされ埋立が強行される名護市辺野古のキャンプ・シュワブ沿岸。普天間と辺野古、それぞれの現状を体感できる場所を紹介します。

まずは、普天間基地を一望できる場所として有名な、宜野湾市の嘉数高台公園内の展望台です。そこから北東方面に目を向けると、街のどまんなかにだだっ広い敷地が不自然にたたずんでいます。そのなかに広がる緑の芝生と2800メートルの滑走路、そしてオスプレイが並んでいるそのようすがこの場所からよく見えます（写真①）。展望台には、「米海兵隊基地　普天間飛行場」「普天間飛行場の跡地利用に係る取り組み」などの案内もあり、

写真①　嘉数高台公園の展望台から見える普天間基地

そのなかにはQRコードから市のサイトにアクセスできるようになっています。

つづいては、宜野湾市の上大謝名さくら公園です。普天間基地のフェンスのすぐ側にあり、米国の基準だと滑走路の端に近く危険なために土地利用が禁止される区域、通称「クリアゾーン」のなかに位置します。公園で遊ぶ子どもたちのすぐ上を、オスプレイなどの米軍機が毎日のように低空飛行しており、その騒音被害と墜落の危険性を身をもって感じることができます（写真②）。

写真②　上大謝名さくら公園の上空を低空飛行するオスプレイ

写真③　国道329号沿い辺野古集落の入口

写真④　瀬嵩の浜から見える辺野古埋立工事の作業船とフロート

そして普天間から北へ約40キロ離れた場所に位置する辺野古キャンプ・シュワブ。辺野古の集落はそのすぐ隣にあります。国道329号沿いの街の入り口に少しお店が並んでおり、なかにはいっていくとほとんどが住宅街になっています（写真③）。夕方になると、学校帰りの小学生が歩く姿と、基地のなかから出てきた私服の米兵たちが飲食店にはいっていく姿、その両方が日常の光景として見かけられます。もし辺野古の代替施設が完成したら、この街の上空を米軍機が普天間と同じように飛びまわるでしょうが、そのとき、ここに暮らす人びとは何を思うのでしょうか。

最後は、辺野古の埋立工事のようすが見える場所として瀬嵩の浜です。名護市瀬嵩はキャンプ・シュワブ沿岸の大浦湾を挟んだその対岸にある集落です。その浜辺から、埋立工事のために浮かぶいくつもの作業船やフロートが良く見えます（写真④）。大浦湾を含めたこの一帯は本当に自然が豊かな場所で、瀬嵩の浜も波で削られた岩場が無数にあり、岩壁の地層なども観察できます。この地に立つと目の前で行われる埋立工事への違和感がよく感じられるはずです。

以上、普天間と辺野古の現状を体感できる場所にぜひ一度は足を運んでみてください。

Field Work ⑧

基地の街・コザ
米軍との75年

〔与那嶺功〕

那覇空港から車で北上して1時間近く、国道330号から沖縄市に入ると、街の雰囲気が変わってきます。英語の看板がやたらと目につきます。ショップの看板は、コンクリート壁に直に描いたもの。かつて「コザ」と呼ばれた、今は「沖縄市」という街です。

沖縄市の玄関口付近に建っているのが、ショッピングモールの「プラザハウスショッピングセンター」。1954年のオープンで、日本初のショッピングセンターといわれています（当時沖縄は日本ではないのですが）。米軍政時代は、米軍の高級将校やその家族ら向けの高級品を取り扱っていました。一般の店ではお目にかかることのできない、きらびやかな品々が並んでいたといいます。

吹き抜けの開放的なつくりの構内には洋服店や洋書専門店、飲食店などが軒を並べていて、地元の人や観光客が訪れる人気スポット。社会運動家のヘレン・ケラーが沖縄に来た際には、この店にも立ち寄っていて、彼女が店内を見て歩くシーンを撮った写真が飾られています。

沖縄で人気のファストフード・チェーン「A&W」（米国発祥）も、プラザハウス内に店を構えています。ソフトドリンクのルートビアは、くせのある独特の風味が特徴。「A&W」は米軍基地が集中する沖縄中部地域でよく見かけることができます。

日本全国に米軍基地が存在し、それぞれの地域には、少なからず米国の影響が色濃く残っていますが、なかでも、やはりコザが「基地の街」といわれるのは、米軍の重要戦略拠点に位置づけられる極東最大の飛行場、嘉手納基地があるからです。

嘉手納基地は嘉手納町・北谷町・沖縄市の2町と1市にまたがり、広さは羽田空港の1・3倍もあります。3600メートル級の滑走路が2本。米国の宇宙船スペースシャトルの緊急着陸地に指定されたほど高度な設備を備えます。

基地のなかは、まさに一つのアメリカン・タウンで、病院や学校、図書館、映画館、スーパーマーケット、教会もあります。

嘉手納基地の一帯は、戦前はのどかな農村でしたが、基地が建設されると、そのゲート付近に米兵向けの店が建ちはじめ、やがて沖縄中の米兵が集まる一大歓楽街になりました。

米兵が消費するドルを目当てに、沖縄本島だけでなく、宮古や八重山、奄美などからも多くの人が移り住み、商売をはじめました。ドルの価値が現在以上に高かった時代だけに、インド人や中華系の人も、ビジネスチャンスを求めてやってきました。いかに、嘉手納基地の存在が世界中に知れ渡っていたかがうかがえるエピソードですね。人口も急激に膨らみ、沖縄第二の都市に成長しました。

嘉手納基地の出入り口を出て民間地へと一直線に伸びる道を、「ゲート通り*」、または「空港通り」と呼びます。看板の文字も英語書きで、イラストもアメリカ風。米兵向けのバーやライブハウスが今も営

＊沖縄市戦後文化資料展示館「ヒストリート」はゲート通りにあり、貴重な写真や品々を展示している。米国やアジアの歴史と、コザ（沖縄）の歩みを同時にたどることができ、当時の社会状況がよく分かる。入場無料。同資料館が出しているガイドブック（500円）は写真や年表が豊富で分かりやすい。

業を続けています。

嘉手納基地の「門前町」が最も賑わったのは、ベトナム戦争の時代です。ベトナムの戦場をはいずりまわっていた米兵らは、休暇がもらえると沖縄に飛んで来て、コザで羽目をはずしました。戦闘でいつ死ぬかも知れないので、給料を貯めるよりも、いまもっているありったけの金を全部使って楽しんだほうがいい……。若い米兵らは夜通しで飲み歩きます。バーの店主らは、次から次へとオーダーが入るので、レジ金庫にはドル紙幣が収まらず、ドラム缶に詰めこんで足で紙幣を押しこんだというエピソードが残っています。

街の「繁栄」の影には、犯罪もあります。軍隊という組織には、暴力犯罪や薬物、売春がつきまといがち。沖縄の米兵らは、レイプや強盗・殺人といった罪を犯しました。極度の緊張状態を強いられる戦場では、精神に異常をきたすことが少なからずあります。赤ちゃんが性被害にあい、また猟奇的な殺人もありました。米軍占領時代は、文字通り治外法権で、米兵が犯罪を犯しても十分に処罰されません。殺人で捕まった後、基地内でどう処罰されたか不明なまま米本国に帰ったケースが多々あります。

1972年に沖縄は日本国の一部となりましたが、今でも米兵には日本の法律が十分におよびません。日本政府と米国政府との協定によって、容疑のかかった米軍関係者を捕まえるには、米軍側との複雑な手続きが必要だからです。

さて、今も昔も米国は、よかれあしかれ、世界の流行の発信地です。ジーンズやTシャツといったアメリカン・ファッション、ジャズやロックといった音楽や映画、建築スタイル。そしてヒッピー文化と根深い人種差別。コザの街には、米国の光と影の部分が、そのまま投影されてきました。

自分の住む地域に、外部から強い文化や暴力がもちこまれると、それへの反応として、自らの文化や歴史、アイデンティティーを強く意識することがあ

https://www.city.okinawa.okinawa.jp/about/130/233

沖縄市戦後文化資料展示館

ります。コザは、沖縄民謡やオキナワンロック、伝統芸能・エイサーの中心地となり、演劇などの創作活動も盛んになりました。

米兵ら外国人と、地元の女性とのあいだに生まれた子どもも多く、戦後75年経った現在は5世代、6世代目に入っています。多彩な人種と、もちこまれた多様な外国文化が混ざりあって、ここに住む人びとは独特の気質を帯びているといわれます。いろんな具材を混ぜあわせて炒めた沖縄料理「チャンプルー」にたとえて、コザは「チャンプルー文化」の街ともいわれます。

重要な点は、「コザ」のような街が、世界中に点在するということでしょう。世界各地にある米軍基地の周辺では、同じような「基地の街」が形成されます。なぜなら、米軍は母国と同じ軍のシステムを維持し、兵士らが本国と同じライフスタイルで過ごせるよう配慮しているからです。空軍、海軍、陸軍、海兵隊とも世界中を移動し、各地で作戦を展開します。できるだけスムーズに居心地よく過ごすには、どこにいても同じ規則が定められ、同じ設計の建物で活動することが好ましいのはいうまでもありません。

米軍のもつ体質、米国人のライフスタイルを身につけている兵士らは、世界各地で同じような行動をとりがちです。ですから、基地周辺の地元民との関係も似たものになる。米軍による事件・事故、米兵による犯罪、米国文化の影響……。基地の周辺には米兵向け飲食街があり、地域住民の生活や意識に大きな影響をおよぼします。

一つ例を挙げれば、アメラジアンの存在があります。アメラジア

英語の看板を掲げた店が並んでいる沖縄市のゲート通り

ンとは、「アメリカン」と「アジアン」という言葉を組みあわせた造語で、米兵と地元女性のあいだに生まれた子どもたちのことを指します。沖縄でも、アメリカ人の血を引く人びとがたくさん生まれ、かつては「あいのこ」「混血児」と呼ばれてきました。法律上の権利が不十分だったり、父親からの保護・援助がないなど、さまざまな課題が指摘されています。米軍基地のある韓国やフィリピンにもアメラジアンがいて、沖縄側との交流によって、ともに抱える課題を解決しようという活動もあります。

ちなみに世界中にある米軍基地と、その地元住民との関係を調査し、比較した研究はほとんど見当たりません。そもそも、世界中にどれだけ米軍基地があるか公には知らされていません。アフガニスタンやイラクなどには存在を公にしていない施設もあるとみられています。世界中の米軍基地を調査したデイヴィッド・ヴァイン・西村金一監修『米軍基地がやってきたこと』（原書房）によると、米軍は、他国の領土に800以上の基地を維持していると推定されています。

米軍基地による被害に悩まされている世界各地の人びとと連携しあい、ともに事例を調査していくことによって、新しいかたちの平和運動、住民運動を作りだしていく必要があるでしょう*。

＊1970年には米兵による交通事故をきっかけに、住民らが米軍関係車両を焼き討ちし、基地内に突入した「コザ騒動（コザ暴動）」が起こった。27年間の米軍占領下で最大の住民蜂起。沖縄市役所発行『米国が見たコザ暴動』は、米国公文書館から入手した米国側記録・報告書を分析して掲載、また海外マスコミによる当時の記事なども収録している。

Field Work ⑨

めんそーれ、銀天街 コザ十字路界隈を歩く

〔豊里友行〕

2020年から新型コロナウイルスの感染拡大防止のため沖縄でも伝統行事やイベントの大部分が、規模を縮小したり中止になったりしています。

これまでの私たちの生活スタイルをウイルス感染症対策において大幅に見直さなければならなくなりました。沖縄市コザ十字路界隈もその影響は、ひっそりとではあるが受けています。

私もまた自粛を余儀なくされていますが、このコザ十字路から北部や南部へ向かうにしても銀天街を通り、出発する。それは、私の場合、これまでも・これからも同じです。

その銀天街の歩みは、沖縄戦から米軍統治下の時代に自然発生していく市場からコザ十字路市場と本町通り（沖縄市胡屋界隈の白人街に対して沖縄市コザ十字路界隈の黒人街として栄えた時代がある）、そして沖縄市銀天街へと発展して来ました。

私が通るたびに見てきた銀天街は、シャッターガラガラ銀天街という歌もできるくらいに街のさびれ

具合に歯止めは、なかなかきかないが、このコザに魅せられています。

　1976年生まれの私でさえ幼いころの銀天街で母の手を離してしまい、迷子になりかけたほど盆と正月には、人だかりができていました。

　ひょんなことから銀天街の総菜通り内にある三幸の店主・城間さんとのユンタクハンタク*で向かいの大家さんの故・仲米幸雄さんから空店舗を2020年8月から豊里友行写真事務所としてお借りすることになりました。通りすがりだったかかわり方が、一変しました。親しみ深いこの銀天街から俳人で写真家、出版社沖縄書房代表として世界に羽ばたく夢が、ふくらみます。

　銀天街界隈のお話をするならコザ十字路の話から始めます。

　2015年1月にコザ十字路に大きさ約1600平方メートルの巨大壁画・コザ十字路絵巻ができています。

　この巨大壁画には、琉球・沖縄の歴史の縮図が描かれています。そのまま壁画解説を読んで銀天街を素通りするだけではもったいないです。

　コザ十字路界隈にある越来《ごえく》グスクは、第一尚氏・第六代の王になる「尚泰久《しょうたいきゅう》」と、勝連城の阿麻和利を討った「鬼大城《うにうふぐしく》」と、さらには第二尚氏・第二代の王の「尚宣威《しょうせんい》」も居城した琉球史のなかでも重要な舞台となった場所なのです。

　私は、コザ十字路絵巻を通してコザ十字路界隈には、沖縄の歴史の縮図があることに気づかされ、誇らしく思えるようになりました。

　まだ案内の受け皿はできていませんが越来グスクは、令和元年に国指定文化財を決める会議で沖縄市城前町の越来グスクが国指定名勝「アマミクヌ」に追加指定されています。

＊おしゃべりするという意味の琉球諸語。

コザ十字路絵巻の前にて

琉球創世の神アマミクが越来グスクを造ったと『おもろさうし』に歌われていることからもアマミクゆかりの地として評価されています。この越来グスク跡は、１９４５年の沖縄戦の後すぐに壊されてほとんどの痕跡が消失してしまいました。ですが、この『おもろさうし』に歌われた神話の世界を実際に訪れて想像してみてはいかがでしょうか。越来グスク跡の隣の沖縄市城前自治会*が当面の案内も受けてくれているので事前に相談してみてください。

コザ十字路界隈には、喫茶六曜舎やレコード・Bar「アビィ・ロード」など個性あふれる御店もあります。

２０２０年10月には、これまでアーケードのある商店街だったが、銀天街の最後のアーケードが撤去されました。黒人街時代の本町通りを知る銀天街の店主たちは、黒人街時代の「本町通りを思い出す」といい（アーケードがとれて）明るくなっていいねと希望を抱いています。

それとともに銀天街の息吹もあります。

銀天街内のコザ十字路通り会*が立ちあがって銀天街の受け皿の役割を担いはじめています。

この通り会のメンバーの池原英高さんによるコザ十字路絵巻の無料案内も通り会への予約制で対応しています。また銀天街内には、この地域の歴史を研究されている池原えりこ代表による「コザXミクストピア研究室」もイベントなどを催したりしているのでコザ十字路通り会を窓口に事前連絡をしてぜひ訪れていただけると幸いです。

銀天街本町通りにあるお店だと沖縄の自然観察に造詣の深い高田爬虫類研究所の館長の大谷勉さんのお店もあります。

若者たちが営業しているお店も数件あり、ラッパー「ST-LOW」として営業している「Cafe NooR」や「Downtown Donuts」、「山口瞬太郎建築設計事務所」などもあります。

銀天街創設にも関わられた老舗も銀天街で数件

＊沖縄市城前自治会（会長・新里賢一　自治会 098-937-4638）

＊コザ十字路通り会（代表・森寛和　事務所 098-923-1404）

健在です。おしゃれの店「さほ」、「FASHION ミヤサト」、「さきはま化粧品店」、そうざいの店「三幸」など探索しながら銀天街物語を紡ぐと楽しい街歩きになります。

ひいき目の私から見ても銀天街は、シャッターが閉まって営業している店舗もまばらです。ただ素通りしがちな銀天街だけれども私は、魅了されてやまないです。その魅力は長く親しまれてきたコザ十字路の商店街の物語は、人間との出会いから得たものばかりです。ぜひ、コザ十字路通り会にもお声かけいただいて、コザ十字路界隈や銀天街、ひいては沖縄での出会いをキャッチするチャンスを拡げてもらえると幸いです。

そうざい店「三幸」

Field Work ⑩

新しい街(基地跡地)を歩く

〔松島泰勝〕

地域住民が米軍基地跡地利用に主体的に参加した事例として、那覇市金城《かなぐすく》地区のケースを紹介します。1980年から84年にかけて返還された、那覇空軍海軍補助施設と隣接地区合わせて109ヘクタールが、「小禄金城土地区画地域」として開発が行われました。当域内には、琉球国王府が作成した『琉球国由来記』(1713年)にも記録されている、歴史的、学術的にも貴重な赤嶺、安次嶺の御嶽《うたき》(俗称「上の毛」)があります。御嶽とは琉球の人びとが崇敬してきた伝統的な聖地ですが、これらは米軍基地内においても大部分が保存されてきました。しかし那覇市は跡地利用として土地を細切れにして、宅地化し、これらの御嶽を消滅させる予定でした。それに対して地元住民は次のように述べて反対しました。

「この聖なる杜を破壊することは、これまで村をつくり育ててきた祖先神に対して申し開きができないことであり、また、これからの望ましい都市像として、『歴史と伝統を語り継ぐ都市』の趣旨にも反するものであると言わざるを得ないものである。街づくりは、地域住民の参加はもとより、地域固有の文化の保存と再生が相俟って、個性豊で愛着と誇りのもてるような街づくりの方策を立て、市民全体の総意により推進しなければならないものである。したがって、那覇市の『アメニティタウン計画』の先導的役割を果たすためにも『上の毛の御嶽』及びそこに群生している百余種の植物群を保存するよう、強く要望するものである」(新垣誠三他編『小禄金城まちづくりの歩み』那覇市土地計画部・建設部、1997年)。

地域住民の要望に従って、上の毛の赤嶺御嶽、安次嶺御嶽も新たな装いで整備され、残されました。また基地跡地の中心に整備された小禄金城公園のなかには、金城御嶽の杜があり、新しい拝所が置かれました。地域の歴史や文化の象徴ともいえる御嶽を中心に街が再生し、住民のコスモロジーや記憶の世代間の継承が可能になり、琉球人アイデンティティが形成され、金城地区は「新たな地域共同体」となったと言えます。

金城地区における地権者は約900人でした。住民参加による街づくりを目指して、地主会、那覇市都市計画課、金城区画整理事務所、地域に住む建築士で構成する建築士会那覇南支部が「金城地区まちづくり懇談会」を設置しました。同懇談会は赤嶺御嶽、安次嶺御嶽の保存を那覇市議会に要請しました。小禄金城の地区計画制度の骨子は、次のようになりました。①壁面線の後退、②土地の細分化の防止、③建築物の用途制限。この3点を柱にして、意匠や色彩の調整、堀の高さや形状の制限、樹林地の保存や緑化が実施されました。

小禄金城公園

戦前、この地区は旧小禄村の金城、赤嶺、安次嶺、田原、小禄（の一部）の集落があり、村役場や学校等の公共施設が集中する村の中心地でした。基地返還後、地域の記憶を留め、信仰の対象となった御嶽を残し、住宅地、商業地、教育機関、行政機関も融合した落ち着いた街づくりに成功したといえます。

米軍基地の跡地利用は、経済的に大きな効果を生み出すことはさまざまな事例で明らかになりました。沖縄県は２０１５年1月、小禄金城地区にかんして、基地が返還される前と返還された後の経済効果を比較しています。同地区の直接経済効果は返還前の約34億円に対し、返還後は14倍の約４８９億円となりました。直接経済効果とは、基地跡地の基盤整備を一定程度終えた後に発生する、生産・販売などの経済活動によって生じる直接的な経済効果です。返還前の直接経済効果は地代収入、軍雇用者所得、米軍などへの財・サービスの提供、基地周辺整備費等、基地交付金などによって生まれます。返還後のそれは、卸・小売業、飲食業、サービス業、製造業の売上、不動産賃貸などから発生します。雇用者数の変化を見ると、返還前のそれは１５９人でしたが、返還後、29倍の４６３６人に増加しました。沖縄島の他の米軍基地返還跡地も金城地区と同様に、返還後大きな経済効果、雇用効果を生みだしました。

その経済効果を一過性のものに終わらせるのではなく、持続可能なものにするためにも、跡地利用の計画策定、その実施過程において地域住民が主体的に参加する必要があります。そうすれば琉球各地に内発的発展の拠点を拡大させ、自立経済を実現することが可能になるでしょう。

金城地区を歩いてみましょう。歩道の幅が広く、

街路樹で整備された
モノレール高架下

余裕をもって歩くことができます。公園や広場が各地に配置され、モノレールの高架を支える柱や歩道に植物や街路樹が豊富にあり潤いを街にもたらしています。また歴史的、文化的な遺物が各地にあり、説明板でその紹介がなされ、地域の歴史を各世代が学ぶことができます。小中高の校舎と住宅地域との境目を高い塀で仕切るのではなく、そこには低い塀や生け垣しかありません。それは開放的な印象を与えるとともに、地域住民全体で子どもたちを育てるという地域の暖かさも感じることができます。

モデルコース

沖縄都市モノレール小禄駅下車→小禄金城公園、田原公園、赤嶺緑地、モノレール沿いの道路、金城小・中学校や那覇西高校沿の道路、赤嶺・安次嶺・金城の各御嶽。

参考文献：松島泰勝『琉球独立への経済学――内発的発展と自己決定権による独立』法律文化社、2016年

Field Work 番外①
インターネットのなかの琉球
〔多嘉山侑三〕

昨今、インターネット上では次のような言説が広く流布されています。

「辺野古に基地を造らないと中国が沖縄に攻めてくる」

これを聞いてどう思いますか？「それなら仕方ないな」「あーなるほど、納得！」となりましたか？実はこれ、誤りなんです。昨今ではこういった誤った情報を「フェイクニュース」と呼んだり、情報の真偽をたしかめる行為を「ファクトチェック」などといわれるようになりましたが、そういった情報に対する筆者なりの見極め方を紹介したいと思います。

まずは検索サイトで「沖縄」「辺野古」「米軍基地」「中国」などのキーワードで検索してみましょう。検索結果が表示されたら、その情報が発行元責任の明確なサイトが発信しているものなのかを見極めることが大変重要です。たとえばこの場合は、沖縄県公式サイト、防衛省公式サイト、外務省公式サイトなどの、国や県の公的機関による情報です。これらをまずは最優先で確認していきます。その次に、各新聞社などの報道機関のサイトです。特に沖縄に関しては地元紙の琉球新報と沖縄タイムス*のサイトです。こういったサイトはもし誤った情報を発信してしまったら、その社会的責任が問われます。そして当然、訂正と謝罪を求められます。ですので、発行元責任の明確なサイトから情報を探すことを徹底しましょう。

逆にやってはいけないのは、発行元責任の不明確なサイトの発信を鵜呑みにすることです。たとえば、まとめサイトやヤフー知恵袋、ヤフーニュースのコメント、匿名によるブログ、SNSでの発信など、これらはすべて誰が書いたかもわからない、その真偽を問われても基本的に責任をとらない発信者による情報なのです。そして先ほどの「辺野古に基地を造らないと中国が沖縄に攻めてくる」というような言説も、たいていはこういった責任をとらないサイトから発せられることが多いです。

ではこれから、この言説を責任あるサイトで調べて検証していったとき、どのような事実が得られるかを具体的に見ていきましょう。まず辺野古に造ろうとしている米軍基地は、返還が決まっている普天間基地の代わりの施設という名目であることがわかります。そして、その普天間基地は面積でいうと在日米軍基地全体の2パーセント程度であり、沖縄にはそれ以外の米軍基地がまだまだたくさんあることが分かります。QAの「25 米軍基地に反対する人びと」でもお伝えした通り、在日米軍基地（米軍専用施設）面積の70・6パーセントが国土面積0・6パーセントの沖縄に集中していますので。

ここから、「辺野古の基地が造られず、在日米軍基地面積のわずか2パーセントの普天間基地が無条件で返還されたとき、はたして中国は攻めてくるのか？」という疑問が生まれます。補足すると、沖縄には極東最大といわれる嘉手納米空軍基地もありま

＊19沖縄の新聞とメディア、20沖縄のテレビは偏っているか、参照。

すし、米軍基地以外にさらに自衛隊基地もあります。軍事的な知識がそこまでなくとも、常識的に考えるとまずありえない、という結論になるはずです。

またさらに調べていくと、辺野古に造ろうとしている基地は、米軍の海兵隊という軍隊が駐留する予定であることがわかります。そしてこの海兵隊の機能や役割を知れば、よりこの言説がありえないという結論になるはずです。

ここで海兵隊について少し簡単に説明すると、陸上、航空、兵站、司令の4つの部隊が強襲揚陸艦という一つの大きな船に乗って、海上をパトロールしながら訓練をすることが多いです。なぜなら世界のどこかで紛争が起きたとき、一番最初に現地に向かうのが海兵隊であり、いつでも世界のどこかの海上からこれら4つの部隊が連携して出撃できる準備を普段から行っているのです。普天間基地など沖縄に駐留する海兵隊の部隊は、主にインド太平洋地域の海上を強襲揚陸艦に乗ってパトロールをしていますので、何かあればそこから紛争地に向かいます。つまり、「海兵隊は有事の際に、基本的には沖縄の基地のなかから直接出撃するわけではない」というのがポイントです。その証拠に、過去に複数の防衛大臣が「海兵隊の基地は軍事的には沖縄でなくてもいい」という旨を発言しています。こういったことからも「辺野古に基地を造らないと中国が沖縄に攻めてくる」という言説が誤りであることがわかります。

くり返しになりますが、在日米軍基地面積や海兵隊の機能と役割など、これらの情報はすべて、先程お伝えした発行元責任の明確なサイトに掲載されているものです。ぜひご自身で調べて確かめてみてください。

しかしながら、インターネット上では沖縄にかんする誤った言説のほうが圧倒的に多いのが現状です。もしかしたら書きこんだ当人は、無知からくる軽い冗談のつもりだったかも知れません。沖縄で生まれ育った筆者も東京で10年ほど生活した経験がありますが、東京の友人に「沖縄って、今でもパスポート必要なんでしょ?」などと冗談まじりでいわれたことがあります。そのときは笑って否定しましたが、そういった感覚の延長線上で、沖縄にかんしてあることないことがネットに書きこまれているのではないかと感じます。また、沖縄県の２０２１年現在の人口は約１４５万人で、日本全体の１パーセントほどしかありませんので、インターネット上には単純に99パーセントの冗談と1パーセントの事実という、圧倒的な情報格差が生まれてしまっている可能性も考えられます。

そういった圧倒的な差を少しでも埋めるために、筆者は「うちなーありんくりんＴＶ」というYouTubeチャンネルを開設し、沖縄の基地問題を中心とした政治にかんする情報を動画で発信しています。２０１８年10月の開設から２０２１年1月時点までで、チャンネル登録者数３８００人、総再生回数20万回程です。動画を作る上で大切にしていることは、これまで述べてきた通り情報は発行元責任の明確なサイトから必ず引用するということです。そしてそれらも視聴者の方が自身の目で直接確かめてもらえるよう、動画説明欄に引用元のサイトのＵＲＬを必ず掲載するようにしています。その上で可能な限り、視聴者の皆さんにもご自身の頭で考えてほしいからです。

さて、今回はインターネット上の沖縄にかんする言説を例に見て参りましたが、沖縄に限らず、インターネット上に氾濫する情報のなかから事実を見極める目を養うことはとても大事です。これからはぜひ、責任の所在のわかる情報のなかから、ご自身に必要なものを選択するようにしてみてください。

https://www.youtube.com/channel/UC8Kxe-Wh3Baop2ui76xg5-Q

うちなーありんくりんTV

Field Work　番外②

公文書のなかの琉球県公文書館の資料を活用する

〔豊見山和美〕

日本には「公文書館法」という法律があり、国や地方公共団体が保管する公文書その他の記録を保存して利用に供するため、公文書館を設置するよう定めています。公文書館は英語でアーカイブズ：Archives といい、欧米では「民主主義の礎」と呼ばれるほど、社会的に重要な役割をもつ施設です。公務員が業務を遂行する過程で作成・収受する公文書にはさまざまな情報が含まれ、国や地方公共団体の意思決定や実施事業の結果等を検証する材料となります。さらに、検証の結果を現に発生している課題の解決に役立て、あるいは未来のビジョンを形成するために活用することができます。公文書の管理保存・公開を通じて、公権力の意思決定に対して、主権者による監視や評価が可能になります。

たとえば、日本は1945年に敗戦しましたが、日本政府はなぜこの戦争を遂行したのか、誰に権限があり、どのような議論によって、国民を不幸にするような決定がなされたのかを考えてみましょう。

沖縄県公文書館
https://www.archives.pref.okinawa.jp/

アメリカ国立公文書館
https://www.archives.gov/

これらの経緯が、各機関の会議の記録や決裁文書、担当者の資料ファイルなどに記録されていれば、どこに判断の誤りがあったか追跡できます。公文書館とは、このように公文書を役所の奥にある文書庫から引っぱり出して主権者共有の知的資源として活用できるようにする、そして後世に残し伝えていく「仕組み」です。

沖縄県は１９９５年に「沖縄県公文書館」を設立しました。都道府県レベルで26番目の館にあたります。公文書館は南風原町に所在し、地下1階・地上4階建て、国内有数の施設規模を誇ります。ビルの屋根には２０１９年に焼失した再建首里城と同じ瓦が用いられ、独特の威容を見せています。公文書館の設立に尽力した大田昌秀知事＊（当時）は、かつては大学で教鞭をとる著名な研究者で、とりわけ沖縄戦や沖縄戦後史の分野に多大な実績を残しました。大田氏の研究の基礎となったのはアメリカ国立公文書館（NARA）に通って、自らの手で「発掘」した大量の公文書でした。

NARAは、合衆国政府の公文書について政府の説明責任を果たす使命感をもって、文書の作成・収受の段階からしっかりした管理を行っています。NARAで政府の意思決定過程を明らかにする記録のファイルに接した大田氏は、公文書が歴史の証言者としてかくも雄弁であることに感動し、また、沖縄から出向く研究者にも分け隔てなく公開されることに感銘を受けて、このような施設を沖縄で発展させる決意をしたといいます。沖縄戦終結から50年の節目にあたる１９９５年に公文書館を開館した大田氏の熱意に、公文書の保存活用、民主主義、平和実現の３つの主題を一つに貫く思想を見ることができるように思います。

では公文書館は、沖縄の歴史を共有し、また将来

＊ひと⑫参照。

沖縄県公文書館外観

の指針を模索する材料となるような、どんな資料を所蔵しているのでしょうか。〈琉球政府文書〉〈米国収集資料〉〈沖縄県文書〉〈沖縄関係資料〉の4つの資料群を紹介します。

琉球政府文書は、沖縄がアメリカ統治下にあった1945年以降1972年5月14日までに、住民側の政府機構が作成・収受した文書のことで、公文書館は約16万簿冊を所蔵しています。米軍は琉球の占領にあたって（アメリカは「沖縄」でなく「琉球」という呼称を好みました）、直接統治でなく、住民が運営する政府を設立しその政府をコントロールする方法を選びました。住民側の政府機構は数次の組織変遷を経て、1952年4月1日創設の琉球政府が日本復帰の前日まで機能しました。琉球政府は、行政府、立法院（議会）、裁判所を備え、一国並みの権能をもちましたが、その自治はアメリカの軍事戦略の範囲内でのみ認められるという制約がありました。圧倒的に優位な米軍に対して、民主的な方法で人権と自治を粘り強く主張し、少しずつ認めさせてきたのが琉球政府の時代だったといえるでしょう。琉球政府文書はデジタル・アーカイブ化が進み、ホームページでの閲覧も容易になっています。沖縄の戦後史を研究する資料として今後も広く利用されることが期待されます。

米国収集資料は、戦後27年間の沖縄統治に関与したアメリカの各機関の公文書を現地で収集し、沖縄で利用できるようにした資料群です。先に述べた琉球政府を管理統制したのは琉球列島米国民政府（United States Civil Administration of the Ryukyu Islands:USCAR）で、その公文書はNARAが所蔵しています。琉球政府文書とUSCAR文書は、沖縄の戦後史を研究する上で両輪を成す存在です。公文書館はこのUSCAR文書をマイクロフィルム化し、全360万コマをもち帰りました。沖縄侵攻作戦を担った各軍の公文書も、写真や動画資料を含めて幅広く収集しています。アメリカ国務省、国防総省、大統領図書館などからの収集分も広く利用されています。

沖縄県文書は、日本復帰により新たに発足した沖縄県が作成・収受し、公文書館へ引渡す公文書です。この引渡しは県の文書規程などで定められ、冒頭に述べた「公文書館法」の趣旨を実現しています。県の事務事業は多岐にわたり、大規模な土地開発や公共工事の記録、福祉や保健といった生活に直結する政策決定、観光業をはじめとする産業振興の取り組み、在沖米軍基地問題への対応など、的確な説明責任が求められるものです。説明責任の基礎としての公文書は、将来世代のために引き継がれなければなりません。ところが2020年、県が新型コロナ感染症対策会議の議事録を作成していないことがわかりました。これは一例に過ぎませんが、歴史的な証拠としての公文書が欠落することのないよう、沖縄県には現実的な努力が求められています。

公文書館は以上のような公文書だけでなく、〈沖縄関係資料〉として個人・団体のいわゆる私文書も所蔵し、公文書館の世界を豊かなものにしています。琉球・沖縄の政治、経済、学術研究などの分野で活躍した人たちがそれぞれ保管していた文書は、公文書とは成り立ちを異にし、ユニークな情報的価値をもっています。公文書と私文書を駆使して、歴史のなかに浮かび上がる沖縄を見つめなおす、学びなおすことができるでしょう。

琉球をさらに詳しく知るためのブックガイド

アケミ・ジョンソン『アメリカン・ビレッジの夜――基地の町・沖縄に生きる女たち』紀伊國屋書店、2021年
アキノ隊員（宮城秋乃）『ぼくたち、ここにいるよ：高江の森の小さないのち』影書房、2017年
新川明『沖縄・統合と反逆』筑摩書房、2000年
新崎盛暉『戦後沖縄史』日本評論社、1982年
阿波根昌鴻『米軍と農民――沖縄県伊江島』（岩波新書）、1973年
阿波根昌鴻『命こそ宝――沖縄反戦の心』（岩波新書）、1992年
朝日新聞社編『沖縄報告』朝日新聞社、1969年
伊波普猷『古琉球』（岩波文庫）、2000年
伊波普猷『沖縄女性史』平凡社、2000年
伊波普猷『沖縄歴史物語――日本の縮図』平凡社、1998年
西表島エコツーリズム協会編『西表島エコツーリズムガイドブック　ヤマナ・カーラ・スナ・ピトゥ』南山舎、1994年
伊佐眞一『沖縄と日本の間で――伊波普猷・帝大卒論への道』全3巻、琉球新報社、2016年
伊佐眞一『伊波普猷批判序説』影書房、2007年
伊佐眞一編『謝花昇集』みすず書房、1998年
石垣昭子、山本眞人『西表島・紅露工房シンフォニー自然共生型暮らし・文化再生の先行モデル』地湧社、2019年
上村英明『先住民族の「近代史」――植民地主義を超えるために』平凡社、2001年
上間陽子『裸足で逃げる――沖縄の夜の街の少女たち』太田出版、2017年
演劇「人類館」上演を実現させたい会編『人類館――封印された扉』アットワークス、2005年
大田昌秀『沖縄の民衆意識』新泉社、1976年
大田昌秀『醜い日本人――日本の沖縄意識』（岩波現代文庫）、2000年
大田昌秀『沖縄鉄血勤皇隊』高文研、2017年
大田昌秀『沖縄平和の礎』（岩波新書）、1996年
大城立裕『小説　琉球処分（上）（下）』（講談社文庫）、2010年
大城立裕『カクテル・パーティー』（岩波現代文庫）、2011年

大城立裕『休息のエネルギー　アジアのなかの沖縄』農文協、1987年
翁長雄志『戦う民意』KADOKAWA、2015年
沖縄市平和文化振興課編『米国が見たコザ暴動（KOZAの本）』ゆい出版、2019年
小田静夫『壺屋焼が語る琉球外史（ものが語る歴史）』同成社、2008年
大里康永『沖縄の自由民権運動――先駆者謝花昇の思想と行動』太平出版社、1969年
加藤彰彦他編『沖縄子どもの貧困白書』かもがわ出版、2017年
鹿野政直『戦後沖縄の思想像』朝日新聞社、1987年
鹿野政直『沖縄の戦後思想を考える』岩波書店、2011年
川満信一『沖縄・自立と共生の思想――「未来の縄文」へ架ける橋』海風社、1987年
川満彰『沖縄戦の子どもたち』吉川弘文館、2021年
川瀬光義『基地維持政策と財政』日本経済評論社、2013年
岸朝子『沖縄料理のチカラ　健康になる、長生きする、きれいになる』（PHPエル新書）、2016年
金城実・松島泰勝『琉球独立は可能か』解放出版社、2018年
北日本新聞編集局編『昆布ロードと越中――海の懸け橋』北日本新聞、2007年
具志堅隆松『ぼくが遺骨を掘る人「ガマフヤー」になったわけ――サトウキビの島は戦場だった』2012年、合同出版
澤地久枝『密約――外務省機密漏洩事件』（岩波現代文庫）2006年
ジョン・ミッチェル、小泉昭夫、島袋夏子『永遠の化学物質水のPFAS汚染』（岩波ブックレット（1030））2020年
下地理則、パトリック・ハインリッヒ編『琉球諸語の保持を目指して』ココ出版、2014年
申叔舟『海東諸国紀――朝鮮人の見た中世の日本と琉球』（岩波文庫）、1991年
瀬長亀次郎『民族の悲劇　沖縄県民の抵抗』新日本出版社、2013年
多辺田政弘『コモンズの経済学』学陽書房、1990年
玉野井芳郎『地域からの思索』沖縄タイムス社、1982年
高橋哲哉『沖縄の米軍基地「県外移設」を考える』（集英社

新書)、2015年
高橋哲哉『犠牲のシステム――福島・沖縄』(集英社新書)、2012年
高良勉編『山之口貘詩集』(岩波文庫)、2016年
高良勉『琉球弧―詩・思想・状況』海風社、1988年
知花昌一『燃える沖縄　揺らぐ安保――譲れるものと譲れないもの』社会批評社、1996年
知念ウシ『ウシがゆく――植民地主義を探検し、私をさがす旅』沖縄タイムス社、2010年
天空企画『図説琉球の伝統工芸』河出書房新社、2002年
照屋信治『近代沖縄教育と「沖縄人」意識の行方――沖縄県教育会機関誌『琉球教育』『沖縄教育』の研究』溪水社、2014年
豊里友行『沖縄戦の戦争遺品』新日本出版社、2021年
豊里友行『豊里友行写真録 市場んちゅ 那覇市第一牧志公設市場』榕樹書林、2019年
豊見山和行編『琉球・沖縄史の世界』吉川弘文館、2003年
當眞嗣一『琉球王国の象徴 首里城』新泉社、2020年
仲松弥秀『神と村』梟社、1990年
波平恒男『近代東アジアのなかの琉球併合――中華政界秩序から植民地帝国日本へ』岩波書店、2014年
西川潤・松島泰勝・本浜秀彦編『島嶼沖縄の内発的発展――経済・社会・文化』藤原書店、2010年
野村浩也『増補改訂版　無意識の植民地主義――日本人の米軍基地と沖縄人』松籟社、2019年
野池元基『サンゴの海に生きる――石垣島・白保の暮らしと自然』農文協、1990年
畑仲哲雄『沖縄で新聞記者になる』(ボーダー新書)、2020年
比嘉康文『「沖縄独立」の系譜』琉球新報社、2004年
藤浪海『沖縄ディアスポラ・ネットワーク』明石書店、2020年
外間守善『沖縄の食文化』新星出版、2010年
外間守善編『おもろさうし(上)、(下)』(岩波文庫)、2000年
松島泰勝『帝国の島――琉球・尖閣に対する植民地主義と闘う』明石書店、2020年
松島泰勝『琉球　奪われた骨――遺骨に刻まれた植民地主義』岩波書店、2018年

松島泰勝『琉球独立への道――植民地主義に抗う琉球ナショナリズム』法律文化社、2012年
松島泰勝『琉球独立宣言――実現可能な五つの方法』（講談社文庫）、2015年
松島泰勝・山内小夜子編『京大よ、還せ――琉球人遺骨は訴える』耕文社、2020年
前川喜平・松島泰勝編『談論風発　琉球独立を考える』明石書店、2020年
宮本憲一・川瀬光義編『沖縄論――平和・環境・自治の島』岩波書店、2010年
三上智恵・島洋子『女子力で読み解く基地神話』かもがわ出版、2016年
村井紀『南島イデオロギーの発生――柳田国男と植民地主義』（岩波現代文庫）、2004年
村井章介『古琉球　海洋アジアの輝ける王国』（角川選書）、2019年
目取真俊『水滴』文藝春秋、1997年
目取真俊『沖縄「戦後」ゼロ年』（生活人新書）ＮＨＫ出版、2005年
森秀人『甘蔗伐採期の思想――沖縄・崩壊への出発』現代企画室、1990年
屋嘉比収『沖縄戦、米軍占領史を学びなおす――記憶をいかに継承するか』世織書房、2009年
山城千秋『沖縄の「シマ社会」と青年会活動』エイデル研究所、2007年
安田浩一『沖縄の新聞は本当に「偏向」しているのか』（朝日文庫）、2021年
屋良朝博『砂上の同盟――米軍再編が明かすウソ』沖縄タイムス社、2009年
吉浜忍他編『沖縄陸軍病院南風原壕――戦争遺跡文化財指定全国第1号』高文研、2010年
琉球新報社編『ひずみの構造――基地と沖縄経済』（新報新書）、2012年
琉球新報社・新垣毅編『沖縄の自己決定権』高文研、2015年
琉球新報社・南海日日新聞社編『薩摩侵攻400年　未来への羅針盤』琉球新報社、2011年

あとがき

私は本書の「はじめに」で、「フィールドワークを通して、琉球を『他人事』としてではなく、『自分事』として考えてほしい」と提案させていただきました。それは「当事者意識をもって琉球の歴史、文化、社会、自然、ひとについて考えてみよう」という、皆さんへの呼びかけでもあります。「当事者意識」の「当事者」とは自分の頭で考えて、自ら率先して行動することを意味します。大人、親、政治家、学校の先生などの他人任せではなく、また「指示待ち」の姿勢ではなく、自分の頭で考え、行動することです。それは、修学旅行で学んだことを踏まえて、自分が生まれ育ち、生活している地域、日本、世界が抱えている諸問題を解決しようと考え、何らかの具体的な活動を実行することにつながります。皆さん自身が社会を動かし、変えて、平和で豊かな地域を作る主体なのです。そのきっかけを琉球でのフィールドワークから得て下さいましたら、大変嬉しいです。

私の研究上の専門は「島嶼経済論」であり、研究対象としている主な地域は琉球列島と太平洋諸島です。これらの島々でのフィールドワークに基づいて、研究と社会運動との相互作用を軸にしながら「自分の研究」を進めてきました。そこから研究の独自性が生まれると考えています。社会運動に自ら参加する、または新たな社会運動を作っていくような研究手法を、「参与観察」と言います。自分の研究が琉球や太平洋諸島の平和や発展に少しでも役立つことができればと願いながら、研究（＝社会運動）をしています。そのため、「もし自分がその地域の人の立場だったらどう感じ、考えるだろうか。その地域の人とどのように対等で、深い関係を結べるだろうか」などを心に思いながら、話を聞き、自分の頭で考えるようにしています。

私の教育や研究の活動においてフィールドワークは不可欠です。これまで大学生たちと琉球や奄美の島々、東日本大震災の被災地、グアム、パラオ、ハワイ、ミクロネシア連邦、マーシャル諸島、ツバル、仏領ポリネシア、韓国等に赴き、島の方々にインタビューを行い、重要な場所を訪問し、生活や生業の体験、ボランティア活動などをしてきました。２００７年にはＮＰＯ法人「ゆいまーる琉球の自治」を設立して、約7年間、久高島、奄美大島、伊江島、西表島、沖永良部島、平安座島、宮古島、伊平屋島、与那国島、座間味島、久米島、石垣島、徳之島、与論島、沖縄島において、島の方々を招いて2泊3日の車座の集いを開いてきました。島の歴史や文化、直面する政治経済的、社会的な問題とその解決を目指した実践活動などを報告してもらい、真摯に議論し、歴史文化的に重要な場所を訪ねました。島々の歴史、文化、自然環境、現状を踏まえて、島の未来像を描くためにも、からだ全体で琉球の島々や人びとから直接学びたいと思いました。

私はフィールドワークを行うときに次のようなことに気をつけています。まず事前に、研究テーマに関連した、できるだけ多くの本、論文、ウェブサイト情報を読みます。何が問題になっているのか、問題解決のための仮説を立て、テーマに関連するキーパーソン（地域の内発的発展で中心的な役割を果たしている人物）を探します。キーパーソンへの質問を考え、それに基づいて対話を行います。また問題解決のための手段を考え、それを実行します。参与観察の過程での試行錯誤も研究テーマにして、問題の本質を明らかにし、解決策を考えます。皆さんの修学旅行は、限られた期間内における学びを目的としていますが、その学びの効果をできるだけ大きくするためにもフィールドワークは欠かせません。

本書の執筆者のほとんどは琉球で生活をしており、琉球の過去、現在、将来について、社会の第一線で考え、発信し、実践している方々です。本書を読み、学びの目的を設定し、旅程を考えることもフィールドワークの一環になるといえるでしょう。

私はこれまで何度も琉球の島々でフィールドワークをしてきましたが、その度に新たな人びととの出会い、新たな発見や刺激があります。また自分の生き方や考え方を見直し、勇気や力を得ることも沢山ありました。皆さんも、フィールドワークの楽しさを経験し、自分の人生をさらに豊かにしてみませんか。

来年２０２２年は琉球にとって大変重要な節目の年になります。１９５２年4月28日にサンフランシスコ講和条約が発効して70年目になります。また１９７２年5月15日に琉球は日本に「復帰」したのですが、それから50年目になります。

日本政府は、１９５２年の「4月28日」に占領軍による支配が終了したと考え、「主権回復の日」と位置づけています。他方、琉球にとっては、日本から正式に切り離されて米国の軍事植民地支配下におかれたと認識して、その日は「屈辱の日」と呼ばれています。同じ日でも正反対の見方なのです。それは日本と琉球が異なる歴史を歩んできたことを明らかにしています。

サンフランシスコ講和条約第3条で、将来、琉球は国連の信託統治領になることが明記されていました。しかし、米政府はそれを実行せず、琉球を朝鮮戦争、ベトナム戦争等のための軍事拠点として利用し、核ミサイルを配備したのです。もしも琉球が信託統治領になっていたら、国連信託統治理事会が米政府による琉球統治を監視し、将来は、国連監視下の住民投票によって新たな政治的地位を選択することができたかもしれません。

その頃の琉球は日本国憲法や米連邦憲法が適用されない植民地でしたので、米軍による犯罪や事故が多発しました。琉球の多くの人びとは、平和憲法である日本国憲法によって自らの生命や生活を守ってほしいと願って、「復帰」運動に参加しました。しかし、1972年以降も琉球には広大な米軍基地が押しつけられ、新たに自衛隊基地も建設されました。本書でも説明されているように、日本国憲法を上回る権限をもつ「日米地位協定」によって、琉球の人びとは軍事基地の犠牲を受けつづけています。

「復帰」は「第二の琉球併合」だともいわれています。来年以降も、日本との植民地主義関係は続いていくのか、新たな政治的地位を獲得するのか。琉球の人びとはなぜ自らの歴史や文化を大切にし、「琉球人、沖縄人、ウチナーンチュ」としての自尊心が強いのか。多様で美しい自然と人との共生はどのように可能であり、またこれからの課題とは何か。自分なりの問題意識をもち、フィールドワークを通じて、琉球のこれまでの歴史、現状、将来像を自分の頭で考え、島や人の豊さ、深さ、温かさを、からだ全体で感じてみてください。

本書は、編集者の黒田貴史さんからの企画から始まりました。黒田さんには『帝国の島』、『談論風発　琉球独立を考える』（ともに明石書店）の編集のときにもお世話になりました。本書の企画内容について黒田さんと話しあったうえで、琉球の那覇市内で執筆者と編集会議を開き、本書の趣旨について説明をし、それぞれの役割分担を決めました。本書の編集においても黒田さんには大変、お世話になりました。斬新で、画期的な「琉球フィールドワークガイドブック」ができたと自負しています。心よりお礼申し上げます。

本書巻末に皆さんにお勧めする本を掲載しました。本書の執筆者が書いた本、文中で紹介された本、注目されている近著、手軽に読める文庫・新書、若い世代や女性の視点から書かれた本などを選びました。少しずつ関心のあるテーマの本から読んでみてください。高校を卒業した後に、琉球のことをさらに深く知りたいと思ったときに読んだほうがいいような本も少し含めました。修学旅行の期間だけではなく、その後、琉球を訪問するときや、自分と琉球との関係について考えたいときにも本書を末永く活用してもらえればと思います。

２０２０年初旬からコロナ感染者が増え、琉球を訪問する予定であった修学旅行の多くもキャンセルまたは延期されました。そのようななか、オンラインで修学旅行を「体験」したり、学内で琉球に関する調査、報告会を開催したり、また、日本本土内にある琉球由来の場所を訪問するなどの報道に接しました。コロナ禍でも琉球の島や人から学びたいという皆さんの強い思いに胸を熱くしました。本書は、修学旅行の事前・現地・事後学習に対応した「フィールドワーク・ガイドブック」です。コロナ禍が収束して、修学旅行が再開される時の準備として皆さんの学びに少しでも役立つことができれば幸いです。

2021年9月6日

松島　泰勝

〈編著者・著者紹介〉

編著者

松島泰勝（まつしま・やすかつ）

龍谷大学経済学部教授。島嶼経済論。

『帝国の島』（明石書店、2020年）、『談論風発　琉球独立を考える』（前川喜平氏との編著、明石書店、2020年）、『琉球　奪われた骨』（岩波書店、2018年）ほか

（まえがき、QA1、2、3、11、21、22、24、35、40、42、ひと⑨、⑯、フィールドワーク①、②、③、④、⑥、⑩、ブックガイド、あとがき）

著者（執筆順）

伊佐眞一（いさ・しんいち）

沖縄近現代史家。首里城再興研究会共同代表。

『アール・ブール　人と時代』（私家版、1991年）、『太田朝敷選集』（全3巻、共編、第一書房、1993～96年）、『謝花昇集』（編著、みすず書房、1998年）、『伊波普猷批判序説』（影書房、2007年）ほか

（QA4、5、12、14、29、30、ひと⑥、⑫、⑭）

与那嶺功（よなみね・いさお）

沖縄タイムス記者（文化面担当）。

「消費される琉球イメージ」『別冊「環」　琉球文化圏とは何か』（藤原書店、2003年）ほか

（QA13、19、32、33、39、ひと①、⑦、⑧、フィールドワーク⑧）

宮城隆尋（みやぎ・たかひろ）

琉球新報記者。

（QA17、23、ひと②、③、④）

波平恒男（なみひら・つねお）

琉球大学名誉教授　政治思想史・沖縄近現代史。

『近代東アジア史のなかの琉球併合――中華世界秩序から植民帝国日本へ』（岩波書店、2014年）、「沖縄がつむぐ『非武の安全保障』思想」（『沖縄が問う日本の安全保障』岩波書店、2015年所収）、「日本帝国と沖縄近代」（『明治維新を問い直す――日本とアジアの近現代』九州大学出版会、2020年所収）、「教育の普及と同化の論理」（『沖縄県史 各論編5 近代』沖縄県教育委員会、2011年所収）、共編著『沖縄の占領と日本の復興――植民地主義はいかに継続したか』（青弓社、2006年）ほか

（QA6、8、ひと⑮）

照屋信治（てるや・しんじ）
沖縄キリスト教学院大学人文学部教授。沖縄近代教育史。
『近代沖縄教育と「沖縄人」意識の行方』（渓水社、2014年）
（QA7、18、ひと⑤）
多嘉山侑三（たかやま・ゆうぞう）
YouTubeチャンネル「うちなーありんくりんTV」主宰。沖縄の米軍基地問題に関する検証・解説動画多数。
（QA9、25、36、37、38、フィールドワーク⑦、番外①）
白鳥龍也（しらとり・たつや）
東京新聞・中日新聞論説委員。政治・沖縄担当。
（QA10、28、31、ひと⑩）
真喜屋美樹（まきや・みき）
沖縄持続的発展研究所所長。地域経済学。
「返還軍用地の内発的利用――持続可能な発展に向けての展望」（西川潤・松島泰勝・本浜秀彦編『島嶼沖縄の内発的発展：経済・社会・文化』藤原書店、2010年）、「米軍基地の跡地利用開発の検証」（宮本憲一・川瀬光義編『沖縄論：平和・環境・自治の島へ』岩波書店、2010年）
（QA15、27）
嘉手納安男（かでな・やすお）
早稲田大学卒業、老人介護施設勤務。
（ひと⑪）
豊見山和美（とみやま・かずみ）
公益財団法人沖縄県文化振興会公文書管理課所属。1996年より現在まで沖縄県公文書館の専門職員として勤務。
（QA16、フィールドワーク番外②）
島袋夏子（しまぶくろ・なつこ）
琉球朝日放送・制作プロデューサー。早稲田大学総合研究機構次世代ジャーナリズム・メディア研究所招聘研究員。
2014年「裂かれる海～辺野古　動き出した基地建設～」で第52回ギャラクシー賞テレビ部門大賞、2016年「枯れ葉剤を浴びた島２～ドラム缶が語る終わらない戦争～」で日本民間放送連盟賞テレビ報道部門最優秀賞など。『永遠の化学物質　水のPFAS汚染』（共著、岩波書店、2020年）
（QA20、26、ひと⑬）

石垣金星（いしがき・きんせい）

1946年1月、西表島祖納に生まれる。現在西表島祖納在住、紅露工房（自営・染織業）用務員、西表をほりおこす会代表、西表民謡保存会会長、西泊大御嶽氏子総代、西表島エコツーリズム協会顧問、竹富町文化財保護審議委員会会長。

（QA34）

喜友名智子（きゆな・ともこ）

沖縄県議会議員。慶応大学卒、松下政経塾、コミュニティFM運営、会社員などを経て2020年初当選。

『コミュニティビジネス――身の丈経済論の進め』（共著（社）沖縄県対米請求権事業協会、2003年）、『沖縄女性の雇用環境について――バックオフィス業界を事例に』（金城芳子基金助成調査、2017年）

（QA41）

石垣直（いしがき・なおき）

沖縄国際大学総合文化学部教授。専門：文化人類学、台湾地域研究、沖縄地域研究。

『現代台湾を生きる原住民――ブヌンの土地と権利回復運動の人類学』（風響社、2011年）、「近代国家の成立と「先住民族」――台湾と沖縄の歴史と現状」『先住民からみる現代世界――わたしたちの〈あたりまえ〉に挑む』（深山直子ほか編、昭和堂、2018年）、「戦後沖縄における久米・至聖廟再建と中華民国――1975年前後の協力・寄贈品とその政治・文化的背景への注目から」『南島文化』42号（2020年）、ほか

（QA43）

平良次子（たいら・つぎこ）

南風原町立南風原文化センター館長。平和学習。織物文化。

『インド染織物紀行』（私家版、2019年）

（フィールドワーク⑤）

豊里友行（とよざと・ともゆき）

写真家・俳人・沖縄書房代表。

写真集『オキナワンブルー――抗う海と集魂の唄』（未來社、2015年）、『おきなわ辺野古の貌――今を撮る　豊里友行フォト・アイ』（榕樹書林、2020年）、『沖縄戦の戦争遺品』（新日本出版、2021年）など写真集や句集を多数出版

（フィールドワーク⑨）

歩く・知る・対話する琉球学
――歴史・社会・文化を体験しよう

2021年11月10日　初版　第1刷発行
2022年 1 月30日　初版　第2刷発行

編著者　松 島 泰 勝
発行者　大 江 道 雅
発行所　株式会社 明石書店
〒101-0021　東京都千代田区外神田6-9-5
電話 03（5818）1171
FAX 03（5818）1174
振替　00100-7-24505
http://www.akashi.co.jp/
装丁　金子裕
印刷・製本　モリモト印刷株式会社

（定価はカバーに表示してあります）　ISBN978-4-7503-5279-4